Sara Bingham Unmasked

Die kanadische Verfechterin der Trans-Gesundheit

Bashir Salim

ISBN: 9781998610907
Imprint: Telephasischewerkstatt
Copyright © 2024 Bashir Salim.
All Rights Reserved.

Contents

Einleitung	**1**
Einführung in Sara Bingham	1
Kindheit und Jugend	**23**
Aufwachsen in Kanada	23
Der Weg zur Aktivistin	**47**
Entdeckung der Leidenschaft für Aktivismus	47
Der Fokus auf Trans-Gesundheit	**69**
Aufklärung und Sensibilisierung	69
Sara Bingham im Rampenlicht	**93**
Medienpräsenz und öffentliche Wahrnehmung	93
Herausforderungen und Rückschläge	**117**
Die dunklen Seiten des Aktivismus	117
Bibliography	**139**
Erfolge und Meilensteine	**143**
Herausragende Leistungen im Aktivismus	143
Sara Bingham heute	**167**
Aktuelle Projekte und Initiativen	167
Ausblick und Vermächtnis	**191**
Was kommt als Nächstes für Sara Bingham?	191
Bibliography	**211**

Schlussfolgerung 215
Zusammenfassung der wichtigsten Punkte 215

Index 237

Einleitung

Einführung in Sara Bingham

Wer ist Sara Bingham?

Sara Bingham ist eine prominente kanadische Aktivistin, die sich leidenschaftlich für die Rechte und die Gesundheit von Trans-Personen einsetzt. Geboren in einer kleinen Stadt in Ontario, wuchs sie in einem Umfeld auf, das sowohl von ländlicher Idylle als auch von den Herausforderungen geprägt war, die mit einer nicht-binären Geschlechtsidentität einhergehen. Schon früh zeigte Sara eine Neigung zur Kreativität, die sich in ihrer Liebe zur Kunst und Literatur widerspiegelte. Diese künstlerischen Neigungen sollten sich später als ein wichtiges Werkzeug in ihrem Aktivismus erweisen.

Sara ist nicht nur eine Stimme für die Trans-Community; sie ist eine Brückenbauerin zwischen verschiedenen Identitäten und Kulturen innerhalb der LGBTQ-Community. Ihr Engagement für Trans-Gesundheit ist besonders hervorzuheben, da sie aus erster Hand die Schwierigkeiten und Diskriminierungen erlebt hat, die Trans-Personen im Gesundheitswesen erfahren. Diese persönlichen Erfahrungen motivierten sie, sich für Veränderungen einzusetzen und eine inklusive Gesundheitsversorgung zu fördern, die die spezifischen Bedürfnisse von Trans-Personen berücksichtigt.

Die Bedeutung von Sara Bingham in der LGBTQ-Bewegung kann nicht hoch genug eingeschätzt werden. Sie hat zahlreiche Initiativen ins Leben gerufen, um das Bewusstsein für die Herausforderungen zu schärfen, mit denen Trans-Personen konfrontiert sind. Ein Beispiel hierfür ist die Gründung von Unterstützungsgruppen, die nicht nur Informationen bereitstellen, sondern auch einen sicheren Raum für den Austausch von Erfahrungen bieten. Diese Gruppen haben vielen Trans-Personen geholfen, sich selbst zu akzeptieren und sich in einer oft feindlichen Welt zu behaupten.

Ein zentrales Element in Saras Arbeit ist die Aufklärung. Sie hat unermüdlich daran gearbeitet, Mythen und Missverständnisse über Trans-Gesundheit abzubauen. In ihren Workshops und Vorträgen verwendet sie eine Kombination aus Humor und Fakten, um das Publikum zu erreichen und zu engagieren. Dies ist ein bewährter Ansatz, der es ihr ermöglicht, schwierige Themen zugänglicher zu machen. Sara glaubt fest daran, dass Humor eine wichtige Rolle im Aktivismus spielt, da er Barrieren abbaut und Menschen zusammenbringt.

Es ist wichtig zu beachten, dass Sara nicht nur eine lokale Aktivistin ist. Ihre Arbeit hat internationale Resonanz gefunden, und sie hat an mehreren globalen Konferenzen teilgenommen, um die Rechte von Trans-Personen zu vertreten. Ihr Einfluss erstreckt sich über Kanada hinaus und inspiriert Aktivisten auf der ganzen Welt. Sie hat eine Plattform geschaffen, die es anderen ermöglicht, ihre Stimmen zu erheben und ihre Geschichten zu teilen.

Sara Bingham ist auch eine gefragte Sprecherin in den Medien. Ihre Interviews und Artikel haben dazu beigetragen, das Bewusstsein für die Herausforderungen von Trans-Personen zu schärfen und die Sichtbarkeit der LGBTQ-Community zu erhöhen. Sie nutzt soziale Medien, um ihre Botschaften zu verbreiten und eine breitere Öffentlichkeit zu erreichen. Diese digitale Präsenz hat es ihr ermöglicht, mit einer jüngeren Generation von Aktivisten in Kontakt zu treten und diese zu inspirieren.

Ein weiterer wichtiger Aspekt von Saras Identität ist ihre Rolle als Mentorin. Sie hat vielen jungen Aktivisten geholfen, ihre Stimme zu finden und sich in der LGBTQ-Bewegung zu engagieren. Sara versteht, dass der Aktivismus nicht nur um persönliche Kämpfe geht, sondern auch um die Schaffung eines Netzwerks von Unterstützern und Gleichgesinnten. Diese Mentoring-Beziehungen sind entscheidend, um eine nachhaltige Bewegung zu fördern und sicherzustellen, dass die Stimmen der nächsten Generation gehört werden.

Zusammenfassend lässt sich sagen, dass Sara Bingham eine zentrale Figur im Kampf für die Rechte von Trans-Personen in Kanada und darüber hinaus ist. Ihre Kombination aus persönlicher Erfahrung, akademischem Wissen und unermüdlichem Engagement macht sie zu einer unverzichtbaren Stimme im Aktivismus. Ihre Fähigkeit, Humor in ihre Arbeit zu integrieren, sowie ihre Rolle als Mentorin und Brückenbauerin zeigen, dass sie nicht nur für sich selbst, sondern für eine ganze Gemeinschaft spricht. Sara ist ein lebendiges Beispiel dafür, wie individuelle Geschichten und Erfahrungen zu einem kollektiven Wandel führen können. Ihre Reise ist ein inspirierendes Zeugnis für die Kraft des Aktivismus und die Bedeutung von Sichtbarkeit und Repräsentation in der Gesellschaft.

Die Bedeutung von LGBTQ-Aktivismus

LGBTQ-Aktivismus ist ein fundamentales Element der sozialen Gerechtigkeit und Menschenrechtsbewegungen. Er zielt darauf ab, die Rechte und die Sichtbarkeit von LGBTQ-Personen zu fördern, die historisch marginalisiert und diskriminiert wurden. Die Bedeutung des LGBTQ-Aktivismus kann aus verschiedenen Perspektiven betrachtet werden, die sowohl theoretische als auch praktische Aspekte umfassen.

Theoretische Grundlagen

Die theoretische Grundlage des LGBTQ-Aktivismus basiert auf verschiedenen sozialwissenschaftlichen Theorien, die die Notwendigkeit von Gleichheit und Gerechtigkeit betonen. Eine der zentralen Theorien ist die Queer-Theorie, die von Judith Butler und Michel Foucault geprägt wurde. Diese Theorie hinterfragt die traditionellen Geschlechterrollen und -identitäten und betont, dass Geschlecht und Sexualität soziale Konstrukte sind. Laut Butler [?] ist Geschlecht nicht etwas, das man ist, sondern etwas, das man tut. Diese Auffassung fordert die Gesellschaft auf, die starren Kategorien von Geschlecht und Sexualität zu hinterfragen und Raum für Diversität zu schaffen.

Ein weiterer wichtiger theoretischer Rahmen ist die Intersektionalität, die von Kimberlé Crenshaw [?] eingeführt wurde. Diese Theorie besagt, dass verschiedene Identitätskategorien wie Geschlecht, Rasse, Klasse und sexuelle Orientierung miteinander verflochten sind und dass Diskriminierung nicht isoliert betrachtet werden kann. LGBTQ-Aktivismus muss daher auch die Erfahrungen von Menschen aus verschiedenen intersektionalen Hintergründen berücksichtigen.

Gesellschaftliche Probleme

Die gesellschaftlichen Probleme, die LGBTQ-Aktivismus adressiert, sind vielfältig. Diskriminierung, Gewalt und soziale Stigmatisierung sind alltägliche Erfahrungen für viele LGBTQ-Personen. Statistiken zeigen, dass LGBTQ-Personen ein höheres Risiko für psychische Erkrankungen und Suizid haben [?]. Diese Probleme sind oft das Ergebnis von gesellschaftlicher Ablehnung und mangelndem Verständnis.

Ein weiteres zentrales Problem ist die rechtliche Diskriminierung. In vielen Ländern sind LGBTQ-Personen von grundlegenden Rechten wie dem Recht auf Ehe, Adoption und Schutz vor Diskriminierung ausgeschlossen. In Kanada beispielsweise wurde die gleichgeschlechtliche Ehe erst 2005 legalisiert, was einen bedeutenden Schritt in Richtung Gleichstellung darstellt, jedoch bleibt die Diskriminierung in vielen Bereichen bestehen.

Beispiele für LGBTQ-Aktivismus

Ein herausragendes Beispiel für erfolgreichen LGBTQ-Aktivismus ist die Stonewall-Rebellion von 1969 in New York City, die als Wendepunkt in der modernen LGBTQ-Bewegung gilt. Diese Ereignisse führten zur Gründung von Organisationen wie der Gay Liberation Front und der Human Rights Campaign, die sich für die Rechte von LGBTQ-Personen einsetzen.

In Kanada hat Sara Bingham, die Protagonistin dieser Biografie, durch ihre Arbeit zur Verbesserung der Trans-Gesundheit einen bedeutenden Einfluss auf die LGBTQ-Community ausgeübt. Ihre Initiativen zur Aufklärung und Sensibilisierung über Trans-Gesundheit haben dazu beigetragen, die medizinische Versorgung für Trans-Personen zu verbessern und Diskriminierung im Gesundheitswesen zu bekämpfen.

Die Rolle von Sichtbarkeit und Repräsentation

Die Sichtbarkeit von LGBTQ-Personen in den Medien und der Gesellschaft ist ein weiterer wichtiger Aspekt des Aktivismus. Die Repräsentation von LGBTQ-Geschichten in Film, Fernsehen und Literatur trägt dazu bei, Stereotypen abzubauen und das öffentliche Bewusstsein zu schärfen. Studien zeigen, dass positive Darstellungen von LGBTQ-Personen in den Medien das gesellschaftliche Klima für diese Gemeinschaft verbessern können [?].

Schlussfolgerung

Zusammenfassend lässt sich sagen, dass LGBTQ-Aktivismus von entscheidender Bedeutung ist, um die Rechte und das Wohlbefinden von LGBTQ-Personen zu fördern. Er bietet nicht nur eine Plattform für die Sichtbarkeit und Repräsentation, sondern auch einen Raum für die Auseinandersetzung mit den tief verwurzelten gesellschaftlichen Problemen, die diese Gemeinschaft betreffen. Der Aktivismus ist ein fortlaufender Prozess, der sowohl individuelle als auch kollektive Anstrengungen erfordert, um eine gerechtere und inklusivere Gesellschaft zu schaffen.

Warum Trans-Gesundheit wichtig ist

Die Trans-Gesundheit ist ein entscheidendes Thema im Bereich der Gesundheitsversorgung und des LGBTQ-Aktivismus. Sie umfasst nicht nur die medizinischen Bedürfnisse von Trans-Personen, sondern auch deren psychische und soziale Gesundheit. In dieser Sektion werden wir die Relevanz der

Trans-Gesundheit untersuchen, die Herausforderungen, mit denen Trans-Personen konfrontiert sind, und die Bedeutung von Aufklärung und Sensibilisierung.

Theoretische Grundlagen

Trans-Gesundheit bezieht sich auf die spezifischen Gesundheitsbedürfnisse von Trans-Personen, die sich von denen cisgender Personen unterscheiden. Laut der *World Professional Association for Transgender Health (WPATH)* sind Trans-Personen häufig mit einer Vielzahl von gesundheitlichen Herausforderungen konfrontiert, die durch gesellschaftliche Stigmatisierung, Diskriminierung und unzureichende medizinische Versorgung verstärkt werden. Diese Herausforderungen können sowohl physische als auch psychische Aspekte umfassen.

Ein zentrales theoretisches Modell, das die Bedürfnisse von Trans-Personen beschreibt, ist das *Biopsychosoziale Modell.* Dieses Modell betrachtet die Wechselwirkungen zwischen biologischen, psychologischen und sozialen Faktoren, die das Gesundheitsverhalten und die Gesundheitsversorgung von Trans-Personen beeinflussen.

$$H = f(B, P, S) \tag{1}$$

Hierbei steht H für Gesundheit, B für biologische Faktoren, P für psychologische Faktoren und S für soziale Faktoren. Dieses Modell hilft, die Komplexität der Gesundheitsbedürfnisse von Trans-Personen zu verstehen und die Notwendigkeit einer ganzheitlichen Herangehensweise an die Trans-Gesundheit zu betonen.

Herausforderungen in der Trans-Gesundheit

Trans-Personen sehen sich häufig mit einer Reihe von Herausforderungen konfrontiert, die ihre Gesundheit und ihr Wohlbefinden beeinträchtigen. Zu den häufigsten Problemen zählen:

- **Zugang zu medizinischer Versorgung:** Viele Trans-Personen haben Schwierigkeiten, Zugang zu medizinischen Dienstleistungen zu erhalten, die ihren spezifischen Bedürfnissen gerecht werden. Dies kann auf Vorurteile von Gesundheitsdienstleistern, mangelnde Kenntnisse über Trans-Gesundheit oder auf finanzielle Hürden zurückzuführen sein.

- **Diskriminierung:** Diskriminierung im Gesundheitswesen ist weit verbreitet. Studien zeigen, dass Trans-Personen häufig negative Erfahrungen bei Arztbesuchen machen, die von unhöflichem Verhalten bis hin zu offener Diskriminierung reichen können.

- **Psychische Gesundheit:** Trans-Personen haben ein höheres Risiko für psychische Erkrankungen wie Depressionen und Angststörungen. Laut einer Studie der *American Psychological Association* ist dies oft auf soziale Isolation, Diskriminierung und das Fehlen von Unterstützung zurückzuführen.

- **Mangelnde Forschung:** Es gibt einen signifikanten Mangel an Forschung zu den spezifischen Gesundheitsbedürfnissen von Trans-Personen. Dies führt zu einer unzureichenden Datenlage, die für die Entwicklung von Gesundheitsrichtlinien und -programmen erforderlich ist.

Beispiele für die Bedeutung von Trans-Gesundheit

Um die Bedeutung der Trans-Gesundheit zu verdeutlichen, betrachten wir einige Beispiele:

- **Hormontherapie:** Für viele Trans-Personen ist die Hormontherapie ein wesentlicher Bestandteil ihrer Transition. Der Zugang zu sicherer und effektiver Hormontherapie kann die Lebensqualität erheblich verbessern. Studien zeigen, dass Trans-Personen, die Zugang zu Hormontherapie haben, signifikant geringere Raten von Depressionen und Angstzuständen aufweisen.

- **Chirurgische Eingriffe:** Geschlechtsangleichende Operationen sind für viele Trans-Personen von großer Bedeutung. Der Zugang zu diesen Eingriffen kann nicht nur das körperliche Wohlbefinden, sondern auch das psychische Wohlbefinden erheblich steigern. Eine Untersuchung ergab, dass Trans-Personen, die solche Eingriffe erhalten, eine höhere Lebenszufriedenheit und ein geringeres Risiko für psychische Erkrankungen aufweisen.

- **Aufklärungskampagnen:** Initiativen zur Sensibilisierung der Öffentlichkeit über Trans-Gesundheit sind entscheidend. Programme, die Schulungen für Gesundheitsdienstleister anbieten, können dazu beitragen, Vorurteile abzubauen und die Qualität der Versorgung zu verbessern. Ein Beispiel dafür ist die *Trans Health Information Program* in Kanada, das darauf abzielt, medizinisches Fachpersonal über die spezifischen Bedürfnisse von Trans-Personen zu informieren.

Fazit

Die Relevanz der Trans-Gesundheit kann nicht genug betont werden. Sie ist ein zentraler Bestandteil des LGBTQ-Aktivismus und erfordert ein umfassendes Verständnis der einzigartigen Herausforderungen, mit denen Trans-Personen konfrontiert sind. Durch die Verbesserung des Zugangs zu Gesundheitsdiensten, die Sensibilisierung der Öffentlichkeit und die Unterstützung von Forschung können wir sicherstellen, dass die Gesundheitsbedürfnisse von Trans-Personen angemessen berücksichtigt werden. Nur so können wir eine gerechtere und inklusivere Gesellschaft schaffen, in der jeder Mensch, unabhängig von Geschlechtsidentität oder -ausdruck, die Gesundheitsversorgung erhält, die er oder sie verdient.

Ein kurzer Überblick über die Biografie

Die Biografie von Sara Bingham ist eine faszinierende Reise durch das Leben einer bemerkenswerten Aktivistin, die sich unermüdlich für die Rechte und die Gesundheit von Trans-Personen einsetzt. In dieser Biografie werden wir die verschiedenen Phasen ihres Lebens erkunden, angefangen bei ihrer Kindheit in Kanada bis hin zu ihrem heutigen Einfluss auf die LGBTQ-Community und darüber hinaus.

Sara Bingham wurde in eine Familie geboren, die zwar liebevoll, jedoch oft von gesellschaftlichen Normen geprägt war, die nicht immer Platz für Individualität und Vielfalt ließen. Ihre frühen Jahre waren von der Suche nach Identität und Akzeptanz geprägt. Wir werden sehen, wie ihre ersten Erfahrungen mit Geschlechtsidentität und die Herausforderungen, die sie in der Schule erlebte, sie dazu motivierten, sich für die Rechte von Trans-Personen einzusetzen.

Ein zentraler Aspekt dieser Biografie ist der Weg, den Sara von einer unsicheren Jugendlichen zu einer selbstbewussten Aktivistin beschritten hat. Ihre Entdeckung des Aktivismus war nicht nur eine persönliche Reise, sondern auch eine Reaktion auf die gesellschaftlichen Missstände, die sie um sich herum wahrnahm. Wir werden die verschiedenen Einflüsse betrachten, die sie während ihrer Universitätszeit erlebte, und wie sie ihre Leidenschaft für soziale Gerechtigkeit entdeckte.

Ein weiterer wichtiger Punkt ist der Fokus auf Trans-Gesundheit, ein Thema, das Sara besonders am Herzen liegt. Die Biografie wird auf die medizinischen Herausforderungen eingehen, mit denen Trans-Personen konfrontiert sind, und

Saras persönliche Erfahrungen mit dem Gesundheitssystem beleuchten. Ihre Arbeit in diesem Bereich ist nicht nur von wissenschaftlicher Relevanz, sondern auch von menschlicher Dringlichkeit. Wir werden die Initiativen und Aufklärungskampagnen, die sie ins Leben gerufen hat, sowie ihre Zusammenarbeit mit Gesundheitsorganisationen und politischen Entscheidungsträgern untersuchen.

Die Medienpräsenz von Sara Bingham ist ein weiteres zentrales Element dieser Biografie. Ihre Sichtbarkeit als Aktivistin hat nicht nur ihre persönliche Marke geprägt, sondern auch das Bewusstsein für LGBTQ-Themen in der breiten Öffentlichkeit geschärft. Wir werden auf ihre Auftritte bei Konferenzen, ihre Interviews und die Herausforderungen eingehen, die sie durch die Medien erfahren hat.

Natürlich ist kein Lebensweg ohne Herausforderungen. Diese Biografie wird die dunklen Seiten des Aktivismus beleuchten, einschließlich der Diskriminierung, die Sara selbst erlebt hat, sowie der persönlichen Verluste, die sie erlitten hat. Wir werden auch ihre Strategien zur Selbstfürsorge und den Rückhalt, den sie von der Community erhalten hat, betrachten.

Schließlich wird die Biografie einen Ausblick auf Saras aktuelle Projekte und ihre Vision für die Zukunft geben. Wir werden die Bedeutung des intersektionalen Aktivismus diskutieren und wie Sara neue Generationen von Aktivisten inspiriert. Ihr Vermächtnis wird durch ihre Botschaft der Hoffnung und des Zusammenhalts weiterleben, und wir werden die Herausforderungen, die in der Zukunft noch bestehen, nicht außer Acht lassen.

Insgesamt bietet die Biografie von Sara Bingham nicht nur einen Einblick in ihr Leben, sondern auch in die breitere LGBTQ-Geschichte in Kanada und die fortwährenden Kämpfe für Gleichheit und Akzeptanz. Diese Erzählung ist sowohl eine Hommage an Saras unermüdlichen Einsatz als auch ein Aufruf zum Handeln für alle, die an einer gerechteren Welt interessiert sind.

Die Erzählweise: Unterhaltsam und ansprechend

In der heutigen Zeit, in der Informationen in einem rasanten Tempo verbreitet werden, ist die Art und Weise, wie Geschichten erzählt werden, entscheidend für deren Wirkung. Bei der Biografie von Sara Bingham ist es besonders wichtig, eine Erzählweise zu wählen, die sowohl unterhaltsam als auch ansprechend ist. Diese Sektion beleuchtet die theoretischen Grundlagen der Erzählweise, die Herausforderungen, die damit verbunden sind, sowie einige Beispiele, die die Bedeutung einer solchen Herangehensweise verdeutlichen.

Theoretische Grundlagen der Erzählweise

Die Erzählweise ist ein zentraler Aspekt der Literatur und des Geschichtenerzählens. Laut dem Literaturwissenschaftler Mikhail Bakhtin ist die Erzählweise nicht nur ein Mittel zur Übermittlung von Informationen, sondern auch ein Weg, um die Identität und die Erfahrungen der Charaktere zu formen. Dies ist besonders relevant im Kontext von Biografien, wo das Ziel oft darin besteht, eine tiefere Verbindung zwischen dem Leser und dem Protagonisten herzustellen.

Ein effektiver Ansatz zur Gestaltung einer unterhaltsamen Erzählweise ist die Verwendung von Humor. Der Psychologe Robert Provine hat in seinen Studien gezeigt, dass Humor nicht nur die Stimmung hebt, sondern auch die Aufmerksamkeit der Zuhörer erhöht und das Gedächtnis verbessert. Indem humorvolle Elemente in die Erzählung von Saras Leben integriert werden, können komplexe Themen wie Trans-Gesundheit und Aktivismus auf eine zugängliche Weise vermittelt werden.

Herausforderungen der Erzählweise

Trotz der Vorteile einer unterhaltsamen Erzählweise gibt es auch Herausforderungen. Eine der größten Hürden besteht darin, den richtigen Ton zu finden. Es ist wichtig, dass der Humor nicht auf Kosten der Ernsthaftigkeit des Themas geht. Die Balance zwischen Unterhaltung und Sensibilität ist entscheidend, insbesondere in einem Kontext, der oft von Diskriminierung und Vorurteilen geprägt ist.

Ein weiteres Problem ist die Gefahr der Übervereinfachung. Während eine unterhaltsame Erzählweise dazu beitragen kann, komplexe Themen zu erklären, besteht die Gefahr, dass wichtige Nuancen verloren gehen. Um dies zu vermeiden, sollten die erzählerischen Elemente sorgfältig ausgewählt werden, um sicherzustellen, dass sie die Tiefe der Themen respektieren.

Beispiele für eine ansprechende Erzählweise

Ein Beispiel für eine effektive Erzählweise findet sich in der Autobiografie von Trevor Noah, *Born a Crime*. Noah nutzt Humor, um die Herausforderungen seiner Kindheit in Südafrika zu schildern, während er gleichzeitig ernsthafte Themen wie Rassismus und Identität anspricht. Diese Herangehensweise ermöglicht es den Lesern, sich mit seinen Erfahrungen zu identifizieren, während sie gleichzeitig zum Nachdenken angeregt werden.

In ähnlicher Weise kann Saras Geschichte durch die Einbindung von Anekdoten, persönlichen Erlebnissen und humorvollen Beobachtungen bereichert werden. Beispielsweise könnte eine Episode aus ihrer Jugend, in der sie sich in einer unangenehmen Situation wiederfindet, humorvoll erzählt werden, um die Leser zum Lachen zu bringen, während sie gleichzeitig die Herausforderungen der Selbstakzeptanz verdeutlicht.

Die Rolle des Lesers

Ein weiterer Aspekt, der bei der Gestaltung einer unterhaltsamen und ansprechenden Erzählweise berücksichtigt werden sollte, ist die Rolle des Lesers. Der Psychologe Jerome Bruner argumentiert, dass Geschichten eine aktive Rolle im Lernprozess der Menschen spielen. Wenn Leser sich in die Erzählung einfühlen können, sind sie eher bereit, sich mit den Themen auseinanderzusetzen und die Botschaften zu verinnerlichen.

Um dies zu erreichen, können interaktive Elemente in die Erzählweise integriert werden, wie z. B. Fragen an die Leser oder Anregungen zur Reflexion. Diese Techniken können helfen, eine tiefere Verbindung zwischen Sara und den Lesern herzustellen und die Themen des Buches auf eine Weise zu präsentieren, die zum Nachdenken anregt.

Fazit

Zusammenfassend lässt sich sagen, dass die Erzählweise in der Biografie von Sara Bingham eine entscheidende Rolle spielt. Durch die Kombination von Humor, persönlichen Anekdoten und einer respektvollen Behandlung komplexer Themen kann eine unterhaltsame und ansprechende Erzählweise geschaffen werden, die sowohl informativ als auch emotional berührend ist. Die Herausforderungen, die mit dieser Herangehensweise verbunden sind, erfordern eine sorgfältige Planung und Umsetzung, um sicherzustellen, dass die Botschaft klar und wirkungsvoll vermittelt wird. Letztendlich wird eine solche Erzählweise nicht nur Saras Geschichte zum Leben erwecken, sondern auch die Leser dazu inspirieren, sich mit den Themen des LGBTQ-Aktivismus und der Trans-Gesundheit auseinanderzusetzen.

Die Herausforderungen des Aktivismus

Aktivismus ist ein kraftvolles Mittel, um Veränderungen in der Gesellschaft herbeizuführen. Dennoch ist der Weg des Aktivismus oft steinig und mit zahlreichen Herausforderungen gepflastert. Für Sara Bingham, eine prominente

Verfechterin der Trans-Gesundheit, war der Aktivismus nicht nur eine Berufung, sondern auch ein ständiger Kampf gegen die Widrigkeiten. In diesem Abschnitt werden die verschiedenen Herausforderungen beleuchtet, mit denen Aktivisten konfrontiert sind, insbesondere im Kontext von LGBTQ-Rechten und Trans-Gesundheit.

Gesellschaftliche Vorurteile und Diskriminierung

Eine der größten Herausforderungen im Aktivismus sind die tief verwurzelten gesellschaftlichen Vorurteile und Diskriminierungen gegenüber LGBTQ-Personen. Diese Vorurteile manifestieren sich in verschiedenen Formen, einschließlich offener Feindseligkeit, subtiler Diskriminierung und institutioneller Ungleichheit. Studien zeigen, dass Trans-Personen in vielen Ländern mit einer höheren Wahrscheinlichkeit von Gewalt und Diskriminierung konfrontiert sind. Laut einer Umfrage des *Canadian Transgender Survey* (2019) berichteten 47% der Befragten von Diskriminierung im Gesundheitswesen, was Saras Engagement für die Verbesserung der Trans-Gesundheit umso dringlicher macht.

Mangelnde Ressourcen

Ein weiteres zentrales Problem ist der Mangel an Ressourcen, sowohl finanziell als auch personell. Viele Aktivisten arbeiten ehrenamtlich und sind auf Spenden angewiesen, um ihre Initiativen zu finanzieren. Dies kann zu einem ständigen Kampf um Mittel führen, wodurch wichtige Projekte verzögert oder gar nicht realisiert werden können. Sara Bingham hat oft betont, dass die Beschaffung von Geldern für Aufklärungskampagnen und Unterstützungsgruppen eine der größten Herausforderungen in ihrer Arbeit darstellt.

Innere Konflikte und Burnout

Aktivismus kann auch zu inneren Konflikten und emotionalem Stress führen. Die ständige Konfrontation mit Ungerechtigkeiten und die Verantwortung, für die Rechte anderer zu kämpfen, kann überwältigend sein. Viele Aktivisten, einschließlich Sara, haben über das Risiko von Burnout gesprochen, das durch die emotionalen Belastungen des Aktivismus verursacht wird. Die Notwendigkeit, sich um die eigene psychische Gesundheit zu kümmern, wird oft übersehen, während die Bedürfnisse der Gemeinschaft im Vordergrund stehen.

Politische Widerstände

Politische Widerstände sind eine weitere Hürde, die Aktivisten überwinden müssen. Gesetzgeber und politische Entscheidungsträger sind nicht immer bereit, die notwendigen Veränderungen zu unterstützen, die für die Verbesserung der Lebensbedingungen von LGBTQ-Personen erforderlich sind. Sara Bingham hat in ihrer Karriere häufig gegen politische Barrieren gekämpft, indem sie Lobbyarbeit leistete und an politischen Kampagnen teilnahm. Der Einfluss von Lobbygruppen, die gegen LGBTQ-Rechte sind, kann den Fortschritt erheblich behindern und führt oft zu Frustration und Entmutigung unter Aktivisten.

Die Rolle der Medien

Die Medien spielen eine entscheidende Rolle im Aktivismus, können jedoch sowohl eine Hilfe als auch ein Hindernis sein. Während positive Berichterstattung das Bewusstsein für LGBTQ-Themen schärfen kann, kann negative oder sensationelle Berichterstattung das Bild von Aktivisten verzerren und ihre Botschaften untergraben. Sara hat oft betont, wie wichtig es ist, die Erzählung selbst zu kontrollieren, um sicherzustellen, dass die Stimmen der Betroffenen gehört werden.

Der Umgang mit Kritik

Kritik ist ein unvermeidlicher Bestandteil des Aktivismus. Ob von der Öffentlichkeit, den Medien oder sogar innerhalb der eigenen Gemeinschaft, Aktivisten müssen oft mit unterschiedlichen Meinungen und harscher Kritik umgehen. Sara Bingham hat gelernt, konstruktive Kritik als Teil ihres Wachstums zu akzeptieren, während sie gleichzeitig die destruktiven Angriffe ignoriert, die oft aus Unverständnis oder Vorurteilen resultieren.

Gemeinschaft und Unterstützung

Trotz all dieser Herausforderungen ist die Gemeinschaft eine wesentliche Stütze für Aktivisten. Der Austausch von Erfahrungen, Unterstützung und Ressourcen innerhalb der LGBTQ-Community kann einen enormen Unterschied machen. Sara hat immer wieder betont, wie wichtig es ist, Netzwerke zu bilden und sich gegenseitig zu unterstützen, um die Herausforderungen des Aktivismus zu bewältigen.

Zusammenfassung

Zusammenfassend lässt sich sagen, dass die Herausforderungen des Aktivismus vielfältig und komplex sind. Für Sara Bingham und viele andere Aktivisten sind diese Hindernisse jedoch nicht unüberwindbar. Durch Entschlossenheit, Kreativität und die Unterstützung ihrer Gemeinschaft hat Sara bewiesen, dass es möglich ist, auch in schwierigen Zeiten Fortschritte zu erzielen. Der Aktivismus ist ein ständiger Prozess, der sowohl persönliche als auch gesellschaftliche Transformationen erfordert. Die Herausforderungen mögen groß sein, doch die Belohnungen — ein gerechteres und inklusiveres Leben für alle — sind es wert.

Die Rolle von Humor im Aktivismus

Humor hat eine bemerkenswerte Fähigkeit, Barrieren zu überwinden, Spannungen abzubauen und komplexe Themen zugänglicher zu machen. Im Kontext des Aktivismus, insbesondere im LGBTQ-Bereich, spielt Humor eine entscheidende Rolle, um sowohl die Botschaft zu vermitteln als auch die Menschen zu mobilisieren. In dieser Sektion werden wir die verschiedenen Facetten des Humors im Aktivismus untersuchen, einschließlich seiner theoretischen Grundlagen, der Herausforderungen, die mit seiner Verwendung verbunden sind, und konkreten Beispielen, die seine Wirksamkeit illustrieren.

Theoretische Grundlagen

Die Verwendung von Humor im Aktivismus kann durch verschiedene theoretische Rahmenbedingungen erklärt werden. Eine weit verbreitete Theorie ist die **Incongruity Theory**, die besagt, dass Humor entsteht, wenn es eine Diskrepanz zwischen dem Erwarteten und dem Tatsächlichen gibt. Diese Diskrepanz kann genutzt werden, um gesellschaftliche Normen und Vorurteile in Frage zu stellen. Aktivisten wie Sara Bingham nutzen Humor, um die Absurdität von Diskriminierung und Ungerechtigkeit aufzuzeigen. Durch Witze und ironische Bemerkungen können sie ernste Themen ansprechen, ohne dass das Publikum sofort in eine defensive Haltung verfällt.

Ein weiteres relevantes Konzept ist die **Relief Theory**, die besagt, dass Humor eine Möglichkeit ist, Spannungen abzubauen. In einer Welt, in der LGBTQ-Personen oft Diskriminierung und Gewalt ausgesetzt sind, kann Humor eine Art kathartische Wirkung haben. Es ermöglicht den Menschen, ihre Sorgen und Ängste zu teilen und gleichzeitig eine Verbindung zu anderen herzustellen. Humor schafft eine gemeinsame Basis, die das Gefühl der Isolation verringert und das Gemeinschaftsgefühl stärkt.

Herausforderungen bei der Verwendung von Humor

Trotz der vielen Vorteile, die Humor im Aktivismus bietet, gibt es auch Herausforderungen. Eine der größten Schwierigkeiten besteht darin, sicherzustellen, dass der Humor nicht als verletzend oder respektlos wahrgenommen wird. Besonders in einer sensiblen Thematik wie der Trans-Gesundheit kann unbedachter Humor leicht in die falsche Richtung gehen und die betroffenen Personen weiter marginalisieren. Aktivisten müssen daher ein feines Gespür dafür entwickeln, wann und wie Humor eingesetzt werden kann, ohne die Integrität ihrer Botschaft zu gefährden.

Ein weiteres Problem ist die Missinterpretation von Humor durch verschiedene Zielgruppen. Was für eine Person lustig ist, kann für eine andere beleidigend sein. Dies erfordert von Aktivisten, dass sie ihre Zielgruppe genau kennen und ihren Humor entsprechend anpassen. Sara Bingham hat in ihrer Karriere oft betont, dass es wichtig ist, den Humor kontextualisiert zu nutzen und die kulturellen Unterschiede innerhalb der LGBTQ-Community zu berücksichtigen.

Beispiele für humorvolle Aktivismusstrategien

Ein bemerkenswertes Beispiel für den Einsatz von Humor im Aktivismus ist die **Pride Parade** in Toronto, bei der Sara Bingham eine zentrale Rolle spielte. Während der Parade wurde eine humorvolle Performance inszeniert, die die Herausforderungen und Freuden des Lebens als Trans-Person auf satirische Weise darstellte. Die Performance kombinierte Tanz, Musik und Witze, die das Publikum sowohl zum Lachen als auch zum Nachdenken anregten. Diese Art von Humor half, die Ernsthaftigkeit der Themen zu beleuchten, während gleichzeitig eine Atmosphäre der Freude und des Feierns geschaffen wurde.

Ein weiteres Beispiel ist die Verwendung von sozialen Medien, um humorvolle Memes zu verbreiten, die sich mit LGBTQ-Themen auseinandersetzen. Diese Memes, oft kombiniert mit populären Kulturreferenzen, erreichen ein breites Publikum und können dazu beitragen, das Bewusstsein für wichtige Themen zu schärfen. Sara Bingham hat in ihren sozialen Medien oft humorvolle Inhalte geteilt, die sowohl unterhaltsam als auch informativ sind, und damit eine größere Reichweite erzielt als mit rein ernsten Botschaften.

Schlussfolgerung

Zusammenfassend lässt sich sagen, dass Humor eine kraftvolle Waffe im Aktivismus ist. Er hat die Fähigkeit, Menschen zu verbinden, Barrieren abzubauen und komplexe Themen auf eine zugängliche Weise zu präsentieren. Während es Herausforderungen gibt, die mit der Verwendung von Humor verbunden sind, kann er, wenn er richtig eingesetzt wird, eine transformative Rolle im Kampf für die Rechte der LGBTQ-Community spielen. Sara Bingham und viele andere Aktivisten zeigen, dass Humor nicht nur eine Form der Unterhaltung ist, sondern auch ein ernstzunehmendes Werkzeug im Kampf für Gleichheit und Gerechtigkeit.

Ein Blick auf die LGBTQ-Geschichte in Kanada

Die Geschichte der LGBTQ-Community in Kanada ist eine facettenreiche Erzählung von Kämpfen, Errungenschaften und dem unermüdlichen Streben nach Gleichheit. Von den frühen Tagen der Kolonialisierung bis zu den aktuellen Herausforderungen im Bereich der Trans-Rechte hat Kanada eine einzigartige und oft widersprüchliche Beziehung zur LGBTQ-Identität und -Kultur entwickelt.

Frühe Geschichte und Kolonialzeit

In der Kolonialzeit war die LGBTQ-Identität in Kanada weitgehend tabuisiert, und homosexuelle Handlungen wurden als kriminell betrachtet. Die britischen Gesetze, die in die kanadische Rechtsprechung übernommen wurden, führten zu strengen Strafen für Homosexualität, und viele Menschen lebten in ständiger Angst vor Verhaftung und Diskriminierung. Die ersten dokumentierten Fälle von Verhaftungen wegen Homosexualität stammen aus dem 19. Jahrhundert, als viele LGBTQ-Personen gezwungen waren, ihre Identität zu verstecken.

Die 1960er Jahre: Aufbruch und erste Bewegungen

Die 1960er Jahre markierten einen Wendepunkt für die LGBTQ-Bewegung in Kanada. Die Einführung der Sexualaufklärung und der gesellschaftliche Wandel führten dazu, dass viele Menschen begannen, offen über ihre Sexualität zu sprechen. 1969 wurde das kanadische Strafgesetzbuch geändert, um homosexuelle Handlungen zwischen einvernehmlichen Erwachsenen zu entkriminalisieren. Dies war ein entscheidender Moment in der kanadischen Geschichte, der den Weg für die LGBTQ-Rechte ebnete.

Die 1970er und 1980er Jahre: Sichtbarkeit und Widerstand

In den 1970er Jahren erlebte Kanada eine Welle von LGBTQ-Aktivismus. Die erste Pride-Parade fand 1971 in Toronto statt, und die Bewegung gewann an

Sichtbarkeit und Unterstützung. Gleichzeitig wurden in den 1980er Jahren die Herausforderungen durch die AIDS-Epidemie zu einem zentralen Thema, das die LGBTQ-Community mobilisierte. Aktivisten wie die Gruppe ACT UP (AIDS Coalition to Unleash Power) setzten sich für bessere Gesundheitsversorgung und Aufklärung ein, was zu einer stärkeren politischen Mobilisierung führte.

Die 1990er Jahre: Anerkennung und Rechte

Die 1990er Jahre waren geprägt von einem zunehmenden gesellschaftlichen Druck zur Anerkennung der Rechte von LGBTQ-Personen. 1996 wurde sexuelle Orientierung in den kanadischen Menschenrechtsgesetzgebung als geschütztes Merkmal aufgenommen. Diese rechtlichen Fortschritte führten zu einem Anstieg der Sichtbarkeit von LGBTQ-Personen in den Medien und der Gesellschaft. Gleichzeitig begannen LGBTQ-Personen, in verschiedenen Bereichen, einschließlich Politik, Kunst und Sport, eine bedeutende Rolle zu spielen.

Das 21. Jahrhundert: Gleichheit und Herausforderungen

Im Jahr 2005 legalisierte Kanada die gleichgeschlechtliche Ehe und machte damit einen bedeutenden Schritt in Richtung Gleichheit für alle Bürger. Diese Errungenschaft wurde international gefeiert und stellte Kanada als Vorreiter in der LGBTQ-Rechtsbewegung dar. Trotz dieser Fortschritte stehen LGBTQ-Personen in Kanada weiterhin vor Herausforderungen, insbesondere in Bezug auf Trans-Rechte und Diskriminierung. Die Debatten über Geschlechtsidentität und -ausdruck sind nach wie vor aktuell, und viele Aktivisten setzen sich für umfassendere rechtliche und soziale Anerkennung ein.

Intersektionalität und Diversität

Ein wichtiger Aspekt der LGBTQ-Geschichte in Kanada ist die Berücksichtigung der Intersektionalität. LGBTQ-Personen aus verschiedenen ethnischen, kulturellen und sozialen Hintergründen erleben unterschiedliche Herausforderungen und Diskriminierungen. Die Stimmen von BIPOC-LGBTQ-Personen (Black, Indigenous, People of Colour) sind oft unterrepräsentiert, und es ist entscheidend, diese Perspektiven in die breitere LGBTQ-Bewegung zu integrieren. Aktivisten arbeiten daran, die Vielfalt innerhalb der Community zu fördern und sicherzustellen, dass alle Stimmen gehört werden.

EINFÜHRUNG IN SARA BINGHAM 17

Fazit

Die Geschichte der LGBTQ-Community in Kanada ist eine Geschichte des Wandels, des Widerstands und der Hoffnung. Trotz der Fortschritte, die in den letzten Jahrzehnten erzielt wurden, bleibt der Kampf um Gleichheit und Akzeptanz für viele LGBTQ-Personen eine wichtige Herausforderung. Die Erzählung von Sara Bingham und anderen Aktivisten ist ein Teil dieser fortwährenden Geschichte und zeigt, wie wichtig es ist, für die Rechte aller Menschen zu kämpfen, unabhängig von ihrer sexuellen Orientierung oder Geschlechtsidentität.

Die LGBTQ-Geschichte in Kanada ist nicht nur eine Geschichte von Kämpfen, sondern auch von Triumphen und der Kraft der Gemeinschaft, die zusammenkommt, um Veränderungen herbeizuführen. Es ist eine Geschichte, die weiterhin geschrieben wird, und jeder Aktivist, der sich für die Rechte der LGBTQ-Community einsetzt, trägt zu diesem fortwährenden Erbe bei.

Sara Bingham im Kontext der kanadischen Gesellschaft

Sara Bingham ist nicht nur eine bedeutende Figur im Bereich des Trans-Aktivismus, sondern auch ein Spiegelbild der Herausforderungen und Errungenschaften, die die LGBTQ-Community in Kanada im Laufe der Jahre erlebt hat. Um Saras Rolle und Einfluss vollständig zu verstehen, ist es wichtig, sie im Kontext der kanadischen Gesellschaft zu betrachten, die sich ständig weiterentwickelt und sich mit Fragen der Gleichheit, Identität und sozialen Gerechtigkeit auseinandersetzt.

Historischer Hintergrund

Die kanadische Gesellschaft hat in den letzten Jahrzehnten einen signifikanten Wandel in Bezug auf die Akzeptanz und Rechte von LGBTQ-Personen durchgemacht. In den 1960er und 1970er Jahren war Homosexualität in Kanada illegal, und die gesellschaftliche Stigmatisierung führte zu einem Leben im Verborgenen für viele. Die erste große Welle des Aktivismus begann mit der Stonewall-Rebellion 1969 in den USA, die auch in Kanada Wellen schlug. Sara Bingham wuchs in einer Zeit auf, in der die gesellschaftlichen Normen im Wandel waren, und sie konnte die Transformation der Wahrnehmung von Geschlechtsidentität und sexueller Orientierung hautnah miterleben.

Gesetzliche Rahmenbedingungen

Die rechtlichen Rahmenbedingungen für LGBTQ-Personen in Kanada haben sich erheblich verbessert. Die Legalisierung der gleichgeschlechtlichen Ehe im Jahr 2005 war ein Meilenstein, der die Rechte von LGBTQ-Personen erheblich stärkte. Dennoch gibt es weiterhin Herausforderungen, insbesondere für Trans-Personen, die oft mit Diskriminierung und unzureichender medizinischer Versorgung konfrontiert sind.

Sara hat sich aktiv dafür eingesetzt, dass Trans-Rechte in den Mittelpunkt der Diskussionen über LGBTQ-Rechte gerückt werden. Sie hat an zahlreichen Kampagnen teilgenommen, die darauf abzielen, die gesetzlichen Rahmenbedingungen für Trans-Personen zu verbessern, insbesondere im Hinblick auf den Zugang zu Gesundheitsdiensten.

Soziale Wahrnehmung und Stigmatisierung

Trotz der Fortschritte in der Gesetzgebung bleibt die soziale Wahrnehmung von Trans-Personen in Kanada problematisch. Viele Trans-Personen erleben Diskriminierung, sowohl im Alltag als auch im Gesundheitswesen. Studien zeigen, dass Trans-Personen ein höheres Risiko für psychische Erkrankungen und Gewalt erfahren, was auf tief verwurzelte gesellschaftliche Vorurteile hinweist.

Sara Bingham hat in ihren öffentlichen Auftritten und sozialen Medien immer wieder betont, wie wichtig es ist, die Sichtbarkeit von Trans-Personen zu erhöhen und die gesellschaftlichen Normen in Frage zu stellen, die zu Stigmatisierung führen. Ihre Arbeit hat dazu beigetragen, das Bewusstsein für die Herausforderungen, mit denen Trans-Personen konfrontiert sind, zu schärfen und eine breitere Diskussion über Geschlechtsidentität und -ausdruck zu fördern.

Intersektionalität im Aktivismus

Ein weiterer wichtiger Aspekt von Saras Aktivismus ist die Berücksichtigung von Intersektionalität. In Kanada gibt es eine Vielzahl von Identitäten, die sich überschneiden, einschließlich Rasse, Geschlecht und sozioökonomischem Status. Sara hat betont, dass der Kampf für Trans-Rechte nicht isoliert betrachtet werden kann, sondern im Kontext anderer sozialer Gerechtigkeitsbewegungen stehen muss.

$$\text{Intersektionalität} = \text{Identität} + \text{Erfahrungen} + \text{Gesellschaftliche Strukturen} \quad (2)$$

Diese Gleichung verdeutlicht, dass die Erfahrungen von Trans-Personen in Kanada nicht nur durch ihr Geschlecht, sondern auch durch andere identitätsstiftende Faktoren beeinflusst werden. Sara hat sich dafür eingesetzt, dass der Aktivismus inklusiver wird und die Stimmen von marginalisierten Gruppen innerhalb der LGBTQ-Community gehört werden.

Sara Bingham als Vorbild

Sara Bingham hat sich als Vorbild für viele junge Aktivisten etabliert. Ihre Fähigkeit, Humor und Ernsthaftigkeit zu kombinieren, hat es ihr ermöglicht, schwierige Themen anzugehen und gleichzeitig ein breiteres Publikum zu erreichen. Sie hat durch ihre Arbeit nicht nur das Bewusstsein für Trans-Gesundheit geschärft, sondern auch eine Plattform für andere geschaffen, um ihre Geschichten zu erzählen und sich zu engagieren.

Zukunftsausblick

Der Kontext, in dem Sara Bingham agiert, ist dynamisch und ändert sich ständig. Während Kanada Fortschritte in der Akzeptanz von LGBTQ-Personen macht, bleibt der Kampf um Gleichheit und Gerechtigkeit für Trans-Personen eine zentrale Herausforderung. Saras Engagement und ihre Vision für eine inklusive Gesellschaft sind entscheidend, um die kommenden Generationen zu inspirieren und den Weg für weitere Veränderungen zu ebnen.

Zusammenfassend lässt sich sagen, dass Sara Bingham nicht nur eine Aktivistin ist, sondern auch ein Symbol für den fortwährenden Kampf um die Rechte von Trans-Personen in Kanada. Ihre Arbeit reflektiert die komplexen Realitäten der kanadischen Gesellschaft und zeigt, wie wichtig es ist, die Stimmen derjenigen zu hören, die oft übersehen werden. In einer Welt, die sich ständig verändert, bleibt Saras Einfluss von entscheidender Bedeutung für die Zukunft des Aktivismus in Kanada und darüber hinaus.

Zielgruppe und Absicht des Buches

Die Zielgruppe für *Sara Bingham Unmasked: Die kanadische Verfechterin der Trans-Gesundheit* umfasst eine Vielzahl von Lesern, die sich für LGBTQ-Themen, insbesondere Trans-Gesundheit, interessieren. Dazu gehören:

- **Junge Aktivisten und Aktivistinnen:** Diese Gruppe besteht aus Menschen, die neu im Aktivismus sind oder darüber nachdenken, sich zu engagieren.

Sie suchen nach inspirierenden Geschichten und praktischen Ratschlägen, um ihre eigene Stimme zu finden.

- **Studierende und Akademiker:** Studierende in den Bereichen Sozialwissenschaften, Gender Studies und Medizin können von Saras Erfahrungen und den theoretischen Ansätzen profitieren, die im Buch behandelt werden. Das Buch bietet eine fundierte Analyse der Herausforderungen, mit denen Trans-Personen konfrontiert sind, und beleuchtet die Rolle der Forschung in der Verbesserung der Trans-Gesundheit.

- **Familienangehörige und Freunde von LGBTQ-Personen:** Menschen, die Angehörige oder Freunde haben, die Teil der LGBTQ-Community sind, suchen oft nach Informationen und Perspektiven, um besser zu verstehen, wie sie unterstützen können. Sara Bingham bietet durch ihre persönliche Geschichte einen Einblick in die Herausforderungen und Triumphe, die Trans-Personen erleben.

- **Politische Entscheidungsträger und Fachkräfte im Gesundheitswesen:** Diese Zielgruppe benötigt fundierte Informationen über die Gesundheitsversorgung von Trans-Personen, um bessere Richtlinien und Praktiken zu entwickeln. Das Buch bietet Daten und Fallstudien, die die Notwendigkeit von Veränderungen im Gesundheitssystem verdeutlichen.

- **Allgemeine Öffentlichkeit:** Schließlich richtet sich das Buch auch an die breite Öffentlichkeit, die mehr über die LGBTQ-Community und die spezifischen Herausforderungen, mit denen Trans-Personen konfrontiert sind, erfahren möchte. Durch eine unterhaltsame und ansprechende Erzählweise wird das Buch zugänglich und ansprechend für Leser mit unterschiedlichem Hintergrund.

Die Absicht des Buches ist vielschichtig und zielt darauf ab, sowohl zu informieren als auch zu inspirieren. Es verfolgt folgende Ziele:

1. **Aufklärung über Trans-Gesundheit:** Ein zentrales Anliegen des Buches ist es, das Bewusstsein für die spezifischen Gesundheitsbedürfnisse von Trans-Personen zu schärfen. Dies umfasst die medizinischen Herausforderungen, die Diskriminierung im Gesundheitssystem und die Notwendigkeit von umfassenden und einfühlsamen Gesundheitsdiensten. Es werden Statistiken und Studien zitiert, um die Dringlichkeit dieser

Themen zu unterstreichen. Beispielsweise zeigen Studien, dass Trans-Personen im Vergleich zur allgemeinen Bevölkerung ein höheres Risiko für psychische Erkrankungen aufweisen, was oft auf Diskriminierung und mangelnde Unterstützung zurückzuführen ist.

2. **Förderung von Empathie und Verständnis:** Durch Saras persönliche Geschichten und Erfahrungen wird eine emotionale Verbindung zu den Lesern hergestellt. Die Verwendung von Humor und authentischen Erzählungen soll dazu beitragen, Vorurteile abzubauen und Empathie zu fördern. Ein Beispiel hierfür ist Saras Anekdote über ihre erste Erfahrung in einer LGBTQ-Veranstaltung, die sowohl humorvoll als auch aufschlussreich ist und die Herausforderungen und Freuden des Coming-outs beleuchtet.

3. **Ermutigung zum Aktivismus:** Das Buch möchte Leser ermutigen, aktiv zu werden und sich für die Rechte von Trans-Personen einzusetzen. Es bietet praktische Tipps und Ressourcen für den Einstieg in den Aktivismus, einschließlich der Gründung von Unterstützungsgruppen und der Teilnahme an Community-Events. Ein wichtiges Element ist die Betonung der Bedeutung von Solidarität und Zusammenarbeit innerhalb der LGBTQ-Community.

4. **Reflexion über die eigene Identität:** Leser werden dazu angeregt, über ihre eigenen Identitäten und Vorurteile nachzudenken. Durch die Erzählungen von Sara wird die Komplexität der Geschlechtsidentität und der menschlichen Erfahrung verdeutlicht, was zu einer tieferen Reflexion über die eigene Position in der Gesellschaft führen kann.

5. **Langfristige Vision für die Zukunft:** Das Buch schließt mit einem Ausblick auf die zukünftigen Herausforderungen und Chancen im Bereich der Trans-Gesundheit. Es ermutigt die Leser, sich aktiv an der Schaffung einer gerechteren und inklusiveren Gesellschaft zu beteiligen.

Insgesamt ist die Absicht des Buches, eine Plattform für das Verständnis, die Akzeptanz und den Aktivismus im Bereich der Trans-Gesundheit zu schaffen. Es möchte nicht nur informieren, sondern auch inspirieren und motivieren, um eine positive Veränderung in der Gesellschaft herbeizuführen. Die Kombination aus persönlichen Geschichten, Humor und fundierten Informationen macht es zu einem wertvollen Beitrag in der Literatur über LGBTQ-Aktivismus und Trans-Gesundheit.

Kindheit und Jugend

Aufwachsen in Kanada

Sara Bingham: Die frühen Jahre

Sara Bingham wurde in den späten 1980er Jahren in einer kleinen Stadt in Kanada geboren. Ihre frühen Jahre waren geprägt von einer Mischung aus Neugier, Kreativität und der Suche nach Identität. In einer Zeit, als das öffentliche Bewusstsein für LGBTQ-Themen noch in den Kinderschuhen steckte, war Saras Kindheit sowohl eine Reise der Selbstentdeckung als auch ein Kampf gegen gesellschaftliche Normen.

Familienhintergrund und Einflüsse

Sara wuchs in einer liebevollen, aber traditionell denkenden Familie auf. Ihre Eltern, beide Lehrer, legten großen Wert auf Bildung und persönliche Entwicklung. Sie förderten Saras künstlerische Talente und ermutigten sie, ihre Gedanken und Gefühle durch Malerei und Schreiben auszudrücken. Doch trotz dieser Unterstützung war die Familie oft mit den Herausforderungen konfrontiert, die mit Saras sich entwickelnder Geschlechtsidentität verbunden waren.

Die ersten Anzeichen von Saras Geschlechtsidentität traten bereits im Vorschulalter auf. Sie zeigte eine Vorliebe für Kleidung und Aktivitäten, die nicht den Geschlechterrollen entsprachen, die in ihrer Umgebung vorherrschten. Diese frühen Erfahrungen führten zu Verwirrung und Unsicherheit, sowohl für Sara als auch für ihre Familie.

Erste Erfahrungen mit Geschlechtsidentität

In der Grundschule begann Sara, sich zunehmend unwohl in ihrem Körper zu fühlen. Sie beobachtete, wie ihre Mitschülerinnen und Mitschüler in die vorgegebenen Geschlechterrollen schlüpften, während sie sich innerlich anders fühlte. Diese innere Zerrissenheit führte dazu, dass sie oft isoliert war und Schwierigkeiten hatte, Freundschaften zu schließen.

Ein prägendes Erlebnis war ein Vorfall in der dritten Klasse, als Sara sich entschied, in einem Kleid zur Schule zu kommen, das sie selbst entworfen hatte. Die Reaktionen ihrer Mitschüler waren gemischt; während einige sie bewunderten, wurde sie von anderen verspottet. Diese Erfahrung verstärkte Saras Gefühl der Isolation und führte zu einer tiefen Verunsicherung über ihre Identität.

Schulzeit und Herausforderungen

Die Schulzeit stellte eine besondere Herausforderung dar. Sara erlebte Mobbing und Diskriminierung, die oft auf ihre Andersartigkeit zurückzuführen waren. Die Lehrer, die oft nicht auf die Bedürfnisse von LGBTQ-Schülern sensibilisiert waren, konnten die Situation nicht angemessen handhaben. Dies führte zu einem Gefühl der Ohnmacht und der Frustration.

In der sechsten Klasse fand Sara Trost in der Literatur. Sie entdeckte Bücher von LGBTQ-Autoren, die ihre eigenen Kämpfe und Triumphe dokumentierten. Diese Geschichten inspirierten sie und halfen ihr, sich weniger allein zu fühlen. Sara begann, ihre eigenen Gedanken und Erfahrungen in einem Tagebuch festzuhalten, was ihr half, ihre Identität zu erkunden und zu akzeptieren.

Freundschaften und Isolation

Trotz der Herausforderungen fand Sara einige enge Freundschaften, die ihr halfen, die schwierigen Zeiten zu überstehen. Diese Freundschaften entstanden oft in kreativen Umfeldern, wie Kunst- und Theaterklassen, wo sie sich sicherer fühlte, ihre wahre Identität auszudrücken. Ihre Freunde waren oft andere Außenseiter, die ähnliche Erfahrungen gemacht hatten, und gemeinsam bildeten sie eine kleine, unterstützende Gemeinschaft.

Dennoch blieb die Isolation ein ständiger Begleiter. Sara fühlte sich oft wie eine Beobachterin ihres eigenen Lebens, unfähig, vollständig in die sozialen Interaktionen ihrer Altersgenossen einzutauchen. Diese innere Zerrissenheit verstärkte ihr Bedürfnis, sich künstlerisch auszudrücken und ihre Stimme zu finden.

Die Rolle der Kunst in Saras Leben

Die Kunst wurde für Sara zu einem wichtigen Ventil. Sie entdeckte, dass sie durch Malerei und Schreiben ihre Gefühle und Gedanken ausdrücken konnte, die sie in der realen Welt oft nicht mitteilen konnte. Ihre Werke spiegelten oft die Kämpfe und Triumphe wider, die sie in ihrer Kindheit erlebte.

Ein bemerkenswertes Beispiel war ein Gemälde, das sie im Alter von 14 Jahren schuf. Es stellte eine Figur dar, die zwischen zwei Welten schwebte, eine in lebhaften Farben und die andere in grauen Tönen. Dieses Werk symbolisierte Saras eigene Reise zwischen den Erwartungen der Gesellschaft und ihrer inneren Wahrheit.

Erste Begegnungen mit der LGBTQ-Community

Im Alter von 15 Jahren erlebte Sara ihre erste bewusste Begegnung mit der LGBTQ-Community. Sie besuchte eine lokale Veranstaltung, die von einer LGBTQ-Organisation organisiert wurde. Dort traf sie Menschen, die ähnliche Erfahrungen gemacht hatten, und fand endlich eine Gemeinschaft, in der sie sich akzeptiert und verstanden fühlte. Diese Begegnung war ein Wendepunkt in ihrem Leben und half ihr, ihre Identität weiter zu akzeptieren.

Die Gespräche und Geschichten, die sie an diesem Abend hörte, gaben ihr Mut und Inspiration. Sie beschloss, aktiver in der Community zu werden und sich für die Rechte von LGBTQ-Personen einzusetzen. Diese Entscheidung sollte den Grundstein für ihren späteren Aktivismus legen.

Einfluss von Medien und Popkultur

Sara war auch stark von den Medien und der Popkultur beeinflusst. Filme und Fernsehsendungen, die LGBTQ-Themen behandelten, boten ihr nicht nur eine Flucht aus der Realität, sondern auch Vorbilder, mit denen sie sich identifizieren konnte.

Eine ihrer Lieblingsserien war eine Coming-of-Age-Geschichte über eine Gruppe von Jugendlichen, die ihre Identität erkunden. Diese Serie half ihr, ihre eigenen Gefühle zu reflektieren und zu verstehen, dass es in Ordnung ist, anders zu sein. Diese positiven Darstellungen von LGBTQ-Personen in den Medien waren für sie von unschätzbarem Wert und stärkten ihren Wunsch, selbst eine Stimme zu finden.

Mentoren und Vorbilder in der Jugend

In ihrer Jugend hatte Sara das Glück, einige Mentoren zu treffen, die sie auf ihrem Weg unterstützten. Diese Menschen waren oft aktive Mitglieder der LGBTQ-Community und hatten ihre eigenen Kämpfe und Erfolge erlebt. Sie gaben Sara Ratschläge, halfen ihr, sich in der Community zu vernetzen, und ermutigten sie, ihre Stimme zu erheben.

Einer ihrer wichtigsten Mentoren war ein Kunstlehrer, der selbst Teil der LGBTQ-Community war. Er half Sara, ihre künstlerischen Fähigkeiten weiterzuentwickeln und ermutigte sie, ihre Kunst als Ausdruck ihrer Identität zu nutzen. Diese Unterstützung war entscheidend für Saras Entwicklung und half ihr, Selbstvertrauen zu gewinnen.

Der Weg zur Selbstakzeptanz

Die frühen Jahre von Sara Bingham waren geprägt von Herausforderungen und Kämpfen, aber auch von Entdeckungen und Wachstum. Der Prozess der Selbstakzeptanz war lang und oft schmerzhaft, aber durch ihre Kunst, ihre Freundschaften und ihre Begegnungen mit der LGBTQ-Community fand sie schließlich ihren Platz in der Welt.

Sara lernte, dass es in Ordnung ist, anders zu sein, und dass ihre Erfahrungen und Gefühle wertvoll sind. Diese Erkenntnis bildete die Grundlage für ihren späteren Aktivismus und ihre Bemühungen, anderen zu helfen, die ähnliche Kämpfe durchleben. Ihre frühen Jahre waren nicht nur eine Zeit der Unsicherheit, sondern auch eine Zeit des Aufbruchs und der Entdeckung, die sie auf den Weg zu einer bedeutenden Aktivistin führte.

Familiäre Hintergründe und Einflüsse

Sara Bingham wuchs in einem kanadischen Vorort auf, umgeben von einer Familie, die sowohl Herausforderungen als auch Unterstützung bot. Ihre Eltern, beide Akademiker, hatten eine starke Überzeugung in die Werte von Bildung und Gleichheit. Diese Werte prägten Saras frühe Sicht auf die Welt und förderten ihr Bewusstsein für soziale Gerechtigkeit. In vielen Familien ist das soziale und kulturelle Umfeld entscheidend für die Entwicklung von Identität und Werten. So war es auch bei Sara, deren familiäre Hintergründe eine zentrale Rolle in ihrer Entwicklung als Aktivistin spielten.

Einfluss der Eltern

Saras Mutter, eine Psychologin, war stets darum bemüht, ein offenes und unterstützendes Umfeld zu schaffen. Sie ermutigte Sara, ihre Gefühle auszudrücken und sich mit ihrer Identität auseinanderzusetzen. Diese Unterstützung war entscheidend, als Sara begann, ihre Geschlechtsidentität zu hinterfragen. Ihre Mutter vermittelte ihr die Wichtigkeit der Selbstakzeptanz und des Verständnisses für die eigene Identität, was Sara in ihrer späteren Rolle als Aktivistin half.

Der Vater, ein Geschichtsprofessor, brachte Sara die Bedeutung von Geschichte und deren Einfluss auf die gegenwärtige Gesellschaft näher. Er betonte, wie wichtig es sei, aus der Vergangenheit zu lernen, um zukünftige Generationen zu unterstützen. Diese Perspektive half Sara, die historischen Kämpfe der LGBTQ-Community zu verstehen und zu erkennen, dass Aktivismus nicht nur eine persönliche, sondern auch eine gesellschaftliche Verantwortung ist.

Kulturelle Einflüsse

Zusätzlich zu den familiären Einflüssen war Sara auch von der kanadischen Kultur geprägt, die in vielen Aspekten inklusiv und vielfältig ist. Kanada hat eine reiche Geschichte des LGBTQ-Aktivismus, die bis in die 1960er Jahre zurückreicht. Diese kulturellen Strömungen beeinflussten Saras Verständnis von Identität und Gemeinschaft. Sie erlebte, wie wichtig es ist, für die Rechte der Marginalisierten einzutreten, und wie viel Kraft in der Gemeinschaft liegen kann.

Ein Beispiel für diese kulturelle Prägung war die Teilnahme an Pride-Veranstaltungen in ihrer Jugend. Diese Erfahrungen ermöglichten es Sara, sich mit Gleichgesinnten zu vernetzen und ein Gefühl der Zugehörigkeit zu entwickeln. Diese frühen Begegnungen mit der LGBTQ-Community halfen ihr, sich selbst zu akzeptieren und die Herausforderungen, die mit ihrer Identität verbunden waren, besser zu bewältigen.

Herausforderungen in der Familie

Trotz der Unterstützung gab es auch Herausforderungen. Saras Familie war nicht immun gegen die gesellschaftlichen Vorurteile gegenüber Trans-Personen. Es gab Momente, in denen Saras Identität nicht vollständig akzeptiert wurde, was zu Spannungen innerhalb der Familie führte. Diese Konflikte waren oft schmerzhaft, aber sie lehrten Sara wichtige Lektionen über Resilienz und die Notwendigkeit, für sich selbst einzustehen.

Ein prägendes Ereignis war ein familiäres Treffen, bei dem Saras Geschlechtsidentität zur Sprache kam. Die Reaktionen waren gemischt, und es gab Diskussionen über die „richtige" Art, mit solchen Themen umzugehen. Diese Erfahrungen prägten Saras Sicht auf die Notwendigkeit von Aufklärung und Sensibilisierung innerhalb der Familie, um Vorurteile abzubauen und ein unterstützendes Umfeld zu schaffen.

Mentoren und Vorbilder

Zusätzlich zu ihrer Familie hatte Sara das Glück, auf inspirierende Mentoren zu treffen, die ihre Entwicklung als Aktivistin beeinflussten. Lehrer, die sich für soziale Gerechtigkeit einsetzten, und lokale LGBTQ-Aktivisten spielten eine entscheidende Rolle in Saras Leben. Diese Vorbilder halfen ihr, den Mut zu finden, ihre Stimme zu erheben und sich für die Rechte anderer einzusetzen.

Ein Beispiel für einen solchen Mentor war ein Lehrer in der High School, der eine AG für LGBTQ-Rechte gründete. Diese Gruppe bot Sara nicht nur einen sicheren Raum, um ihre Gedanken und Gefühle auszudrücken, sondern auch die Möglichkeit, aktiv zu werden und sich in der Community zu engagieren. Diese Erfahrungen führten dazu, dass Sara die Bedeutung von Gemeinschaft und Solidarität erkannte, die sie in ihrer späteren Karriere als Aktivistin leiten sollten.

Fazit

Insgesamt spielten die familiären Hintergründe und Einflüsse eine entscheidende Rolle in Saras Entwicklung. Die Unterstützung ihrer Eltern, die kulturellen Einflüsse Kanadas und die Herausforderungen, denen sie gegenüberstand, formten ihre Identität und ihren Aktivismus. Diese frühen Erfahrungen legten den Grundstein für Saras späteren Erfolg als Verfechterin der Trans-Gesundheit und als Stimme für die LGBTQ-Community. Sie lehrten sie, dass es wichtig ist, sich selbst treu zu bleiben, auch wenn der Weg steinig ist, und dass jede Stimme zählt, besonders die, die für andere spricht.

Erste Erfahrungen mit Geschlechtsidentität

Die ersten Erfahrungen mit Geschlechtsidentität sind für viele Menschen entscheidend und prägend. Für Sara Bingham war dies keine Ausnahme. In dieser Phase ihres Lebens begann sie, die Komplexität ihrer Geschlechtsidentität zu erkennen, was sowohl aufregend als auch herausfordernd war.

Frühe Wahrnehmungen und Fragen

In der Kindheit stellte Sara fest, dass ihre Identität nicht mit den traditionellen Geschlechterrollen übereinstimmte, die ihr von der Gesellschaft vermittelt wurden. Während andere Kinder in der Schule mit typischen Geschlechtererwartungen spielten, fühlte sie sich oft fehl am Platz. Diese Diskrepanz führte zu einer Reihe von Fragen, die in ihrem jungen Geist aufkamen: „Warum fühle ich mich anders? Ist es falsch, so zu sein, wie ich bin?"

Einfluss der Familie

Die Familie spielt eine entscheidende Rolle in der Entwicklung der Geschlechtsidentität. Saras Eltern waren, wie viele andere, mit den gesellschaftlichen Normen und Erwartungen konfrontiert. Ihre Reaktion auf Saras Ausdrücke von Geschlechtsidentität war gemischt. Während einige ihrer Verwandten Verständnis zeigten, hatten andere Schwierigkeiten, Saras Identität zu akzeptieren. Diese unterschiedlichen Reaktionen schufen in Sara ein Gefühl der Unsicherheit und des Zweifels.

Schulzeit und Identitätskonflikte

In der Schule erlebte Sara sowohl Unterstützung als auch Ablehnung. Ihre ersten Versuche, ihre Geschlechtsidentität auszudrücken, stießen auf gemischte Reaktionen. Einige ihrer Klassenkameraden akzeptierten sie, während andere sie aufgrund ihrer Andersartigkeit hänselten. Diese Erfahrungen führten zu einem ständigen Kampf zwischen dem Wunsch, authentisch zu sein, und der Angst vor Ausgrenzung.

Die Rolle von Kunst und Kreativität

Kunst war für Sara ein wichtiges Ventil, um ihre Gefühle und Erfahrungen auszudrücken. Sie begann, Gedichte zu schreiben und zu malen, um ihre innere Welt zu reflektieren. Diese kreative Ausdrucksform half ihr nicht nur, ihre Emotionen zu verarbeiten, sondern auch, eine Gemeinschaft von Gleichgesinnten zu finden, die ähnliche Erfahrungen gemacht hatten.

Erste Begegnungen mit der LGBTQ-Community

Die ersten Begegnungen mit der LGBTQ-Community waren für Sara von großer Bedeutung. Durch lokale Veranstaltungen und Jugendgruppen entdeckte sie eine Welt, in der ihre Identität akzeptiert und gefeiert wurde. Diese Erfahrungen halfen ihr, sich selbst zu akzeptieren und zu verstehen, dass sie nicht allein war.

Theoretische Perspektiven

Theoretische Ansätze zur Geschlechtsidentität, wie die von Judith Butler und ihrem Konzept der Geschlechtsperformativität, bieten einen Rahmen, um Saras Erfahrungen zu verstehen. Butler argumentiert, dass Geschlecht nicht nur biologisch, sondern auch sozial konstruiert ist. Diese Sichtweise ermutigte Sara, ihre eigene Identität als ein fluides und dynamisches Konzept zu betrachten, anstatt als festgelegt.

Herausforderungen und Selbstakzeptanz

Die Herausforderungen, mit denen Sara konfrontiert war, führten letztendlich zu einem Prozess der Selbstakzeptanz. Sie lernte, dass ihre Identität nicht von der Akzeptanz anderer abhängt. Dieser Weg zur Selbstakzeptanz war nicht einfach; er war geprägt von Rückschlägen und Momenten des Zweifels. Doch jeder Schritt, den sie machte, brachte sie näher zu dem, was sie wirklich war.

Schlussfolgerung

Die ersten Erfahrungen mit Geschlechtsidentität sind oft komplex und vielschichtig. Für Sara Bingham waren diese Erfahrungen prägend und trugen dazu bei, die Aktivistin zu formen, die sie heute ist. Indem sie ihre Identität erkannte und akzeptierte, legte sie den Grundstein für ihren späteren Aktivismus im Bereich der Trans-Gesundheit und der LGBTQ-Rechte. Diese frühen Erfahrungen, sowohl die positiven als auch die negativen, waren entscheidend für ihren Weg und ihre Entwicklung.

Schulzeit und Herausforderungen

Die Schulzeit ist oft eine prägende Phase im Leben eines jeden Jugendlichen, und für Sara Bingham war dies nicht anders. Aufgewachsen in Kanada, verbrachte sie ihre Schuljahre in einem Umfeld, das sowohl Unterstützung als auch Herausforderungen bot. Diese Zeit war gekennzeichnet von der Suche nach Identität, der Auseinandersetzung mit Geschlechterrollen und dem Streben nach Akzeptanz in einer oft intoleranten Umgebung.

Frühe Schuljahre

In den frühen Schuljahren erlebte Sara, wie viele ihrer Altersgenossen, die typischen Herausforderungen des Heranwachsens. Die Grundschule war eine Zeit des spielerischen Lernens und der ersten Freundschaften, doch schon früh wurde ihr bewusst, dass sie sich von ihren Mitschülern unterschied. Diese Unterschiede manifestierten sich nicht nur in ihren Interessen, die oft als „untypisch" für ihr Geschlecht wahrgenommen wurden, sondern auch in ihrer inneren Identität.

Herausforderungen in der Mittelschule

Mit dem Übergang zur Mittelschule begannen die Herausforderungen jedoch ernsthaft zuzunehmen. Sara erlebte Mobbing und Ausgrenzung, die oft auf ihre Andersartigkeit zurückzuführen waren. In dieser Phase des Lebens, in der soziale Akzeptanz von größter Bedeutung ist, fühlte sie sich zunehmend isoliert. Die Theorie der sozialen Identität, die besagt, dass Individuen sich in Gruppen identifizieren, half ihr zu verstehen, warum sie sich so entfremdet fühlte. Die ständige Angst, nicht akzeptiert zu werden, führte zu einem Gefühl der Unsicherheit, das ihr Selbstwertgefühl erheblich beeinträchtigte.

$$S = \frac{I}{G} \qquad (3)$$

Hierbei ist S das Selbstwertgefühl, I die Identität und G die Gruppenakzeptanz. Diese Gleichung verdeutlicht, dass ein niedriges Maß an Gruppenakzeptanz (G) zu einem verringerten Selbstwertgefühl (S) führt, was Saras Erfahrungen in der Schule widerspiegelt.

Die Rolle von Lehrern und Mentoren

Trotz der Herausforderungen fand Sara in einigen Lehrern und Mentoren Unterstützung. Diese Personen erkannten ihr Potenzial und ermutigten sie, ihre Stimme zu erheben. Ein Lehrer, der besonders einflussreich war, förderte Saras Interesse an der Kunst, was ihr half, ihre Gefühle und Erfahrungen auszudrücken. Kunst wurde für Sara nicht nur ein Ventil, sondern auch ein Weg, um mit Gleichgesinnten in Kontakt zu treten.

Freundschaften und Isolation

Die Suche nach Freundschaften in der Schule war ein zweischneidiges Schwert. Während einige Mitschüler sie akzeptierten, erlebte sie auch schmerzhafte Ablehnung. Das Gefühl der Isolation verstärkte sich, als sie begann, sich intensiver mit ihrer Geschlechtsidentität auseinanderzusetzen. Die Theorie der marginalisierten Identitäten, die beschreibt, wie Individuen aufgrund ihrer Identität an den Rand gedrängt werden, spiegelt Saras Erfahrungen wider. Sie fühlte sich oft wie eine Außenseiterin, die nicht in die vorgegebenen Normen passte.

Die Bedeutung von Selbstakzeptanz

Inmitten all dieser Herausforderungen begann Sara, sich selbst zu akzeptieren. Diese Reise zur Selbstakzeptanz war nicht einfach und erforderte viel Mut. Sie begann, sich mit der LGBTQ-Community zu identifizieren und fand Trost in der Erkenntnis, dass sie nicht allein war. Diese Gemeinschaft bot ihr eine Plattform, um ihre Erfahrungen zu teilen und sich mit anderen zu verbinden, die ähnliche Kämpfe durchlebten.

Einfluss von Medien und Popkultur

Die Medien und Popkultur spielten ebenfalls eine entscheidende Rolle in Saras Schulzeit. Figuren aus Filmen, Büchern und Fernsehsendungen, die LGBTQ-Themen behandelten, gaben ihr Hoffnung und Inspiration. Diese Darstellungen halfen ihr zu verstehen, dass es möglich war, ein erfülltes Leben zu führen, auch wenn die Gesellschaft sie nicht immer akzeptierte. Sie begann, aktiv nach diesen Darstellungen zu suchen und sie als Teil ihrer Identität zu integrieren.

Schlussfolgerung

Zusammenfassend lässt sich sagen, dass Saras Schulzeit eine komplexe Mischung aus Herausforderungen und Unterstützung war. Die Schwierigkeiten, mit denen sie konfrontiert wurde, trugen zur Entwicklung ihrer Identität und ihrer späteren Rolle als Aktivistin bei. Ihre Erfahrungen in der Schule lehrten sie, dass es wichtig ist, für sich selbst einzustehen und die Stimme zu erheben, nicht nur für sich selbst, sondern auch für andere, die in ähnlichen Situationen sind. Diese Lektionen sollten sie auf ihrem Weg zum Aktivismus begleiten und ihr helfen, eine starke und einflussreiche Stimme in der LGBTQ-Community zu werden.

Freundschaften und Isolation

In der Kindheit und Jugend von Sara Bingham spielten Freundschaften eine entscheidende Rolle in ihrer Entwicklung und ihrem Selbstverständnis. Diese Beziehungen waren oft geprägt von der Suche nach Zugehörigkeit und der Auseinandersetzung mit der eigenen Identität. In einer Welt, die häufig von Vorurteilen und Diskriminierung geprägt ist, erlebte Sara sowohl die Freude an tiefen Freundschaften als auch die schmerzhafte Isolation, die viele LGBTQ-Jugendliche erfahren.

Die Suche nach Zugehörigkeit

Freundschaften sind für Jugendliche von zentraler Bedeutung, da sie nicht nur emotionale Unterstützung bieten, sondern auch einen Raum für das Experimentieren mit Identitäten schaffen. Sara fand in ihrer Schulzeit einige enge Freunde, die ähnliche Interessen und Erfahrungen teilten. Diese Freundschaften waren oft durch gemeinsame Aktivitäten, wie Kunst und Theater, geprägt, die es ihr ermöglichten, sich auszudrücken und ihre Gefühle zu verarbeiten.

Die Bedeutung von Peer-Gruppen in dieser Entwicklungsphase kann nicht unterschätzt werden. Laut der *Social Identity Theory* (Tajfel, 1979) suchen Individuen Bestätigung und Zugehörigkeit zu sozialen Gruppen, um ihr Selbstwertgefühl zu stärken. Für Sara war die Zugehörigkeit zu einer Gruppe von Gleichgesinnten ein entscheidender Faktor, um ihre Identität als Trans-Person zu akzeptieren.

Herausforderungen der Isolation

Trotz der positiven Aspekte ihrer Freundschaften erlebte Sara auch Phasen der Isolation. Diese Isolation kann auf verschiedene Faktoren zurückgeführt werden, darunter das Fehlen von Akzeptanz in ihrem sozialen Umfeld und die Angst vor Ablehnung. In vielen Schulen ist Mobbing ein ernsthaftes Problem, das LGBTQ-Jugendliche oft betrifft. Laut einer Studie von *GLSEN* (2019) berichten 59% der LGBTQ-Schüler*innen von Mobbing an Schulen, was zu einem Gefühl der Einsamkeit und Isolation führen kann.

Sara erlebte diese Isolation besonders stark während ihrer Teenagerjahre, als sie begann, sich intensiver mit ihrer Geschlechtsidentität auseinanderzusetzen. Die Angst, von ihren Freunden und Mitschülern nicht akzeptiert zu werden, führte dazu, dass sie sich oft zurückzog. Diese Erfahrungen sind nicht einzigartig; viele LGBTQ-Jugendliche berichten von ähnlichen Gefühlen der Einsamkeit und des Missmuts.

Die Rolle der Kunst

Die Kunst spielte eine wichtige Rolle in Saras Leben, sowohl als Ausdrucksform als auch als Mittel zur Verbindung mit anderen. Durch Theater und kreative Projekte fand sie nicht nur einen Ausweg aus ihrer Isolation, sondern auch eine Möglichkeit, ihre Erfahrungen zu teilen und andere zu inspirieren. Kunst kann als Katalysator für soziale Veränderungen dienen und hilft, die Sichtbarkeit von LGBTQ-Personen zu erhöhen.

Ein Beispiel für die transformative Kraft der Kunst ist die *Queer Art Movement*, die in den 1980er Jahren aufkam und eine Plattform für LGBTQ-Künstler*innen bot, ihre Geschichten zu erzählen. Diese Bewegung ermöglichte es vielen, ihre Isolation zu überwinden und sich mit Gleichgesinnten zu verbinden. Für Sara wurde die Kunst zu einem Weg, um ihre Stimme zu finden und sich mit anderen zu solidarisieren.

Mentoren und Unterstützung

In Saras Leben gab es auch Mentoren, die sie während ihrer schwierigen Zeiten unterstützten. Diese Personen waren oft Teil der LGBTQ-Community und konnten ihre Erfahrungen teilen. Die Bedeutung von Mentorship ist in der Literatur gut dokumentiert. Laut einer Studie von *The Williams Institute* (2017) haben LGBTQ-Jugendliche, die einen Mentor haben, eine höhere Wahrscheinlichkeit, ihre Identität zu akzeptieren und weniger depressive Symptome zu zeigen.

Sara fand in ihrer Jugend eine Mentorin, die sie ermutigte, ihre Stimme zu nutzen und sich für die Rechte von Trans-Personen einzusetzen. Diese Unterstützung half ihr, die Herausforderungen der Isolation zu überwinden und eine starke Gemeinschaft zu finden, in der sie sich akzeptiert fühlte.

Zusammenfassung

Zusammenfassend lässt sich sagen, dass Freundschaften und Isolation zentrale Themen in Saras Jugend waren. Während sie durch enge Beziehungen Trost und Unterstützung fand, war die Realität von Mobbing und Ablehnung eine ständige Herausforderung. Die Kunst bot ihr nicht nur einen Ausweg aus der Isolation, sondern auch eine Möglichkeit, sich mit anderen zu verbinden und ihre Erfahrungen zu teilen. Mentoren spielten eine entscheidende Rolle in ihrer Entwicklung und halfen ihr, die Herausforderungen des Erwachsenwerdens als LGBTQ-Person zu meistern. Diese Erfahrungen prägten nicht nur Saras Identität, sondern auch ihren späteren Aktivismus für Trans-Rechte und LGBTQ-Gesundheit.

Die Rolle der Kunst in Saras Leben

Die Kunst hat für Sara Bingham eine zentrale Rolle gespielt, nicht nur als Ausdrucksform, sondern auch als Werkzeug für Aktivismus und Selbstakzeptanz. In einer Welt, die oft von Diskriminierung und Vorurteilen geprägt ist, bietet die

Kunst einen Raum, in dem Identität und Erfahrungen gefeiert und sichtbar gemacht werden können.

Kunst als Ausdruck von Identität

Für viele Menschen in der LGBTQ-Community, einschließlich Sara, ist die Kunst ein wichtiges Mittel, um ihre Identität zu erkunden und auszudrücken. Sara entdeckte früh, dass sie durch Malerei und Schreiben ihre innersten Gedanken und Gefühle kommunizieren konnte. Diese kreativen Ausdrucksformen erlaubten es ihr, die Komplexität ihrer Geschlechtsidentität zu verarbeiten und zu artikulieren.

Ein Beispiel hierfür ist Saras erste Ausstellung, die sie während ihrer Studienzeit organisierte. Unter dem Titel „*Gesicht der Vielfalt*" zeigte sie Werke, die verschiedene Aspekte der Trans-Erfahrung darstellten. Diese Ausstellung wurde nicht nur von der LGBTQ-Community besucht, sondern zog auch das Interesse der breiteren Öffentlichkeit auf sich. Sara nutzte diese Gelegenheit, um über die Herausforderungen und Schönheiten der Trans-Identität zu sprechen, was zu einer wichtigen Diskussion über Geschlechtsidentität und Akzeptanz führte.

Die Verbindung von Kunst und Aktivismus

Sara erkannte schnell, dass Kunst nicht nur eine persönliche Ausdrucksform war, sondern auch ein mächtiges Werkzeug für sozialen Wandel. In ihrem Engagement für die Trans-Gesundheit begann sie, Kunstprojekte zu initiieren, die auf die Bedürfnisse und Herausforderungen von Trans-Personen aufmerksam machten.

Ein herausragendes Beispiel ist das Projekt „*Trans Voices*", das Sara ins Leben rief. In diesem Projekt sammelte sie Geschichten von Trans-Personen und verwandelte diese in multimediale Kunstwerke, die in Galerien und öffentlichen Räumen ausgestellt wurden. Diese Werke waren nicht nur visuell ansprechend, sondern trugen auch eine tiefere Botschaft über die Notwendigkeit von Verständnis und Unterstützung für Trans-Personen.

Die Herausforderungen der Kunstproduktion

Trotz der positiven Aspekte, die die Kunst in Saras Leben brachte, gab es auch erhebliche Herausforderungen. Die finanzielle Unsicherheit, die oft mit der Kunstproduktion verbunden ist, stellte eine ständige Belastung dar. Sara musste einen Weg finden, ihre künstlerischen Ambitionen mit ihrem Aktivismus zu verbinden, ohne in finanzielle Schwierigkeiten zu geraten.

Ein weiteres Problem war die Frage der Repräsentation. Sara war sich bewusst, dass nicht alle Stimmen innerhalb der LGBTQ-Community gleichwertig gehört wurden. Sie setzte sich aktiv dafür ein, marginalisierte Stimmen in ihre Kunstprojekte einzubeziehen und sicherzustellen, dass die Vielfalt innerhalb der Community sichtbar wurde. Diese Herausforderung führte zu einer intensiven Reflexion über die Verantwortung von Künstlern, die ihre Plattform nutzen, um die Stimmen derjenigen zu stärken, die oft übersehen werden.

Der Einfluss von Medien und Popkultur

Sara wurde auch von der Medienlandschaft und der Popkultur beeinflusst. Filme, Musik und Literatur, die sich mit Themen der Geschlechtsidentität und des Aktivismus auseinandersetzten, inspirierten sie, ihre eigene Stimme in der Kunst zu finden. Werke von Künstlern wie *David Bowie* oder *RuPaul* boten ihr nicht nur Inspiration, sondern auch ein Gefühl der Zugehörigkeit.

In ihren eigenen Arbeiten begann Sara, Elemente der Popkultur zu integrieren, um ihre Botschaften zu verstärken. Sie verwendete beispielsweise Referenzen aus populären Filmen und Songs, um eine Verbindung zu ihrem Publikum herzustellen und komplexe Themen auf eine zugängliche Weise zu präsentieren. Diese Strategie trug dazu bei, dass ihre Kunst nicht nur in der LGBTQ-Community, sondern auch darüber hinaus Anklang fand.

Die Wirkung der Kunst auf die Gemeinschaft

Die Auswirkungen von Saras Kunst auf die Gemeinschaft sind nicht zu unterschätzen. Durch ihre Projekte schuf sie Räume, in denen Menschen zusammenkommen und ihre Erfahrungen teilen konnten. Diese Gemeinschaftsveranstaltungen förderten nicht nur den Austausch von Ideen, sondern halfen auch, das Stigma zu verringern, das oft mit Trans-Identitäten verbunden ist.

Sara beobachtete, dass die Kunst Menschen dazu ermutigte, offen über ihre eigenen Geschichten zu sprechen, was zu einem stärkeren Gefühl der Solidarität innerhalb der Community führte. Ihre Arbeiten trugen dazu bei, ein Bewusstsein für die Herausforderungen, mit denen Trans-Personen konfrontiert sind, zu schaffen und gleichzeitig die Schönheit und Vielfalt dieser Erfahrungen zu feiern.

Fazit

Insgesamt war die Rolle der Kunst in Saras Leben von entscheidender Bedeutung. Sie diente nicht nur als persönliches Ventil, sondern auch als Plattform für Aktivismus und Gemeinschaftsbildung. Saras Fähigkeit, Kunst mit Aktivismus zu verbinden, hat nicht nur ihr eigenes Leben bereichert, sondern auch das Leben vieler anderer in der LGBTQ-Community. Die Herausforderungen, die sie auf diesem Weg erlebte, haben sie stärker gemacht und ihre Entschlossenheit, für Trans-Rechte zu kämpfen, weiter gefestigt.

Die Kunst bleibt ein zentraler Bestandteil von Saras Identität und ihrem Engagement für eine gerechtere und inklusivere Gesellschaft. Sie zeigt, dass Kunst nicht nur eine Form der Selbstexpression ist, sondern auch ein kraftvolles Werkzeug, um Veränderung zu bewirken und Gemeinschaften zu stärken.

Erste Begegnungen mit der LGBTQ-Community

Die ersten Begegnungen von Sara Bingham mit der LGBTQ-Community waren prägend und formten nicht nur ihre Identität, sondern auch ihren Aktivismus. In einer Welt, in der die Vielfalt der Geschlechtsidentitäten oft nicht akzeptiert wird, war es für Sara entscheidend, einen Raum zu finden, in dem sie sich selbst und ihre Erfahrungen widerspiegeln konnte. Diese frühen Erfahrungen sind nicht nur für Sara von Bedeutung, sondern bieten auch einen Einblick in die Herausforderungen und Freuden, die viele Menschen in der LGBTQ-Community erleben.

Die Suche nach Identität

Sara wuchs in einem konservativen Umfeld auf, in dem Gespräche über Geschlechtsidentität und sexuelle Orientierung oft tabuisiert waren. Ihr erstes Bewusstsein für die LGBTQ-Community kam durch die Medien, insbesondere durch Filme und Fernsehsendungen, die Geschichten von queeren Charakteren darstellten. Diese Darstellungen waren oft stereotypisch und nicht immer positiv, aber sie weckten in Sara den Wunsch, mehr über die Gemeinschaft zu erfahren, zu der sie möglicherweise gehörte.

Erste Kontakte

Die ersten direkten Begegnungen mit anderen LGBTQ-Personen fanden in der High School statt. Sara trat einer kleinen, aber engagierten Gruppe von Mitschülern bei, die sich für die Rechte von LGBTQ-Studenten einsetzten. Diese Gruppe organisierte Treffen, bei denen sie über ihre Erfahrungen sprechen konnten. Hier lernte Sara, dass sie nicht allein war; viele ihrer Freunde hatten ähnliche Kämpfe durchlebt, und sie fanden Trost in der Gemeinschaft.

Ein prägendes Erlebnis war ein Treffen, das in einem lokalen Gemeindezentrum stattfand. Dort sprach ein älterer Aktivist über seine eigenen Erfahrungen und die Herausforderungen, mit denen die LGBTQ-Community konfrontiert war. Sara war beeindruckt von der Offenheit und dem Mut, den dieser Aktivist zeigte. Es war das erste Mal, dass sie sah, wie jemand stolz und ohne Angst über seine Identität sprach. Diese Begegnung inspirierte sie und gab ihr das Gefühl, dass sie ebenfalls einen Platz in dieser Gemeinschaft finden könnte.

Herausforderungen der Akzeptanz

Trotz der positiven Erfahrungen gab es auch Herausforderungen. Sara stellte fest, dass nicht alle in ihrem Umfeld die LGBTQ-Community akzeptierten. Einige ihrer Mitschüler reagierten negativ auf ihre neu gewonnenen Freundschaften und begannen, sie zu mobben. Diese Erfahrungen führten zu einem tiefen Gefühl der Isolation und des Zweifels. Sie fragte sich, ob sie wirklich Teil dieser Gemeinschaft sein konnte, wenn sie gleichzeitig mit Vorurteilen und Diskriminierung konfrontiert war.

Um mit diesen Herausforderungen umzugehen, begann Sara, sich intensiver mit der LGBTQ-Geschichte und den Kämpfen anderer Aktivisten auseinanderzusetzen. Sie las Bücher und Artikel über die Stonewall-Unruhen und die Entwicklung der LGBTQ-Rechte in Kanada. Diese Studien halfen ihr, die Widerstandsfähigkeit und den Kampfgeist der Gemeinschaft zu erkennen und inspirierten sie, sich aktiv für die Rechte von LGBTQ-Personen einzusetzen.

Rolle der Kunst und Kultur

Ein weiterer wichtiger Aspekt ihrer frühen Begegnungen mit der LGBTQ-Community war die Rolle der Kunst und Kultur. Sara entdeckte, dass viele Künstler und Schriftsteller aus der LGBTQ-Community ihre Erfahrungen durch kreative Ausdrucksformen teilten. Filme, Musik und Literatur wurden für sie zu wichtigen Mitteln, um sich mit ihrer Identität auseinanderzusetzen und sich in der Welt zu verorten.

Besonders beeindruckt war sie von einem lokalen Theaterstück, das die Geschichten von Transgender-Personen erzählte. Die Darsteller schafften es, die Herausforderungen und Schönheiten des Lebens als Transgender-Person zu vermitteln. Nach der Vorstellung hatte Sara das Gefühl, dass ihre eigenen Erfahrungen validiert wurden. Diese Kunstwerke wurden zu einem Katalysator für Saras Engagement in der Community.

Mentoren und Vorbilder

In dieser Zeit fand Sara auch Mentoren, die sie auf ihrem Weg unterstützten. Eine Lehrerin, die selbst Teil der LGBTQ-Community war, wurde zu einer wichtigen Bezugsperson. Sie ermutigte Sara, ihre Stimme zu erheben und für das einzustehen, was sie für richtig hielt. Diese Unterstützung war entscheidend für Saras Entwicklung und half ihr, ihre Ängste zu überwinden.

Zusammenfassend lässt sich sagen, dass Saras erste Begegnungen mit der LGBTQ-Community eine Mischung aus Freude, Schmerz und Entdeckung waren. Diese Erfahrungen halfen ihr nicht nur, ihre eigene Identität zu formen, sondern legten auch den Grundstein für ihren späteren Aktivismus. Die Herausforderungen, die sie erlebte, wurden zu Antriebskräften, die sie motivierten, sich für die Rechte anderer einzusetzen und eine Stimme für die oft übersehenen Mitglieder der Gemeinschaft zu werden. Die Bedeutung von Gemeinschaft, Kunst und Mentorschaft spielte eine entscheidende Rolle in dieser frühen Phase ihres Lebens und trug dazu bei, die Frau zu formen, die sie heute ist.

Einfluss von Medien und Popkultur

Der Einfluss von Medien und Popkultur auf die Identitätsbildung und das Selbstverständnis von LGBTQ-Personen, insbesondere von Trans-Personen, ist ein komplexes und vielschichtiges Thema. In der heutigen Gesellschaft sind Medien nicht nur ein Spiegel der Realität, sondern auch ein aktives Werkzeug, das die Wahrnehmung von Geschlechtsidentität und sexueller Orientierung prägt. Sara Bingham, als prominente Aktivistin, hat diesen Einfluss sowohl erlebt als auch aktiv gestaltet.

Medien als Spiegel und Formgeber

Die Medien haben die Fähigkeit, gesellschaftliche Normen und Werte zu reflektieren und gleichzeitig zu formen. In den letzten Jahrzehnten gab es einen signifikanten Wandel in der Darstellung von LGBTQ-Themen in Film, Fernsehen und sozialen Medien. Früher wurden Trans-Personen oft stereotypisiert oder marginalisiert, was zu einem verzerrten Bild ihrer Realität führte. Filme wie *The Crying Game* (1992) und *Boys Don't Cry* (1999) haben zwar das Bewusstsein für Trans-Themen geschärft, jedoch oft auf problematische Weise, indem sie die Erfahrungen von Trans-Personen durch die Linse von Tragödie und Gewalt interpretierten.

Sara Bingham hat in ihrer Jugend diese Darstellungen kritisch beobachtet. Sie erinnerte sich an Momente, in denen sie sich in Charakteren wiederfand, die sowohl Stärke als auch Verletzlichkeit verkörperten. Diese Repräsentationen waren für sie sowohl inspirierend als auch verwirrend, da sie oft nicht die Vielfalt und Komplexität der Trans-Erfahrungen widerspiegelten.

Popkultur als Plattform für Sichtbarkeit

Popkultur, insbesondere durch soziale Medien, hat es LGBTQ-Personen ermöglicht, ihre Geschichten selbst zu erzählen. Plattformen wie Instagram, TikTok und YouTube bieten Raum für Authentizität und Selbstrepräsentation. Sara nutzte diese Plattformen, um ihre Erfahrungen zu teilen und das Bewusstsein für Trans-Gesundheit zu schärfen. Ihre Videos über persönliche Herausforderungen und Erfolge wurden viral und schufen eine Gemeinschaft von Gleichgesinnten, die sich gegenseitig unterstützten.

Ein bemerkenswertes Beispiel ist die #TransIsBeautiful-Bewegung, die von der Schauspielerin Laverne Cox ins Leben gerufen wurde. Diese Initiative hat nicht nur das Selbstbewusstsein von Trans-Personen gestärkt, sondern auch eine breitere Diskussion über Geschlechtsidentität und Akzeptanz angestoßen. Sara Bingham hat an ähnlichen Kampagnen teilgenommen und ihre Stimme genutzt, um auf die Bedeutung von Sichtbarkeit und Repräsentation hinzuweisen.

Herausforderungen der Repräsentation

Trotz der Fortschritte gibt es immer noch erhebliche Herausforderungen in der Darstellung von Trans-Personen in den Medien. Oftmals werden Trans-Rollen von cisgender Schauspielern gespielt, was zu einer weiteren Marginalisierung der tatsächlichen Trans-Community führt. Diese Praxis wird als *ciswashing* bezeichnet und trägt zur Entfremdung von Trans-Personen bei, die sich in den Medien nicht repräsentiert fühlen.

Sara hat sich gegen diese Praktiken ausgesprochen und betont, wie wichtig es ist, dass Trans-Personen die Möglichkeit haben, ihre eigenen Geschichten zu erzählen. In ihren öffentlichen Auftritten hat sie immer wieder darauf hingewiesen, dass Authentizität in der Repräsentation entscheidend ist, um Vorurteile abzubauen und das Verständnis für Trans-Gesundheit zu fördern.

Die Rolle von Humor

Ein weiterer Aspekt, den Sara in ihrer Arbeit betont hat, ist die Rolle des Humors in der Mediendarstellung von LGBTQ-Themen. Humor kann eine mächtige Waffe gegen Diskriminierung sein und dazu beitragen, ernste Themen zugänglicher zu machen. Serien wie *Schitt's Creek* und *Pose* verwenden Humor, um komplexe Themen rund um Geschlechtsidentität und sexuelle Orientierung zu behandeln und gleichzeitig eine positive Botschaft der Akzeptanz zu vermitteln.

Sara hat oft betont, dass Humor ihr geholfen hat, mit den Herausforderungen ihres Aktivismus umzugehen. In ihren Reden und sozialen Medien nutzt sie humorvolle Anekdoten, um schwierige Themen anzugehen und das Publikum zu ermutigen, sich mit diesen auseinanderzusetzen.

Fazit

Der Einfluss von Medien und Popkultur auf die Wahrnehmung von Trans-Personen ist sowohl positiv als auch negativ. Während Fortschritte in der Sichtbarkeit und Repräsentation gemacht wurden, bleibt die Herausforderung, authentische und vielfältige Geschichten zu erzählen, bestehen. Sara Bingham hat sich in diesem Kontext als wichtige Stimme etabliert, die nicht nur auf die Probleme hinweist, sondern auch aktiv an der Gestaltung einer inklusiveren Medienlandschaft arbeitet. Ihre Erfahrungen und ihr Engagement zeigen, wie entscheidend es ist, dass Medien die Realität von Trans-Personen widerspiegeln, um Akzeptanz und Verständnis in der Gesellschaft zu fördern.

Mentoren und Vorbilder in der Jugend

Die Jugendzeit ist eine entscheidende Phase im Leben eines jeden Menschen, in der Identität und Selbstbewusstsein geformt werden. Für Sara Bingham war diese Phase nicht nur von persönlichen Herausforderungen geprägt, sondern auch von der Suche nach Mentoren und Vorbildern, die ihr halfen, ihren Weg als LGBTQ-Aktivistin zu finden.

Die Suche nach Identität

In einer Welt, die oft wenig Verständnis für Geschlechtsidentität und sexuelle Orientierung aufbringt, war Saras Suche nach ihrer eigenen Identität eine herausfordernde Reise. Sie wuchs in einer Zeit auf, in der die LGBTQ-Community oft marginalisiert und stigmatisiert wurde. Dies führte dazu, dass sie sich in ihrer Jugend oft isoliert fühlte, da sie nicht das Gefühl hatte, dass ihre Erfahrungen und Gefühle von der Gesellschaft anerkannt wurden.

Einfluss von Mentoren

Mentoren spielen eine entscheidende Rolle in der Entwicklung junger Menschen, insbesondere in der LGBTQ-Community, wo Unterstützung und Verständnis oft fehlen. Für Sara waren Mentoren nicht nur Personen, die ihr Ratschläge gaben, sondern auch Vorbilder, die ihr zeigten, dass es möglich ist, authentisch zu leben und für die eigenen Überzeugungen einzutreten.

Ein Beispiel für einen solchen Mentor war ein Lehrer an ihrer Schule, der selbst Teil der LGBTQ-Community war. Dieser Lehrer schuf eine sichere Umgebung, in der Sara und ihre Mitschüler über ihre Identität sprechen konnten, ohne Angst vor Diskriminierung oder Mobbing zu haben. Er ermutigte sie, ihre Stimme zu erheben und sich für Gleichheit und Akzeptanz einzusetzen.

Die Rolle von Vorbildern in den Medien

Neben persönlichen Mentoren fand Sara auch Inspiration in der Popkultur und in den Medien. Figuren aus Filmen, Büchern und Fernsehsendungen, die LGBTQ-Themen behandelten, boten ihr eine Perspektive auf das Leben, die sie als wertvoll empfand. Diese Darstellungen halfen ihr, sich selbst zu akzeptieren und zu erkennen, dass sie nicht allein war.

Ein besonders prägender Moment war, als sie einen Dokumentarfilm über die Stonewall-Unruhen sah. Die Geschichten von Aktivisten, die für ihre Rechte kämpften, weckten in ihr den Wunsch, sich ebenfalls zu engagieren. Diese Vorbilder in den Medien zeigten ihr, dass der Kampf für Gleichheit nicht nur notwendig, sondern auch möglich war.

Die Bedeutung von Community

Die LGBTQ-Community selbst stellte für Sara ebenfalls eine wichtige Quelle der Unterstützung dar. Durch die Teilnahme an lokalen Veranstaltungen und Treffen lernte sie Gleichgesinnte kennen, die ähnliche Erfahrungen gemacht hatten. Diese Gemeinschaft half ihr, ein Gefühl der Zugehörigkeit zu entwickeln und ihre eigene Identität zu festigen.

In diesen Gemeinschaften fand Sara nicht nur Freunde, sondern auch Vorbilder, die ihr zeigten, wie man aktiv werden und Veränderungen bewirken kann. Diese Interaktionen verstärkten ihren Wunsch, sich für die Rechte von Trans-Personen einzusetzen und anderen zu helfen, die ähnliche Herausforderungen durchlebten.

Herausforderungen und Rückschläge

Trotz der positiven Einflüsse, die Sara in ihrem Leben hatte, war der Weg nicht immer einfach. Die Suche nach Mentoren und Vorbildern war oft mit Enttäuschungen verbunden. Nicht jeder, den sie bewunderte, konnte die Unterstützung bieten, die sie benötigte. Einige Mentoren waren selbst mit ihren eigenen Kämpfen beschäftigt und konnten nicht die Zeit oder Energie aufbringen, um anderen zu helfen.

Diese Rückschläge lehrten Sara jedoch eine wichtige Lektion: dass der Aktivismus und die Unterstützung von Gleichgesinnten nicht immer von oben nach unten kommen müssen. Sie erkannte, dass jeder die Fähigkeit hat, ein Mentor oder ein Vorbild zu sein, unabhängig von seiner eigenen Geschichte.

Zusammenfassung

Zusammenfassend lässt sich sagen, dass Mentoren und Vorbilder in Saras Jugendzeit eine wesentliche Rolle spielten. Sie halfen ihr, ihre Identität zu formen und ihren Platz in der Welt zu finden. Durch persönliche Beziehungen, Medienrepräsentationen und die Unterstützung der LGBTQ-Community lernte sie, dass es möglich ist, für sich selbst und andere einzustehen. Diese Erfahrungen legten den Grundstein für ihre spätere Arbeit als Aktivistin und ihre Bemühungen, die Sichtbarkeit und Akzeptanz von Trans-Personen in Kanada zu fördern.

$$\text{Identität} = f(\text{Mentoren}, \text{Vorbilder}, \text{Community}) \qquad (4)$$

Der Weg zur Selbstakzeptanz

Der Weg zur Selbstakzeptanz ist für viele LGBTQ-Personen ein komplexer und oft schmerzhafter Prozess, der tief in den persönlichen, sozialen und kulturellen Kontexten verwurzelt ist. Für Sara Bingham war dieser Weg nicht nur eine persönliche Reise, sondern auch ein Spiegelbild der Herausforderungen, denen viele in der LGBTQ-Community gegenüberstehen.

Theoretische Grundlagen

Die Selbstakzeptanz kann durch verschiedene psychologische Theorien verstanden werden. Eine der einflussreichsten Theorien ist die **Theorie der sozialen Identität** (Tajfel & Turner, 1979), die besagt, dass Individuen ihre Identität stark durch die Gruppen definieren, zu denen sie gehören. Für Trans-Personen, wie Sara, kann die Zugehörigkeit zu einer unterstützenden LGBTQ-Community entscheidend sein, um ein positives Selbstbild zu entwickeln.

Herausforderungen auf dem Weg zur Selbstakzeptanz

Die Herausforderungen, die auf dem Weg zur Selbstakzeptanz auftreten, sind vielfältig. Dazu gehören:

- **Innere Konflikte:** Viele LGBTQ-Personen kämpfen mit dem Gefühl, nicht in die gesellschaftlichen Normen zu passen, was zu Selbstzweifeln und Scham führen kann.

- **Diskriminierung:** Vorurteile und Diskriminierung können die Selbstakzeptanz erheblich beeinträchtigen. Sara erlebte während ihrer Schulzeit Mobbing, was ihre Selbstwahrnehmung negativ beeinflusste.

- **Familiendruck:** Der Druck, den Erwartungen der Familie gerecht zu werden, kann eine große Hürde darstellen. Sara musste lernen, ihre Identität zu akzeptieren, während sie gleichzeitig den Wunsch verspürte, von ihrer Familie akzeptiert zu werden.

Der Einfluss von Kunst und Medien

Kunst und Medien spielten eine bedeutende Rolle in Saras Reise zur Selbstakzeptanz. Sie fand Trost in der **Popkultur**, die oft als Spiegelbild ihrer eigenen Erfahrungen diente. Filme und Bücher, die sich mit LGBTQ-Themen beschäftigten, gaben ihr das Gefühl, nicht allein zu sein.

Ein Beispiel ist der Film *Paris is Burning*, der die Drag-Kultur in New York City beleuchtet. Die Darstellung von Identität und Gemeinschaft in diesem Film inspirierte Sara und half ihr, ihre eigene Identität zu umarmen.

Mentoren und Vorbilder

Mentoren und Vorbilder sind entscheidend für den Prozess der Selbstakzeptanz. Sara fand Unterstützung in der LGBTQ-Community und wurde von älteren Aktivisten inspiriert, die ihre eigenen Kämpfe überwunden hatten. Diese Vorbilder gaben ihr Hoffnung und die Gewissheit, dass es möglich ist, authentisch zu leben.

Strategien zur Selbstakzeptanz

Sara entwickelte verschiedene Strategien, um ihre Selbstakzeptanz zu fördern:

1. **Selbstreflexion:** Durch Tagebuchschreiben und kreative Ausdrucksformen konnte Sara ihre Gedanken und Gefühle ordnen und besser verstehen.

2. **Community-Building:** Der Aufbau von unterstützenden Netzwerken war entscheidend. Sara engagierte sich aktiv in LGBTQ-Gruppen, was ihr half, Gleichgesinnte zu finden.

3. **Therapie und Unterstützung:** Professionelle Hilfe spielte eine wichtige Rolle. Sara suchte Unterstützung bei Therapeuten, die sich auf LGBTQ-Themen spezialisiert hatten, um ihre inneren Konflikte zu bewältigen.

Die Bedeutung von Humor

Ein weiterer wichtiger Aspekt von Saras Weg zur Selbstakzeptanz war der Einsatz von **Humor**. Humor half ihr nicht nur, mit den Herausforderungen des Aktivismus umzugehen, sondern auch, ihre eigene Identität zu feiern. Indem sie über ihre Erfahrungen lachte, konnte sie die Schwere ihrer Kämpfe relativieren und eine positive Einstellung entwickeln.

Reflexion über den eigenen Weg

Heute reflektiert Sara über ihren Weg zur Selbstakzeptanz und erkennt an, dass dieser Prozess nie ganz abgeschlossen ist. Sie hat gelernt, dass Selbstakzeptanz nicht nur eine persönliche Errungenschaft ist, sondern auch ein fortlaufender Prozess, der ständige Arbeit und Engagement erfordert.

Sara ermutigt andere, ihren eigenen Weg zu finden und sich selbst zu akzeptieren, unabhängig von den Herausforderungen, die sie erleben. Ihre Botschaft ist klar: Jeder Mensch verdient es, sich selbst zu lieben und zu akzeptieren, so wie er ist.

Schlussfolgerung

Der Weg zur Selbstakzeptanz ist ein zentraler Bestandteil von Saras Lebensgeschichte und spiegelt die Erfahrungen vieler LGBTQ-Personen wider. Durch ihre Herausforderungen, ihre Strategien und ihre Erfolge zeigt Sara, dass Selbstakzeptanz nicht nur möglich, sondern auch notwendig ist, um ein erfülltes und authentisches Leben zu führen. Ihre Reise inspiriert andere, sich selbst zu akzeptieren und für ihre Rechte einzutreten, und bietet einen wichtigen Beitrag zur LGBTQ-Geschichte in Kanada und darüber hinaus.

Der Weg zur Aktivistin

Entdeckung der Leidenschaft für Aktivismus

Erste Schritte in der LGBTQ-Bewegung

Die ersten Schritte in der LGBTQ-Bewegung sind oft geprägt von einer Mischung aus Entdeckung, Unsicherheit und dem brennenden Wunsch, Veränderungen herbeizuführen. Für Sara Bingham begann dieser Weg in einem kleinen, aber dynamischen Umfeld, das den Grundstein für ihr zukünftiges Engagement legte.

Die Entdeckung der eigenen Identität

Sara wuchs in einer Zeit auf, in der das Bewusstsein für LGBTQ-Themen noch begrenzt war. Ihre ersten Schritte in der Bewegung waren stark mit der Entdeckung ihrer eigenen Identität verbunden. Diese Phase ist entscheidend, da sie oft von inneren Konflikten und dem Bedürfnis nach Akzeptanz geprägt ist.

Ein zentrales Konzept in der LGBTQ-Theorie ist die *Identitätsentwicklung*, die sich in mehreren Phasen vollzieht. In der ersten Phase, die als *Identitätsuchphase* bezeichnet wird, beginnt das Individuum, sich mit seiner Geschlechtsidentität und sexuellen Orientierung auseinanderzusetzen. Sara erlebte diese Phase intensiv, da sie in ihrer Jugend oft mit Fragen und Unsicherheiten konfrontiert war.

Einfluss von Gemeinschaften

In der nächsten Phase, der *Identitätsakzeptanz*, fand Sara Trost in der LGBTQ-Community. Diese Gemeinschaft bot nicht nur Unterstützung, sondern auch eine Plattform, um ihre Stimme zu erheben. Der Zugang zu Gleichgesinnten, die ähnliche Erfahrungen gemacht hatten, war für Sara von unschätzbarem Wert. Hierbei spielt das Konzept der *Community-Building* eine zentrale Rolle.

Ein Beispiel für diese Unterstützung war die Gründung einer lokalen LGBTQ-Jugendgruppe, in der Sara eine führende Rolle übernahm. Diese Gruppe bot einen Raum für Diskussionen, Workshops und soziale Veranstaltungen, die es den Mitgliedern ermöglichten, sich gegenseitig zu unterstützen und zu ermutigen.

Erste politische Engagements

Saras erste Schritte in der politischen Aktivismus waren oft von Herausforderungen geprägt. Der Zugang zu Ressourcen und Informationen war begrenzt, und viele der bestehenden Strukturen waren nicht auf die Bedürfnisse von LGBTQ-Personen ausgerichtet. Eine der größten Hürden war der *Mangel an Sichtbarkeit* und Repräsentation in den politischen Entscheidungsgremien.

Ein bedeutendes Ereignis, das Saras Engagement prägte, war die Teilnahme an einer Protestaktion gegen diskriminierende Gesetze. Diese Erfahrung war nicht nur eine erste Konfrontation mit der politischen Realität, sondern auch eine wichtige Lektion in Bezug auf die *Macht der kollektiven Stimme*.

Herausforderungen und Rückschläge

Allerdings war der Weg nicht immer einfach. Sara musste sich mit Vorurteilen und Diskriminierung auseinandersetzen, sowohl innerhalb als auch außerhalb der LGBTQ-Community. Diese Herausforderungen sind nicht ungewöhnlich und spiegeln die breiteren gesellschaftlichen Probleme wider, mit denen viele LGBTQ-Aktivisten konfrontiert sind.

Ein Beispiel für solche Rückschläge war ein Vorfall während einer LGBTQ-Veranstaltung, bei dem Sara und andere Aktivisten mit feindlichen Demonstranten konfrontiert wurden. Diese Erfahrung verdeutlichte die Notwendigkeit von *Sicherheit* und *Schutz* für LGBTQ-Personen und führte zu Saras Engagement für sichere Räume.

Die Rolle von Bildung

Ein weiterer wichtiger Aspekt von Saras ersten Schritten in der Bewegung war die Rolle der Bildung. Sie begann, sich intensiv mit LGBTQ-Themen auseinanderzusetzen, um ihre Argumente und Forderungen zu untermauern. Der Zugang zu Bildung und Informationen ist entscheidend, um das Bewusstsein für LGBTQ-Anliegen zu schärfen und Veränderungen zu bewirken.

Sara nutzte soziale Medien, um Informationen zu verbreiten und das Bewusstsein für LGBTQ-Themen zu fördern. Diese Plattformen ermöglichten es ihr, eine breitere Öffentlichkeit zu erreichen und Gleichgesinnte zu mobilisieren.

Schlussfolgerung

Zusammenfassend lässt sich sagen, dass Saras erste Schritte in der LGBTQ-Bewegung von einer tiefen persönlichen Reise geprägt waren. Von der Entdeckung ihrer Identität bis hin zu ihrem Engagement in der Community und der Politik stellte sie sich zahlreichen Herausforderungen, die sie letztendlich stärkten und motivierten. Diese Erfahrungen legten den Grundstein für ihr späteres Wirken als eine der führenden Stimmen im Bereich der Trans-Gesundheit in Kanada.

Die Kombination aus persönlichem Wachstum, Gemeinschaftsbildung und politischem Engagement sind die Säulen, auf denen Saras Aktivismus ruht. Diese Elemente werden in den kommenden Kapiteln weiter vertieft, während wir Saras Weg zur bedeutenden Aktivistin verfolgen.

Einfluss von politischen Bewegungen

Der Einfluss von politischen Bewegungen auf den Aktivismus von Sara Bingham und die LGBTQ-Community ist ein komplexes Zusammenspiel von gesellschaftlichen, kulturellen und rechtlichen Faktoren. Politische Bewegungen haben nicht nur die Rahmenbedingungen für den Aktivismus geschaffen, sondern auch Saras persönliche Entwicklung und ihren Weg zur Aktivistin maßgeblich beeinflusst.

Historischer Kontext

Um den Einfluss politischer Bewegungen zu verstehen, ist es wichtig, die historische Entwicklung der LGBTQ-Rechte in Kanada zu betrachten. Die 1960er Jahre waren eine Zeit des Wandels, in der die Bürgerrechtsbewegung und die feministischen Bewegungen aufkamen. Diese Bewegungen legten den Grundstein für die spätere LGBTQ-Bewegung, indem sie das Bewusstsein für Diskriminierung und Ungerechtigkeit schärften. Die Stonewall-Unruhen von 1969 in den USA waren ein Wendepunkt, der auch in Kanada Widerhall fand und die LGBTQ-Community mobilisierte.

Die Rolle der feministischen Bewegung

Die feministischen Bewegungen der 1970er Jahre hatten einen entscheidenden Einfluss auf die LGBTQ-Bewegung. Feministinnen forderten Gleichheit und Rechte für Frauen und schufen ein Umfeld, in dem auch die Rechte von LGBTQ-Personen diskutiert werden konnten. Sara Bingham wurde in diesem

Kontext geprägt; sie erkannte, dass der Kampf für Trans-Rechte eng mit dem feministischen Kampf verbunden ist. Feministische Theorien, wie die von Judith Butler, die Geschlecht als performativ betrachtet, halfen ihr, ihre eigene Geschlechtsidentität zu verstehen und zu akzeptieren.

Politische Mobilisierung und Aktivismus

Sara Bingham entdeckte ihre Leidenschaft für den Aktivismus während ihrer Universitätszeit, als sie sich in verschiedenen politischen Bewegungen engagierte. Die LGBTQ-Bewegung war stark von der politischen Mobilisierung beeinflusst, insbesondere durch Organisationen wie die *Canadian Gay and Lesbian Archives* und *Pride Toronto*. Diese Organisationen förderten das Bewusstsein für LGBTQ-Anliegen und schufen Plattformen für die Sichtbarkeit von LGBTQ-Personen.

Ein Beispiel für diese Mobilisierung ist die *Pride Parade*, die nicht nur ein Fest der Identität ist, sondern auch eine politische Demonstration für Gleichheit und Akzeptanz. Sara nahm an diesen Paraden teil und erkannte, wie wichtig es ist, sich zu zeigen und die eigene Identität zu feiern. Diese Veranstaltungen waren nicht nur eine Möglichkeit, sich zu vernetzen, sondern auch eine Gelegenheit, politische Forderungen zu stellen, wie etwa die Legalisierung von gleichgeschlechtlichen Ehen und den Schutz von LGBTQ-Personen vor Diskriminierung.

Einfluss von Gesetzesänderungen

Politische Bewegungen haben auch direkte Auswirkungen auf Gesetzesänderungen, die für die LGBTQ-Community von Bedeutung sind. Der Kampf um die Legalisierung der gleichgeschlechtlichen Ehe in Kanada, der 2005 mit der *Civil Marriage Act* erfolgreich abgeschlossen wurde, ist ein Beispiel dafür, wie aktivistische Bemühungen und politische Bewegungen zusammenwirken können. Sara Bingham war Teil dieses Prozesses, indem sie sich für die Rechte von Trans-Personen innerhalb der LGBTQ-Bewegung einsetzte.

Diese Gesetzesänderungen haben nicht nur rechtliche Vorteile gebracht, sondern auch das gesellschaftliche Klima für LGBTQ-Personen verbessert. Sie haben dazu beigetragen, Vorurteile abzubauen und die Sichtbarkeit von LGBTQ-Personen in der Gesellschaft zu erhöhen. Sara erkannte, dass politische Bewegungen nicht nur auf rechtliche Veränderungen abzielen sollten, sondern auch auf die Veränderung von gesellschaftlichen Normen und Werten.

Herausforderungen und Rückschläge

Trotz der Fortschritte, die durch politische Bewegungen erzielt wurden, gibt es auch Herausforderungen und Rückschläge. Diskriminierung und Vorurteile sind nach wie vor weit verbreitet, und Sara musste oft gegen Widerstände kämpfen, um ihre Botschaften zu verbreiten. Der Einfluss von konservativen politischen Bewegungen und der Widerstand gegen LGBTQ-Rechte sind ständige Herausforderungen, mit denen sie und andere Aktivisten konfrontiert sind.

Ein Beispiel für solche Rückschläge war die Einführung von Gesetzen in einigen Provinzen, die es ermöglichten, Diskriminierung aufgrund von Geschlechtsidentität zu legalisieren. Diese Entwicklungen erforderten eine verstärkte Mobilisierung der LGBTQ-Community und führten zu einer erneuten Belebung des Aktivismus. Sara und andere Aktivisten nutzten soziale Medien, um auf diese Probleme aufmerksam zu machen und die Öffentlichkeit zu mobilisieren.

Zusammenarbeit mit anderen Bewegungen

Ein weiterer wichtiger Aspekt des Einflusses politischer Bewegungen auf Saras Aktivismus ist die Zusammenarbeit mit anderen sozialen Bewegungen. Die intersektionale Perspektive, die die Überschneidungen von Geschlecht, Rasse, Klasse und sexueller Orientierung berücksichtigt, ist entscheidend für den Erfolg von Aktivismus. Sara arbeitete eng mit feministischen, antirassistischen und Umweltbewegungen zusammen, um ein umfassenderes Verständnis von Gerechtigkeit zu fördern.

Diese intersektionale Zusammenarbeit hat es Sara ermöglicht, ihre Botschaften effektiver zu kommunizieren und ein breiteres Publikum zu erreichen. Sie erkannte, dass der Kampf für Trans-Rechte nicht isoliert betrachtet werden kann, sondern Teil eines größeren Kampfes für soziale Gerechtigkeit ist.

Fazit

Zusammenfassend lässt sich sagen, dass der Einfluss von politischen Bewegungen auf den Aktivismus von Sara Bingham und die LGBTQ-Community enorm ist. Diese Bewegungen haben nicht nur den rechtlichen Rahmen für Gleichheit geschaffen, sondern auch das gesellschaftliche Bewusstsein für LGBTQ-Anliegen geschärft. Saras Engagement in verschiedenen politischen Bewegungen hat ihre Entwicklung als Aktivistin geprägt und ihr geholfen, die Herausforderungen des Aktivismus zu meistern. Der Einfluss von politischen Bewegungen wird auch in Zukunft entscheidend sein, um die Rechte und die Sichtbarkeit von LGBTQ-Personen weiter zu fördern.

Bildung und Engagement: Universitätszeit

Während ihrer Universitätszeit entdeckte Sara Bingham nicht nur ihre Leidenschaft für den Aktivismus, sondern auch die transformative Kraft der Bildung. Diese Phase ihres Lebens war geprägt von einer intensiven Auseinandersetzung mit ihrer Identität und dem Engagement für die LGBTQ-Community.

Einführung in die Universitätswelt

Sara begann ihr Studium an der *University of Toronto*, einer Institution, die für ihre vielfältige und inklusive Umgebung bekannt ist. Hier traf sie auf Gleichgesinnte, die ihre Werte und Überzeugungen teilten. Die Universität wurde zu einem Ort, an dem sie nicht nur akademisches Wissen erwarb, sondern auch soziale und politische Themen vertiefte, die sie zuvor nur am Rande betrachtet hatte.

Theoretische Grundlagen

In ihren Studiengängen, insbesondere in Gender Studies und Sozialwissenschaften, stieß Sara auf verschiedene Theorien, die ihre Sichtweise auf Geschlecht und Identität prägten. Die *Queer Theory* beispielsweise, die Geschlecht und Sexualität als soziale Konstrukte betrachtet, ermutigte sie, bestehende Normen und Erwartungen zu hinterfragen. Diese Theorien halfen ihr, die Komplexität von Geschlechtsidentität zu verstehen und zu erkennen, wie tief verwurzelt Diskriminierung in der Gesellschaft ist.

Engagement und Aktivismus

In dieser Zeit engagierte sich Sara aktiv in verschiedenen studentischen Organisationen. Sie trat der *LGBTQ Student Alliance* bei, wo sie Workshops und Veranstaltungen organisierte, die sich mit Themen wie Trans-Rechten und psychischer Gesundheit auseinandersetzten. Diese Organisation bot nicht nur einen Raum für Unterstützung, sondern auch eine Plattform, um wichtige Themen zur Sprache zu bringen.

Ein Beispiel für Saras Engagement war die Organisation einer *Pride Week*, die nicht nur Feiern, sondern auch Bildungsveranstaltungen beinhaltete. Diese Veranstaltungen umfassten Podiumsdiskussionen mit Aktivisten, die über ihre Erfahrungen berichteten, und Workshops, die sich mit der Sensibilisierung für Trans-Gesundheit beschäftigten. Sara verstand, dass Bildung der Schlüssel zu Veränderung ist, und sie nutzte jede Gelegenheit, um Wissen zu verbreiten.

Herausforderungen im Studium

Trotz ihrer Erfolge hatte Sara auch mit Herausforderungen zu kämpfen. Die akademische Welt konnte oft überwältigend sein, und der Druck, sowohl akademisch als auch aktivistisch erfolgreich zu sein, führte zu Stress und Selbstzweifeln. Zudem erlebte sie Diskriminierung und Vorurteile, sowohl innerhalb als auch außerhalb des Klassenzimmers. Diese Erfahrungen verstärkten ihren Wunsch, Veränderungen herbeizuführen, und motivierten sie, sich noch intensiver mit dem Aktivismus auseinanderzusetzen.

Einfluss von Mentoren

Während ihrer Studienzeit traf Sara auf mehrere Mentoren, die einen tiefgreifenden Einfluss auf ihren Aktivismus hatten. Eine Professorin für Gender Studies, Dr. Emily Carter, wurde zu einer wichtigen Inspirationsquelle. Dr. Carters Ansatz, akademische Theorien mit praktischen Erfahrungen zu verbinden, ermutigte Sara, über den Tellerrand hinauszuschauen und zu erkennen, wie wichtig es ist, Theorie in die Praxis umzusetzen.

Der Weg zur Selbstakzeptanz

Die Universitätszeit war auch eine Phase der Selbstentdeckung für Sara. Sie lernte, ihre Identität zu akzeptieren und sich in ihrer Haut wohlzufühlen. Diese Reise zur Selbstakzeptanz war nicht immer einfach, aber sie fand Trost und Stärke in der Gemeinschaft, die sie um sich herum aufbaute. Der Austausch mit anderen Studierenden, die ähnliche Erfahrungen gemacht hatten, half ihr, ihre eigenen Herausforderungen zu bewältigen.

Zusammenfassung

Insgesamt war Saras Universitätszeit eine entscheidende Phase in ihrem Leben, die sowohl ihre akademische als auch ihre persönliche Entwicklung prägte. Sie erwarb nicht nur Wissen, sondern auch die Fähigkeiten und das Selbstvertrauen, um als Aktivistin zu agieren. Ihre Erfahrungen in dieser Zeit legten den Grundstein für ihr zukünftiges Engagement im Bereich der Trans-Gesundheit und des LGBTQ-Aktivismus.

Schlussfolgerung: Bildung und Engagement sind untrennbar miteinander verbunden. Saras Universitätszeit war ein Beispiel dafür, wie akademisches Wissen und praktisches Engagement Hand in Hand gehen können, um eine positive Veränderung in der Gesellschaft zu bewirken. Diese Erkenntnis wird sie auf ihrem weiteren Weg als Aktivistin begleiten.

Gründung von Unterstützungsgruppen

Die Gründung von Unterstützungsgruppen war ein entscheidender Schritt auf dem Weg von Sara Bingham zur Aktivistin. Diese Gruppen bieten nicht nur einen Raum für Austausch und Solidarität, sondern sind auch ein Fundament für die Mobilisierung und den gemeinsamen Kampf für Rechte und Anerkennung innerhalb der LGBTQ-Community. Sara erkannte früh, dass das Gefühl der Isolation, das viele Trans-Personen empfinden, durch die Schaffung von Gemeinschaften gemildert werden kann, in denen sich Menschen verstanden und akzeptiert fühlen.

Die Idee hinter Unterstützungsgruppen

Unterstützungsgruppen sind nicht nur Orte des Zusammentreffens; sie sind Mikrokosmen der Gesellschaft, in denen Mitglieder ihre Erfahrungen teilen, voneinander lernen und sich gegenseitig stärken können. Die Theorie hinter diesen Gruppen basiert auf dem Konzept der *Peer-Support*, das besagt, dass Menschen oft am besten von anderen lernen, die ähnliche Erfahrungen gemacht haben. Der Psychologe Carl Rogers betonte die Bedeutung von Empathie und echtem Verständnis in zwischenmenschlichen Beziehungen, was in Unterstützungsgruppen besonders relevant ist.

Herausforderungen bei der Gründung

Die Gründung von Unterstützungsgruppen ist jedoch nicht ohne Herausforderungen. Sara sah sich mit Widerständen konfrontiert, sowohl innerhalb der LGBTQ-Community als auch in der breiteren Gesellschaft. Stigmatisierung, Vorurteile und der Mangel an Ressourcen waren häufige Hindernisse. Ein Beispiel hierfür war die anfängliche Skepsis, die viele Menschen gegenüber der Idee hatten, dass Trans-Personen Unterstützung benötigen, um ihre Identität zu leben. Diese Skepsis führte oft zu Schwierigkeiten bei der Rekrutierung von Mitgliedern und der Sicherstellung der finanziellen Mittel für die Gruppenaktivitäten.

Erste Schritte und Erfolge

Trotz dieser Herausforderungen wagte Sara den ersten Schritt und gründete ihre erste Unterstützungsgruppe während ihrer Studienzeit an der Universität. Diese Gruppe, die sich auf die Bedürfnisse von Trans- und nicht-binären Personen konzentrierte, bot einen sicheren Raum für Diskussionen über Identität, Gesundheit und soziale Gerechtigkeit. Die erste Sitzung war ein Wendepunkt: Über zwanzig Menschen kamen zusammen, um ihre Geschichten zu teilen. Diese erste Zusammenkunft zeigte, wie dringend der Bedarf an solchen Gruppen war.

Die Rolle der Gruppen in der Community

Die Gruppen, die Sara gründete, waren nicht nur wichtig für die Mitglieder selbst, sondern auch für die gesamte LGBTQ-Community. Sie fungierten als Plattformen für Aufklärung und Sensibilisierung über Trans-Gesundheit und die Herausforderungen, mit denen Trans-Personen konfrontiert sind. Sara organisierte Workshops und Veranstaltungen, um das Bewusstsein zu schärfen und Vorurteile abzubauen. Ein Beispiel ist die „Trans Health Awareness Week", die sie ins Leben rief und die große Aufmerksamkeit in den Medien erhielt.

Langfristige Auswirkungen

Die langfristigen Auswirkungen dieser Unterstützungsgruppen sind unbestreitbar. Sie haben nicht nur das Leben der Teilnehmer verändert, sondern auch dazu beigetragen, eine breitere gesellschaftliche Diskussion über Trans-Rechte und -Gesundheit zu fördern. Sara war in der Lage, durch ihre Arbeit in diesen Gruppen politische Entscheidungsträger zu erreichen und wichtige Änderungen in der Gesundheitsversorgung für Trans-Personen anzustoßen.

Die Gründung von Unterstützungsgruppen war also nicht nur ein persönlicher Erfolg für Sara Bingham, sondern auch ein bedeutender Beitrag zur Stärkung der LGBTQ-Community in Kanada und darüber hinaus. Durch ihre unermüdliche Arbeit hat sie eine Welle der Solidarität ausgelöst, die viele inspiriert hat, sich ebenfalls für die Rechte von Trans-Personen einzusetzen.

Insgesamt ist die Gründung von Unterstützungsgruppen ein Beispiel dafür, wie individuelle Initiative und Gemeinschaftsgeist zusammenwirken können, um positive Veränderungen in der Gesellschaft zu bewirken. Sara Bingham hat durch ihre Vision und ihren Einsatz bewiesen, dass die Kraft der Gemeinschaft eine transformative Wirkung haben kann, die weit über die individuellen Erfahrungen hinausgeht.

Die Bedeutung von Community-Events

Community-Events spielen eine wesentliche Rolle im Aktivismus, insbesondere im Bereich der LGBTQ-Rechte. Sie bieten nicht nur eine Plattform für den Austausch von Ideen und Erfahrungen, sondern fördern auch das Gemeinschaftsgefühl und die Solidarität unter den Teilnehmern. In diesem Abschnitt werden wir die verschiedenen Dimensionen und die Bedeutung von Community-Events im Kontext des Aktivismus untersuchen.

Förderung des Gemeinschaftsgefühls

Community-Events sind ein Ort, an dem Menschen mit ähnlichen Erfahrungen und Herausforderungen zusammenkommen können. Diese Zusammenkünfte stärken die Bindungen innerhalb der LGBTQ-Community und bieten einen Raum für Unterstützung und Verständnis. Die gemeinsame Identität und die geteilten Erfahrungen tragen dazu bei, dass sich Individuen weniger isoliert fühlen. Dies ist besonders wichtig in Gesellschaften, in denen LGBTQ-Personen Diskriminierung und Vorurteile ausgesetzt sind.

Ein Beispiel für ein solches Event ist die *Pride Parade*, die nicht nur eine Feier der Identität ist, sondern auch ein starkes politisches Statement darstellt. Während der Parade kommen Menschen aus verschiedenen Lebensbereichen zusammen, um ihre Unterstützung für die LGBTQ-Rechte zu zeigen und um die Sichtbarkeit der Community zu erhöhen. Solche Events fördern ein Gefühl der Zugehörigkeit und ermutigen Einzelpersonen, sich aktiv an der Bewegung zu beteiligen.

Bildung und Aufklärung

Community-Events bieten auch eine Plattform für Bildung und Aufklärung. Workshops, Podiumsdiskussionen und Informationsstände ermöglichen es den Teilnehmern, mehr über LGBTQ-Themen, Rechte und Ressourcen zu erfahren. Dies ist besonders wichtig, um Vorurteile abzubauen und das Bewusstsein in der breiteren Gesellschaft zu schärfen.

Ein Beispiel hierfür ist die *Trans Health Conference*, die darauf abzielt, Fachleute und Aktivisten zusammenzubringen, um über die spezifischen Herausforderungen der Trans-Gesundheit zu diskutieren. Solche Veranstaltungen fördern den Austausch von Wissen und Best Practices und tragen dazu bei, die Gesundheitsversorgung für Trans-Personen zu verbessern.

Mobilisierung und Aktivismus

Community-Events sind auch entscheidend für die Mobilisierung von Unterstützern und die Förderung von aktivistischem Handeln. Sie bieten eine Gelegenheit, konkrete Aktionen zu planen und Ressourcen zu bündeln. Durch die Organisation von Veranstaltungen, Protesten oder Kampagnen können Aktivisten ihre Botschaften effektiver verbreiten und die Öffentlichkeit mobilisieren.

Ein Beispiel für eine erfolgreiche Mobilisierung ist die *Black Lives Matter*-Bewegung, die Community-Events nutzt, um auf Rassismus und Diskriminierung innerhalb der LGBTQ-Community aufmerksam zu machen. Diese Events schaffen nicht nur Bewusstsein, sondern motivieren auch die Teilnehmer, sich aktiv für Veränderungen einzusetzen.

Herausforderungen bei der Organisation von Community-Events

Trotz ihrer Bedeutung stehen Organisatoren von Community-Events vor verschiedenen Herausforderungen. Finanzielle Mittel sind oft begrenzt, und es kann schwierig sein, Sponsoren zu finden, die die Veranstaltung unterstützen. Darüber hinaus müssen Sicherheitsvorkehrungen getroffen werden, um die Teilnehmer zu schützen, insbesondere bei Veranstaltungen, die politische Botschaften vermitteln.

Ein Beispiel für eine solche Herausforderung war die *Pride Parade* in Toronto, die in der Vergangenheit mit Bedrohungen konfrontiert war. Die Organisatoren mussten Sicherheitsmaßnahmen ergreifen, um die Teilnehmer zu schützen und sicherzustellen, dass die Veranstaltung friedlich verlief.

Die Rolle von Humor und Kreativität

Humor und Kreativität sind ebenfalls wichtige Elemente von Community-Events. Sie tragen dazu bei, eine positive Atmosphäre zu schaffen und die Teilnehmer zu ermutigen, sich zu engagieren. Kreative Ausdrucksformen, wie Kunst, Theater und Musik, können die Botschaften des Aktivismus verstärken und die Aufmerksamkeit der Öffentlichkeit auf wichtige Themen lenken.

Ein Beispiel ist das *Drag Queen Storytime*, bei dem Drag-Performer Geschichten vorlesen und gleichzeitig wichtige Themen wie Akzeptanz und Vielfalt vermitteln. Solche Veranstaltungen nutzen Humor und Kreativität, um das Publikum zu erreichen und eine positive Botschaft zu verbreiten.

Fazit

Zusammenfassend lässt sich sagen, dass Community-Events eine zentrale Rolle im LGBTQ-Aktivismus spielen. Sie fördern das Gemeinschaftsgefühl, bieten Bildungsressourcen, mobilisieren Unterstützer und tragen zur Sichtbarkeit der Community bei. Trotz der Herausforderungen, die mit der Organisation solcher Events verbunden sind, bleibt ihre Bedeutung unbestritten. Sie sind ein unverzichtbarer Bestandteil der Bewegung und tragen dazu bei, das Bewusstsein für LGBTQ-Themen zu schärfen und positive Veränderungen in der Gesellschaft zu bewirken.

$$\text{Community-Events} \rightarrow \text{Gemeinschaftsgefühl+Bildung+Mobilisierung+Kreativität} \tag{5}$$

Herausforderungen bei der Mobilisierung

Die Mobilisierung von Gemeinschaften für den LGBTQ-Aktivismus, insbesondere in Bezug auf Trans-Gesundheit, ist eine komplexe und oft herausfordernde Aufgabe. Diese Herausforderungen können in verschiedene Kategorien unterteilt werden, darunter soziale, politische und psychologische Faktoren. In diesem Abschnitt werden wir die wichtigsten Schwierigkeiten untersuchen, die Sara Bingham und andere Aktivisten bei der Mobilisierung ihrer Unterstützer erlebt haben.

Soziale Herausforderungen

Eine der größten Herausforderungen bei der Mobilisierung ist die soziale Fragmentierung innerhalb der LGBTQ-Community selbst. Unterschiedliche Identitäten, Erfahrungen und Prioritäten können dazu führen, dass sich Gruppen nicht einig sind über die besten Strategien oder Anliegen. Diese Fragmentierung kann die Effektivität von Kampagnen beeinträchtigen, da Ressourcen und Energie auf verschiedene, oft konkurrierende, Ziele verteilt werden.

Ein Beispiel hierfür ist der Unterschied in den Prioritäten zwischen cisgender und transgender Personen innerhalb der Community. Während cisgender Personen möglicherweise ein größeres Augenmerk auf allgemeine LGBTQ-Rechte legen, sind transgender Personen häufig stärker auf spezifische Themen wie Zugang zu medizinischer Versorgung und rechtliche Anerkennung fokussiert. Diese unterschiedlichen Perspektiven können zu Spannungen führen, die die Mobilisierung behindern.

Politische Herausforderungen

Politische Rahmenbedingungen spielen ebenfalls eine entscheidende Rolle bei der Mobilisierung. In vielen Ländern, einschließlich Kanada, gibt es nach wie vor gesetzliche und gesellschaftliche Barrieren, die den Zugang zu Gesundheitsdiensten für Trans-Personen erschweren. Diese Barrieren können von diskriminierenden Gesetzen bis hin zu unzureichenden finanziellen Mitteln für Gesundheitsprogramme reichen.

Ein konkretes Beispiel ist das Fehlen von umfassenden Richtlinien, die die Gesundheitsversorgung für Trans-Personen in öffentlichen Gesundheitssystemen garantieren. Aktivisten müssen oft gegen bürokratische Hürden und politische Widerstände ankämpfen, um Veränderungen zu bewirken. Die Mobilisierung wird in solchen Fällen oft durch die Notwendigkeit erschwert, nicht nur die Community zu mobilisieren, sondern auch politische Entscheidungsträger zu überzeugen und zu sensibilisieren.

Psychologische Herausforderungen

Die psychologischen Herausforderungen sind nicht zu unterschätzen. Viele Mitglieder der LGBTQ-Community, insbesondere Trans-Personen, haben aufgrund von Diskriminierung und Stigmatisierung tiefgreifende psychologische Belastungen erfahren. Diese Belastungen können das Engagement in aktivistischen Bewegungen beeinträchtigen. Angst vor Ablehnung, Mobbing oder sogar physischer Gewalt kann dazu führen, dass sich potenzielle Unterstützer von Mobilisierungsinitiativen distanzieren.

Sara Bingham selbst hat in ihren Reden oft betont, wie wichtig es ist, einen sicheren Raum für Diskussionen und Mobilisierungen zu schaffen. Dies bedeutet, dass Aktivisten nicht nur für äußere Veränderungen kämpfen, sondern auch für die Schaffung eines unterstützenden Umfelds innerhalb der Community. Ohne ein Gefühl der Sicherheit und Zugehörigkeit wird es schwierig, Menschen zur Teilnahme zu motivieren.

Technologische Herausforderungen

In der heutigen digitalen Welt spielen soziale Medien eine entscheidende Rolle bei der Mobilisierung. Während sie eine Plattform für die Verbreitung von Informationen und die Vernetzung bieten, gibt es auch Herausforderungen. Die Verbreitung von Fehlinformationen und die Gefahr von Cyberbullying können die Mobilisierung behindern. Aktivisten müssen sich ständig mit diesen Risiken auseinandersetzen und Strategien entwickeln, um ihre Botschaften effektiv zu kommunizieren.

Ein Beispiel hierfür ist die Verbreitung von falschen Informationen über Trans-Gesundheit, die oft in sozialen Medien kursieren. Diese Fehlinformationen können nicht nur das Verständnis der breiten Öffentlichkeit beeinträchtigen, sondern auch das Vertrauen innerhalb der Community untergraben. Sara hat in ihrer Arbeit betont, wie wichtig es ist, die digitale Kompetenz innerhalb der Community zu fördern, um diesen Herausforderungen zu begegnen.

Zusammenfassung

Zusammenfassend lässt sich sagen, dass die Mobilisierung für den LGBTQ-Aktivismus, insbesondere im Bereich der Trans-Gesundheit, mit einer Vielzahl von Herausforderungen konfrontiert ist. Soziale Fragmentierung, politische Barrieren, psychologische Belastungen und technologische Risiken sind nur einige der Faktoren, die es Aktivisten erschweren, Unterstützung zu mobilisieren. Dennoch bleibt es wichtig, diese Herausforderungen zu erkennen und Strategien zu entwickeln, um sie zu überwinden. Sara Bingham und andere Aktivisten zeigen, dass es trotz dieser Schwierigkeiten möglich ist, eine starke und einheitliche Bewegung zu schaffen, die für die Rechte und die Gesundheit von Trans-Personen kämpft.

Sara als Sprecherin und Fürsprecherin

Sara Bingham hat sich als eine der einflussreichsten Stimmen im Bereich des LGBTQ-Aktivismus etabliert, insbesondere in der Trans-Gesundheit. Ihre Fähigkeit, als Sprecherin und Fürsprecherin aufzutreten, hat nicht nur das Bewusstsein für die Herausforderungen, denen sich Trans-Personen gegenübersehen, geschärft, sondern auch konkrete Veränderungen in der Politik und der Gesellschaft angestoßen.

Eine der grundlegenden Theorien, die Saras Ansatz prägen, ist die *Theorie der sozialen Gerechtigkeit*. Diese Theorie besagt, dass jeder Mensch, unabhängig von Geschlechtsidentität, sexueller Orientierung oder anderen Merkmalen, das Recht auf Gleichheit und Zugang zu Ressourcen hat. Sara nutzt diese Theorie, um ihre Argumente zu untermauern und den Dialog über Trans-Gesundheit zu fördern. Sie betont, dass *Gleichheit in der Gesundheitsversorgung* nicht nur ein ethisches Gebot ist, sondern auch eine gesellschaftliche Notwendigkeit.

$$\text{Gleichheit in der Gesundheitsversorgung} = \text{Zugang} + \text{Akzeptanz} + \text{Qualität} \quad (6)$$

Sara hat zahlreiche öffentliche Reden gehalten, in denen sie ihre persönlichen Erfahrungen und die von anderen Trans-Personen teilt. Diese Geschichten sind nicht nur bewegend, sondern auch ein kraftvolles Werkzeug, um Empathie zu erzeugen. Bei einer ihrer bekanntesten Reden während einer LGBTQ-Konferenz in Toronto sprach sie über die Herausforderungen, die Trans-Personen im Gesundheitssystem erleben, einschließlich Diskriminierung und unzureichender medizinischer Versorgung.

Ein zentrales Problem, das Sara in ihrer Rolle als Sprecherin anspricht, ist die *Stigmatisierung* von Trans-Gesundheit. Diese Stigmatisierung führt oft dazu, dass Betroffene zögern, medizinische Hilfe in Anspruch zu nehmen. Sara argumentiert, dass die Sichtbarkeit von Trans-Personen und deren Geschichten entscheidend ist, um diese Stigmatisierung zu bekämpfen. Sie fordert die Gesundheitsdienstleister auf, sich aktiv mit den Vorurteilen auseinanderzusetzen, die in der Gesellschaft und innerhalb des Gesundheitssystems bestehen.

Ein Beispiel für Saras Einfluss ist die Zusammenarbeit mit Gesundheitsorganisationen, um Schulungsprogramme für medizinisches Fachpersonal zu entwickeln. Diese Programme zielen darauf ab, das Bewusstsein für die speziellen Bedürfnisse von Trans-Personen zu schärfen und sicherzustellen, dass medizinische Fachkräfte in der Lage sind, respektvoll und informativ zu handeln. Sara hat auch an der Erstellung von Leitfäden mitgewirkt, die die besten Praktiken für die Behandlung von Trans-Personen in verschiedenen medizinischen Kontexten zusammenfassen.

$$\text{Erfolgreiche Schulung} = \text{Wissen} + \text{Empathie} + \text{Respekt} \tag{7}$$

Darüber hinaus hat Sara eine Plattform geschaffen, auf der Trans-Personen ihre Stimmen erheben können. Durch die Gründung von Unterstützungsgruppen und die Organisation von Community-Events hat sie einen Raum geschaffen, in dem sich Betroffene austauschen und gegenseitig unterstützen können. Diese Gruppen sind nicht nur wichtig für die persönliche Unterstützung, sondern auch für die Mobilisierung von Gemeinschaften, um gemeinsam für Veränderungen zu kämpfen.

Sara nutzt auch soziale Medien, um ihre Botschaften weiter zu verbreiten. Plattformen wie Twitter und Instagram haben es ihr ermöglicht, eine breitere Öffentlichkeit zu erreichen und Diskussionen über Trans-Gesundheit und LGBTQ-Rechte zu fördern. Ihre Posts, die oft persönliche Anekdoten und wissenschaftliche Informationen kombinieren, haben eine große Anhängerschaft gewonnen und zahlreiche Menschen inspiriert, sich aktiv zu engagieren.

Ein Problem, das sie dabei oft anspricht, ist der *Druck*, ständig sichtbar und aktiv zu sein. Sara hat offen über die Herausforderungen gesprochen, die mit der öffentlichen Wahrnehmung und den Erwartungen an Aktivisten einhergehen. Sie betont, dass es wichtig ist, auch in der Aktivismus-Community Raum für Selbstfürsorge und persönliche Grenzen zu schaffen.

Insgesamt ist Sara Bingham nicht nur eine Sprecherin für Trans-Personen, sondern auch eine Brückenbauerin zwischen verschiedenen Gemeinschaften. Ihre Fähigkeit, Geschichten zu erzählen und komplexe Themen verständlich zu machen, hat dazu beigetragen, das Bewusstsein für Trans-Gesundheit zu schärfen und den Kampf für Gleichheit und Akzeptanz voranzutreiben. Ihre Arbeit ist ein herausragendes Beispiel dafür, wie Aktivismus durch persönliche Erfahrungen, Bildung und Community-Engagement transformiert werden kann.

Die Rolle von sozialen Medien

Soziale Medien haben in den letzten zwei Jahrzehnten eine transformative Rolle im Aktivismus gespielt, insbesondere in der LGBTQ-Bewegung. Sie bieten eine Plattform, um Informationen schnell zu verbreiten, Gemeinschaften zu bilden und Stimmen zu erheben, die sonst möglicherweise übersehen werden würden. Für Sara Bingham und viele andere Aktivisten ist die Nutzung sozialer Medien nicht nur ein Werkzeug, sondern ein wesentlicher Bestandteil ihrer Strategie zur Förderung von Trans-Gesundheit und zur Unterstützung der LGBTQ-Community.

Theoretischer Hintergrund

Die Nutzung sozialer Medien im Aktivismus kann durch verschiedene theoretische Rahmenwerke betrachtet werden. Eine wichtige Theorie ist die *Netzwerktheorie*, die besagt, dass soziale Netzwerke die Verbreitung von Informationen und die Mobilisierung von Menschen erleichtern. Laut *Castells* (2012) ermöglichen soziale Medien eine *Gegenseitige Kommunikation*, die es Aktivisten erlaubt, ihre Botschaften direkt an das Publikum zu richten, ohne auf traditionelle Medien angewiesen zu sein.

Ein weiteres relevantes Konzept ist das *Kollektive Handeln*, das die Zusammenarbeit von Individuen zur Erreichung gemeinsamer Ziele beschreibt. Soziale Medien erleichtern diese Zusammenarbeit, indem sie Plattformen bieten, auf denen Menschen sich organisieren, Strategien entwickeln und Ressourcen teilen können.

ENTDECKUNG DER LEIDENSCHAFT FÜR AKTIVISMUS

Herausforderungen

Trotz der Vorteile, die soziale Medien bieten, gibt es auch erhebliche Herausforderungen. Eine der größten ist die *Desinformation*. In der heutigen Zeit können falsche Informationen und Gerüchte schnell verbreitet werden, was zu Verwirrung und Misstrauen innerhalb der Community führen kann. Sara hat oft betont, wie wichtig es ist, Fakten von Fiktionen zu unterscheiden, insbesondere wenn es um sensible Themen wie Trans-Gesundheit geht.

Ein weiteres Problem ist der *Cyberbullying*. Aktivisten, insbesondere solche aus marginalisierten Gruppen, sind häufig Ziel von Online-Hass und Belästigung. Sara selbst hat in der Vergangenheit negative Erfahrungen mit Cyberbullying gemacht, was sie jedoch nicht davon abgehalten hat, weiterhin ihre Stimme zu erheben und sich für andere einzusetzen.

Beispiele für den Einsatz sozialer Medien

Sara Bingham hat soziale Medien auf kreative Weise genutzt, um Bewusstsein für Trans-Gesundheit zu schaffen. Ein bemerkenswertes Beispiel ist ihre Kampagne *#TransHealthMatters*, die sie auf Twitter und Instagram ins Leben rief. Durch diese Kampagne konnte sie Tausende von Menschen erreichen und wichtige Informationen über die Herausforderungen, mit denen Trans-Personen im Gesundheitswesen konfrontiert sind, verbreiten.

Darüber hinaus hat Sara regelmäßig Live-Streams und Q&A-Sessions auf Plattformen wie Instagram und Facebook veranstaltet, um direkt mit ihrer Anhängerschaft zu interagieren. Diese Form der Kommunikation hat es ihr ermöglicht, persönliche Geschichten zu teilen, Fragen zu beantworten und eine engere Verbindung zu ihrer Community aufzubauen.

Schlussfolgerung

Zusammenfassend lässt sich sagen, dass soziale Medien eine entscheidende Rolle im Aktivismus von Sara Bingham spielen. Sie bieten nicht nur eine Plattform zur Verbreitung von Informationen, sondern fördern auch die Bildung von Gemeinschaften und die Mobilisierung von Menschen für den gemeinsamen Zweck. Trotz der Herausforderungen, die mit der Nutzung sozialer Medien verbunden sind, bleibt ihre Bedeutung für den LGBTQ-Aktivismus unbestreitbar. Saras Engagement und innovative Ansätze im Umgang mit sozialen Medien sind ein leuchtendes Beispiel dafür, wie Technologie genutzt werden kann, um positive Veränderungen in der Gesellschaft zu bewirken.

Zusammenarbeit mit anderen Aktivisten

Die Zusammenarbeit mit anderen Aktivisten ist ein zentraler Bestandteil des Aktivismus und spielt eine entscheidende Rolle im Leben von Sara Bingham. In einer Welt, in der die Herausforderungen für die LGBTQ-Community oft überwältigend erscheinen, ist die Bildung von Allianzen und Netzwerken unerlässlich, um effektive Veränderungen zu bewirken. Diese Zusammenarbeit kann in verschiedenen Formen erfolgen, sei es durch gemeinsame Projekte, Koalitionen oder einfach den Austausch von Erfahrungen und Ressourcen.

Die Bedeutung von Netzwerken

Netzwerke bieten nicht nur Unterstützung, sondern auch die Möglichkeit, Wissen und Strategien auszutauschen. Sara hat früh erkannt, dass der Austausch mit anderen Aktivisten nicht nur ihre eigene Perspektive erweitert, sondern auch die Reichweite ihrer Botschaften erhöht. In ihrer Universitätszeit gründete sie eine LGBTQ-Studentenvereinigung, die als Plattform für den Austausch von Ideen diente und es den Mitgliedern ermöglichte, gemeinsam Veranstaltungen zu organisieren.

Ein Beispiel für eine erfolgreiche Zusammenarbeit war die Organisation eines Pride-Events, das nicht nur die Sichtbarkeit der LGBTQ-Community erhöhte, sondern auch eine breitere Öffentlichkeit ansprach. Durch die Kooperation mit anderen Gruppen, wie Feministinnen und Menschenrechtsaktivisten, konnte Sara eine inklusive Atmosphäre schaffen, die alle Identitäten und Erfahrungen feierte.

Koalitionen bilden

Koalitionen sind besonders wichtig, wenn es darum geht, politische Veränderungen zu bewirken. Sara arbeitete mit verschiedenen Organisationen zusammen, um Lobbyarbeit zu leisten und Gesetzesänderungen zu fordern. Diese Koalitionen ermöglichen es ihr, Ressourcen zu bündeln und eine stärkere Stimme zu haben. Ein herausragendes Beispiel war die Zusammenarbeit mit medizinischen Fachleuten und Trans-Aktivisten, um eine Gesetzesvorlage zur Verbesserung der Trans-Gesundheitsversorgung in Kanada zu entwickeln.

Die Theorie der sozialen Bewegungen, insbesondere die *Resource Mobilization Theory*, besagt, dass der Erfolg einer sozialen Bewegung stark von der Fähigkeit abhängt, Ressourcen zu mobilisieren. Diese Ressourcen können finanzieller, menschlicher oder politischer Natur sein. Sara nutzte diese Theorie aktiv, indem sie Fundraising-Events organisierte und Freiwillige ansprach, um ihre Initiativen zu unterstützen.

Herausforderungen der Zusammenarbeit

Trotz der vielen Vorteile, die die Zusammenarbeit mit anderen Aktivisten mit sich bringt, gibt es auch Herausforderungen. Unterschiedliche Meinungen, Prioritäten und Strategien können zu Konflikten führen. Sara erlebte dies, als sie versuchte, eine gemeinsame Position zu finden, um die Bedürfnisse von verschiedenen Gruppen innerhalb der LGBTQ-Community zu berücksichtigen. Besonders in Bezug auf intersektionale Themen, wie Rassismus und Klassenunterschiede, war es oft schwierig, einen Konsens zu erzielen.

Ein Beispiel für solche Spannungen war die Planung eines gemeinsamen Events, bei dem sich einige Gruppen über die Art der Inhalte und die Ansprache der Zielgruppe uneinig waren. Sara musste diplomatisch vorgehen, um sicherzustellen, dass jede Stimme gehört wurde, während sie gleichzeitig die Veranstaltung erfolgreich umsetzte. Diese Erfahrungen lehrten sie, wie wichtig es ist, Räume für Dialog und Verständnis zu schaffen.

Erfolge durch Zusammenarbeit

Die Erfolge, die Sara durch die Zusammenarbeit mit anderen Aktivisten erzielt hat, sind zahlreich. Eine bemerkenswerte Errungenschaft war die Einführung eines Programms zur Sensibilisierung von medizinischem Personal für die spezifischen Bedürfnisse von Trans-Personen. Dies wurde durch die Zusammenarbeit mit Gesundheitsorganisationen und Trans-Aktivisten ermöglicht, die ihre Erfahrungen und Herausforderungen in die Ausbildung einbrachten.

Ein weiteres Beispiel ist die erfolgreiche Kampagne zur Aufhebung diskriminierender Gesetze, die durch die Bündelung der Kräfte von verschiedenen Organisationen, einschließlich feministischer Gruppen und Menschenrechtsorganisationen, realisiert wurde. Diese Kampagne führte zu einer breiten Mobilisierung der Community und schaffte es, das Bewusstsein für die Rechte von Trans-Personen in der breiteren Gesellschaft zu schärfen.

Fazit

Die Zusammenarbeit mit anderen Aktivisten ist für Sara Bingham nicht nur eine Strategie, sondern eine Lebensweise. Sie hat gelernt, dass durch das Teilen von Ressourcen, Erfahrungen und Wissen nicht nur die eigene Stimme verstärkt wird, sondern auch die gesamte Bewegung profitiert. In einer Zeit, in der die Herausforderungen für die LGBTQ-Community weiterhin bestehen, ist die Fähigkeit, Allianzen zu bilden und in Solidarität zu handeln, entscheidend für den Erfolg des Aktivismus. Saras Engagement und ihre Fähigkeit, Brücken zu bauen, sind ein inspirierendes Beispiel dafür, wie Zusammenarbeit zu bedeutenden Veränderungen führen kann.

Erste Erfolge und Rückschläge

Sara Bingham's Weg zum Aktivismus war geprägt von einer Vielzahl an Erfolgen und Rückschlägen, die nicht nur ihre persönliche Entwicklung, sondern auch den Fortschritt in der LGBTQ-Community maßgeblich beeinflussten. In diesem Abschnitt werden wir einige der entscheidenden Momente in Saras Aktivismus beleuchten, die sowohl als Erfolge als auch als Herausforderungen betrachtet werden können.

Erste Erfolge

Einer der ersten Erfolge von Sara war die Gründung einer Unterstützungsgruppe für Trans-Personen an ihrer Universität. Diese Gruppe bot nicht nur eine Plattform für den Austausch von Erfahrungen, sondern half auch, das Bewusstsein für die spezifischen Herausforderungen zu schärfen, mit denen Trans-Personen konfrontiert sind. Der Erfolg dieser Gruppe führte zu einer Erhöhung der Sichtbarkeit von Trans-Themen auf dem Campus und ermutigte viele andere, sich ebenfalls zu engagieren.

Ein weiterer bedeutender Erfolg war Saras Teilnahme an einer landesweiten Kampagne zur Sensibilisierung für Trans-Gesundheit. Diese Kampagne, die in Zusammenarbeit mit verschiedenen Gesundheitsorganisationen ins Leben gerufen wurde, zielte darauf ab, die medizinischen Bedürfnisse von Trans-Personen in den Vordergrund zu rücken. Sara hielt mehrere Reden und organisierte Veranstaltungen, die große Aufmerksamkeit erregten und letztendlich zu einer Verbesserung der Gesundheitsversorgung für Trans-Personen in ihrer Region führten.

Theoretische Grundlagen

Der Erfolg von Saras Initiativen kann durch verschiedene theoretische Rahmenbedingungen erklärt werden, darunter die *Theorie des sozialen Wandels*. Diese Theorie besagt, dass kollektive Anstrengungen und das Engagement von Einzelpersonen zu signifikanten gesellschaftlichen Veränderungen führen können. Sara nutzte diese Theorie, um ihre Unterstützungsgruppe zu organisieren und um die Wichtigkeit von Gemeinschaftsaktionen zu betonen.

Rückschläge

Trotz dieser Erfolge war Saras Weg nicht ohne Rückschläge. Ein prägendes Ereignis war die öffentliche Kritik, die sie nach einer ihrer Reden auf einer Konferenz erhielt. Einige Zuhörer waren mit ihrer direkten Art und der Offenheit, mit der sie über ihre persönlichen Erfahrungen sprach, unzufrieden. Diese Erfahrung führte zu Selbstzweifeln und einer vorübergehenden Rückkehr in den Hintergrund, während sie versuchte, ihren Platz in der Bewegung neu zu definieren.

Ein weiteres Beispiel für einen Rückschlag war die Herausforderung, die sie bei der Mobilisierung von Unterstützern für ihre Kampagnen erlebte. Trotz ihrer Bemühungen, ein breiteres Publikum zu erreichen, stieß sie oft auf Desinteresse oder sogar Widerstand. Diese Widerstände führten dazu, dass sie ihre Strategien überdenken musste, um effektiver mit verschiedenen Zielgruppen zu kommunizieren.

Reflexion über Erfolge und Rückschläge

Saras Erfahrungen mit Erfolgen und Rückschlägen verdeutlichen die Komplexität des Aktivismus. Während Erfolge oft als Bestätigung des Engagements wahrgenommen werden, können Rückschläge wertvolle Lektionen bieten. Sara lernte, dass Rückschläge nicht das Ende ihrer Bemühungen bedeuteten, sondern vielmehr Gelegenheiten zur Reflexion und Anpassung ihrer Strategien waren.

Die Fähigkeit, sowohl Erfolge zu feiern als auch aus Rückschlägen zu lernen, ist entscheidend für jeden Aktivisten. Sara entwickelte im Laufe ihrer Karriere eine Resilienz, die es ihr ermöglichte, trotz widriger Umstände weiterhin für die Rechte von Trans-Personen zu kämpfen. Diese Resilienz ist nicht nur für ihren persönlichen Erfolg wichtig, sondern auch für die Bewegung als Ganzes.

Schlussfolgerung

Insgesamt zeigen Saras erste Erfolge und Rückschläge, dass der Weg des Aktivismus oft unvorhersehbar ist. Es ist eine Mischung aus Höhen und Tiefen, die letztendlich zu einem tieferen Verständnis der Herausforderungen und Errungenschaften in der LGBTQ-Community führt. Saras Geschichte ist ein Beispiel dafür, wie wichtig es ist, sowohl die Erfolge zu feiern als auch die Lektionen aus den Rückschlägen zu ziehen, um so eine nachhaltige Veränderung in der Gesellschaft zu bewirken.

Der Fokus auf Trans-Gesundheit

Aufklärung und Sensibilisierung

Was ist Trans-Gesundheit?

Trans-Gesundheit bezieht sich auf die spezifischen gesundheitlichen Bedürfnisse und Herausforderungen, die Transgender-Personen und nicht-binäre Individuen betreffen. Diese Gesundheitsfragen sind vielfältig und umfassen sowohl physische als auch psychische Aspekte. Um das Konzept der Trans-Gesundheit besser zu verstehen, ist es wichtig, einige grundlegende Theorien und Probleme zu betrachten, die in diesem Bereich von Bedeutung sind.

Definition und Dimensionen der Trans-Gesundheit

Trans-Gesundheit kann als ein interdisziplinäres Feld definiert werden, das sich mit der Gesundheitsversorgung, den sozialen Determinanten von Gesundheit und den spezifischen Bedürfnissen von Trans-Personen befasst. Diese Dimensionen beinhalten:

- **Physische Gesundheit:** Behandelt medizinische Bedürfnisse, wie Hormonersatztherapie (HRT), geschlechtsbejahende Operationen und allgemeine Gesundheitsversorgung.

- **Psychische Gesundheit:** Umfasst die psychologischen Herausforderungen, die Trans-Personen häufig erleben, wie Angstzustände, Depressionen und das Risiko von Suizid.

- **Soziale Gesundheit:** Betrachtet den Einfluss von gesellschaftlicher Akzeptanz, Diskriminierung und Stigmatisierung auf das Wohlbefinden von Trans-Personen.

Theoretische Ansätze

Die theoretische Grundlage der Trans-Gesundheit stützt sich auf verschiedene Ansätze, darunter:

- **Soziale Determinanten der Gesundheit:** Diese Theorie besagt, dass das Gesundheitsverhalten und die Gesundheitsergebnisse von Individuen stark von sozialen, wirtschaftlichen und politischen Faktoren beeinflusst werden. Für Trans-Personen können Diskriminierung und Marginalisierung zu schlechteren Gesundheitsresultaten führen.

- **Intersektionalität:** Dieser Ansatz beleuchtet, wie verschiedene Identitäten (Geschlecht, Sexualität, Ethnizität, sozioökonomischer Status) miteinander interagieren und die Erfahrungen von Trans-Personen in Bezug auf Gesundheit beeinflussen können.

Herausforderungen im Gesundheitswesen

Trans-Personen stehen im Gesundheitswesen vor einer Vielzahl von Herausforderungen:

- **Zugang zu medizinischer Versorgung:** Viele Trans-Personen haben Schwierigkeiten, Zugang zu Gesundheitsdiensten zu erhalten, die ihre spezifischen Bedürfnisse berücksichtigen. Oft fehlen geschulte Fachkräfte, die sich mit Trans-Gesundheit auskennen.

- **Diskriminierung:** Diskriminierung im Gesundheitswesen ist weit verbreitet. Trans-Personen berichten häufig von negativen Erfahrungen, die von unangemessenen Fragen bis hin zu offener Feindseligkeit reichen.

- **Mangelnde Forschung:** Die Forschung zu Trans-Gesundheit ist im Vergleich zu anderen Bereichen der Gesundheitsversorgung begrenzt. Dies führt zu einem Mangel an evidenzbasierten Praktiken und Richtlinien.

Beispiele für Trans-Gesundheit

Ein Beispiel für die Herausforderungen in der Trans-Gesundheit ist die Hormonersatztherapie (HRT). Viele Trans-Personen benötigen HRT, um ihre Geschlechtsidentität körperlich zu unterstützen. Der Zugang zu HRT kann jedoch durch bürokratische Hürden, unzureichende Informationen und Vorurteile von Gesundheitsdienstleistern erschwert werden.

Ein weiteres Beispiel ist die psychische Gesundheit. Studien zeigen, dass Trans-Personen ein höheres Risiko für psychische Erkrankungen haben, insbesondere aufgrund von Diskriminierung und sozialer Isolation. Eine Studie aus dem Jahr 2020 ergab, dass 40% der Trans-Personen ernsthafte psychische Probleme erlebten, verglichen mit 20% in der allgemeinen Bevölkerung.

Die Bedeutung der Aufklärung

Die Aufklärung über Trans-Gesundheit ist entscheidend, um die Barrieren zu verringern, mit denen Trans-Personen konfrontiert sind. Durch Schulungen für medizinisches Personal, Aufklärungskampagnen in der Gemeinschaft und die Förderung von Forschung kann das Gesundheitswesen inklusiver gestaltet werden.

Zusammenfassend lässt sich sagen, dass Trans-Gesundheit ein komplexes und vielschichtiges Thema ist, das sowohl individuelle als auch gesellschaftliche Dimensionen umfasst. Ein besseres Verständnis und die Verbesserung der Gesundheitsversorgung für Trans-Personen sind entscheidend, um ihre Lebensqualität zu erhöhen und die gesundheitlichen Ungleichheiten zu verringern.

Die medizinischen Herausforderungen für Trans-Personen

Trans-Personen sehen sich in ihrem Streben nach Gesundheit und Wohlbefinden mit einer Vielzahl von medizinischen Herausforderungen konfrontiert, die oft tief in gesellschaftlichen Vorurteilen und strukturellen Barrieren verwurzelt sind. Diese Herausforderungen können sowohl physischer als auch psychischer Natur sein und betreffen alle Aspekte des Gesundheitswesens, von der primären Gesundheitsversorgung bis hin zu spezialisierten Behandlungen.

Zugang zur Gesundheitsversorgung

Ein zentrales Problem für viele Trans-Personen ist der eingeschränkte Zugang zu adäquater Gesundheitsversorgung. Dies kann auf verschiedene Faktoren zurückzuführen sein:

- **Diskriminierung im Gesundheitswesen:** Viele Trans-Personen berichten von diskriminierenden Erfahrungen in Arztpraxen oder Krankenhäusern, was dazu führt, dass sie die notwendige medizinische Versorgung meiden. Eine Studie von Bockting et al. (2013) zeigt, dass 19% der Befragten angaben, aufgrund ihrer Geschlechtsidentität schlechte Behandlung erfahren zu haben.

- **Mangel an informierten Fachkräften:** Oft haben medizinische Fachkräfte nicht die notwendige Ausbildung oder Sensibilität, um die spezifischen Bedürfnisse von Trans-Personen zu verstehen. Dies führt zu Fehlinformationen und unangemessenen Behandlungen. Laut einer Umfrage der National Center for Transgender Equality (2015) gaben 33% der Trans-Personen an, dass sie während ihrer letzten Gesundheitsversorgung diskriminiert wurden.

- **Finanzielle Hürden:** Viele Trans-Personen kämpfen mit finanziellen Barrieren, die den Zugang zu geschlechtsbejahenden Behandlungen, wie Hormontherapie oder chirurgischen Eingriffen, einschränken. Versicherungsunternehmen decken oft nicht alle notwendigen Behandlungen ab, was die finanzielle Belastung erhöht.

Hormontherapie und chirurgische Eingriffe

Die Hormontherapie ist ein wesentlicher Bestandteil der medizinischen Versorgung für viele Trans-Personen, um körperliche Merkmale zu entwickeln, die mit ihrer Geschlechtsidentität übereinstimmen. Es gibt jedoch auch hier Herausforderungen:

- **Langfristige Gesundheitsrisiken:** Hormontherapien können mit gesundheitlichen Risiken verbunden sein, wie z.B. Thrombosen oder Herz-Kreislauf-Erkrankungen. Eine Studie von Murad et al. (2010) hebt hervor, dass Trans-Männer, die Testosteron erhalten, ein erhöhtes Risiko für bestimmte gesundheitliche Probleme haben, was eine sorgfältige Überwachung erfordert.

- **Zugang zu chirurgischen Behandlungen:** Viele Trans-Personen streben geschlechtsbejahende Operationen an, die jedoch oft mit langen Wartezeiten, hohen Kosten und komplexen Genehmigungsverfahren verbunden sind. Eine Untersuchung der World Professional Association for Transgender Health (WPATH) zeigt, dass der Zugang zu chirurgischen Eingriffen in vielen Ländern noch stark eingeschränkt ist.

Psychische Gesundheit

Die psychische Gesundheit ist ein weiterer kritischer Aspekt der medizinischen Versorgung für Trans-Personen. Die ständige Diskriminierung und der gesellschaftliche Druck können zu einer Vielzahl von psychischen Gesundheitsproblemen führen:

- **Höhere Raten von Depression und Angst:** Studien zeigen, dass Trans-Personen signifikant höhere Raten von Depressionen und Angststörungen aufweisen. Eine Studie von Bockting et al. (2013) berichtet, dass 40% der Trans-Personen in ihrem Leben mindestens einmal einen schweren depressiven Episode erlitten haben.

- **Selbstmordrisiko:** Trans-Personen haben ein erheblich erhöhtes Risiko für Suizidversuche. Laut der National Transgender Discrimination Survey (2015) gaben 41% der Befragten an, dass sie in ihrem Leben einen Suizidversuch unternommen haben. Dies ist oft ein Ergebnis der Isolation, Diskriminierung und des Mangels an Unterstützung.

Soziale und kulturelle Barrieren

Neben den medizinischen Herausforderungen gibt es auch soziale und kulturelle Barrieren, die Trans-Personen daran hindern, die notwendige Gesundheitsversorgung zu erhalten:

- **Stigmatisierung:** Die gesellschaftliche Stigmatisierung von Trans-Personen führt dazu, dass viele Menschen zögern, medizinische Hilfe in Anspruch zu nehmen. Diese Stigmatisierung kann sich in Form von Vorurteilen, Stereotypen und diskriminierenden Praktiken äußern.

- **Fehlende Unterstützungssysteme:** Viele Trans-Personen haben nicht die notwendige Unterstützung durch Familie oder Freunde, was ihre Fähigkeit, medizinische Hilfe zu suchen, weiter einschränkt. Unterstützungssysteme sind entscheidend für die Förderung des Zugangs zur Gesundheitsversorgung.

Schlussfolgerung

Die medizinischen Herausforderungen für Trans-Personen sind komplex und vielfältig. Sie reichen von strukturellen Barrieren im Gesundheitswesen bis hin zu persönlichen und gesellschaftlichen Faktoren. Um die Gesundheitsversorgung für

Trans-Personen zu verbessern, ist es unerlässlich, sowohl die medizinische Ausbildung zu reformieren als auch die gesellschaftlichen Vorurteile abzubauen. Eine integrative Gesundheitsversorgung, die die spezifischen Bedürfnisse von Trans-Personen anerkennt und respektiert, ist von entscheidender Bedeutung für ihre Gesundheit und ihr Wohlbefinden.

$$\text{Gesundheit} = \text{Zugang} + \text{Akzeptanz} + \text{Unterstützung} \qquad (8)$$

Diese Gleichung verdeutlicht, dass die Gesundheit von Trans-Personen nicht nur von medizinischen Behandlungen abhängt, sondern auch von einem unterstützenden und akzeptierenden Umfeld.

Saras persönliche Erfahrungen mit dem Gesundheitssystem

Sara Bingham hat im Laufe ihrer Reise als Aktivistin zahlreiche persönliche Erfahrungen mit dem Gesundheitssystem gemacht, die sowohl prägend als auch herausfordernd waren. Diese Erfahrungen sind nicht nur entscheidend für ihr persönliches Wachstum, sondern auch für ihr Engagement im Bereich der Trans-Gesundheit.

Die Herausforderungen des Zugangs zur Gesundheitsversorgung

Eines der zentralen Probleme, mit denen Sara konfrontiert wurde, war der Zugang zu adäquater Gesundheitsversorgung. Für viele Trans-Personen ist der Zugang zu geschlechtsaffirmierender medizinischer Versorgung oft mit erheblichen Hürden verbunden. Diese Hürden umfassen:

- **Mangel an Fachwissen:** Viele medizinische Fachkräfte haben nicht die notwendige Ausbildung oder Sensibilität, um die spezifischen Bedürfnisse von Trans-Personen zu verstehen. Dies führte bei Sara zu frustrierenden Erfahrungen, in denen ihre Anliegen nicht ernst genommen oder falsch interpretiert wurden.

- **Diskriminierung:** Sara berichtete von Fällen, in denen sie aufgrund ihrer Geschlechtsidentität Diskriminierung erlebte. Diese Diskriminierung äußerte sich oft in abwertenden Kommentaren oder in der Weigerung, notwendige Behandlungen durchzuführen.

- **Unzureichende Versicherung:** Die Versicherungssysteme bieten häufig keine umfassenden Leistungen für Trans-Personen an, was zu finanziellen

Belastungen führt. Sara musste oft aus eigener Tasche für Behandlungen aufkommen, die eigentlich durch ihre Versicherung abgedeckt sein sollten.

Persönliche Geschichten und Erfahrungen

Eine prägnante Anekdote, die Saras Erfahrungen mit dem Gesundheitssystem illustriert, ereignete sich während eines Besuchs bei einem Endokrinologen. Trotz der Voranmeldung und der Bereitstellung aller notwendigen Unterlagen wurde Sara während des Termins mit Skepsis behandelt. Der Arzt stellte Fragen, die nicht nur unangemessen, sondern auch verletzend waren. Diese Erfahrung ließ Sara nicht nur frustriert zurück, sondern verstärkte auch ihr Gefühl der Isolation innerhalb des Gesundheitssystems.

In einem anderen Fall benötigte Sara eine Routineuntersuchung, die für Trans-Personen oft komplexer ist. Die Rezeptionistin in der Klinik war unhöflich und stellte unangemessene Fragen zu Saras Geschlechtsidentität. Diese Interaktion führte dazu, dass Sara sich unwohl fühlte und letztendlich den Termin absagte. Solche Erfahrungen sind nicht nur für Sara, sondern für viele in der LGBTQ-Community alltäglich.

Die Rolle der Aufklärung und Sensibilisierung

Sara erkannte schnell, dass ihre persönlichen Erfahrungen nicht nur ihre eigene Reise beeinflussten, sondern auch eine größere Bedeutung für die Community hatten. Sie begann, Workshops und Seminare zu organisieren, um medizinisches Personal über die Bedürfnisse von Trans-Personen aufzuklären. In diesen Workshops betonte sie die Wichtigkeit der Sensibilisierung und des Respekts im Umgang mit Patientinnen und Patienten.

Durch ihre Bemühungen konnte Sara einige positive Veränderungen bewirken. Einige Kliniken begannen, Schulungen für ihr Personal anzubieten, um Diskriminierung zu reduzieren und eine einladende Atmosphäre für Trans-Personen zu schaffen. Diese Veränderungen sind jedoch nicht universell und viele Herausforderungen bestehen weiterhin.

Die Suche nach Unterstützung

Ein weiterer wichtiger Aspekt von Saras Erfahrungen war die Suche nach Unterstützung innerhalb der Community. Sie fand Trost und Verständnis in Selbsthilfegruppen und Online-Foren, wo sie ihre Geschichten teilen und von anderen lernen konnte. Diese Netzwerke wurden zu einem wichtigen Teil ihres

Lebens und halfen ihr, die Herausforderungen des Gesundheitssystems besser zu bewältigen.

Sara betont oft, dass die Unterstützung von Gleichgesinnten unerlässlich ist, um die psychologischen Belastungen, die mit den Erfahrungen im Gesundheitssystem verbunden sind, zu lindern. Diese Gemeinschaften bieten nicht nur emotionale Unterstützung, sondern auch praktische Ratschläge, wie man mit bestimmten medizinischen Einrichtungen und Fachkräften umgeht.

Fazit

Die persönlichen Erfahrungen von Sara Bingham mit dem Gesundheitssystem sind ein eindringliches Beispiel für die Herausforderungen, die viele Trans-Personen erleben. Ihre Geschichten verdeutlichen die Notwendigkeit eines Wandels im Gesundheitswesen, um sicherzustellen, dass alle Menschen, unabhängig von ihrer Geschlechtsidentität, Zugang zu respektvoller und kompetenter medizinischer Versorgung haben. Saras Engagement und ihre Bereitschaft, ihre Erfahrungen zu teilen, sind entscheidend für den Fortschritt in der Trans-Gesundheit und setzen ein starkes Zeichen für die Notwendigkeit von Aufklärung und Sensibilisierung innerhalb der Gesellschaft.

Die Bedeutung von Forschung und Daten

In der heutigen Zeit spielt Forschung eine entscheidende Rolle im Aktivismus, insbesondere im Bereich der Trans-Gesundheit. Die Verfügbarkeit und Analyse von Daten sind nicht nur wichtig für die Aufklärung, sondern auch für die Entwicklung effektiver Politiken und Programme, die auf die spezifischen Bedürfnisse von Trans-Personen zugeschnitten sind.

Theoretische Grundlagen

Forschung im Bereich der Trans-Gesundheit basiert auf verschiedenen theoretischen Ansätzen, die helfen, die Komplexität der Geschlechtsidentität und die damit verbundenen gesundheitlichen Herausforderungen zu verstehen. Eine zentrale Theorie ist das *Soziale Konstruktivismus*, der besagt, dass Geschlecht und Geschlechtsidentität nicht nur biologisch, sondern auch sozial konstruiert sind. Dies bedeutet, dass die Wahrnehmungen und Erwartungen der Gesellschaft einen erheblichen Einfluss auf das individuelle Erleben von Geschlechtsidentität haben.

Ein weiterer wichtiger theoretischer Rahmen ist das *Intersektionalitätskonzept*, das die Wechselwirkungen zwischen verschiedenen Identitätskategorien wie Geschlecht, Sexualität, Ethnizität und Klasse berücksichtigt. Diese Perspektive ist entscheidend, um die unterschiedlichen Erfahrungen von Trans-Personen innerhalb der LGBTQ-Community zu verstehen und zu analysieren.

Probleme und Herausforderungen

Trotz der Fortschritte in der Forschung stehen Aktivisten und Wissenschaftler vor mehreren Herausforderungen. Eine der größten Hürden ist die *Unterfinanzierung* von Studien zur Trans-Gesundheit. Oftmals erhalten Forschungsprojekte, die sich mit Trans-Themen befassen, weniger finanzielle Unterstützung im Vergleich zu anderen medizinischen Forschungsbereichen. Dies führt zu einem Mangel an qualitativ hochwertigen Daten, die für evidenzbasierte Entscheidungen notwendig sind.

Ein weiteres Problem ist die *Stigmatisierung* von Trans-Personen, die dazu führt, dass viele Menschen aus Angst vor Diskriminierung oder Vorurteilen nicht bereit sind, an Studien teilzunehmen. Dies kann die Repräsentativität der Daten verringern und die Ergebnisse verzerren.

Zusätzlich gibt es oft *methodologische Herausforderungen*. Die Entwicklung von geeigneten Erhebungsinstrumenten, die die Vielfalt der Geschlechtsidentitäten angemessen erfassen, ist komplex. Standardisierte Fragebögen, die für cisgender Personen entwickelt wurden, sind möglicherweise nicht geeignet, um die Erfahrungen von Trans-Personen zu erfassen.

Beispiele erfolgreicher Forschung

Trotz dieser Herausforderungen gibt es einige bemerkenswerte Forschungsprojekte, die bedeutende Erkenntnisse zur Trans-Gesundheit geliefert haben. Eine Studie von Bockting et al. (2013) untersuchte die psychische Gesundheit von Trans-Personen und stellte fest, dass der Zugang zu geschlechtsspezifischer Gesundheitsversorgung signifikant mit einer Verbesserung des psychischen Wohlbefindens korreliert ist. Diese Ergebnisse haben dazu beigetragen, politische Veränderungen in der Gesundheitsversorgung für Trans-Personen voranzutreiben.

Ein weiteres Beispiel ist die *Trans PULSE Study*, die umfassende Daten über die Bedürfnisse und Erfahrungen von Trans-Personen in Kanada sammelt. Die Ergebnisse dieser Studie haben dazu beigetragen, das Bewusstsein für die Gesundheitsdisparitäten, mit denen Trans-Personen konfrontiert sind, zu schärfen und politische Entscheidungsträger auf die Notwendigkeit von spezifischen Gesundheitsprogrammen aufmerksam zu machen.

Die Rolle von Sara Bingham

Sara Bingham hat sich aktiv für die Bedeutung von Forschung und Daten in ihrem Aktivismus eingesetzt. Sie hat zahlreiche Kampagnen initiiert, die darauf abzielen, die Sichtbarkeit von Trans-Personen in der Forschung zu erhöhen. Durch ihre Zusammenarbeit mit akademischen Institutionen und Gesundheitsorganisationen hat sie dazu beigetragen, dass die Stimmen von Trans-Personen in der wissenschaftlichen Literatur gehört werden.

Ein Beispiel für Saras Engagement ist ihre Mitwirkung an der Entwicklung eines nationalen Forschungsprojekts, das die Erfahrungen von Trans-Personen im Gesundheitswesen untersucht. Durch die Erhebung von Daten über Barrieren im Zugang zur Gesundheitsversorgung hat dieses Projekt dazu beigetragen, dass Policymaker die Notwendigkeit von Veränderungen in der Gesundheitsversorgung erkennen.

Fazit

Die Bedeutung von Forschung und Daten im Bereich der Trans-Gesundheit kann nicht genug betont werden. Sie sind nicht nur entscheidend für das Verständnis der Herausforderungen, mit denen Trans-Personen konfrontiert sind, sondern auch für die Entwicklung von effektiven Strategien zur Verbesserung ihrer Lebensqualität. Sara Bingham und andere Aktivisten zeigen, dass durch gezielte Forschung und das Sammeln von Daten eine solide Grundlage für den Aktivismus geschaffen werden kann, die letztendlich zu positiven Veränderungen in der Gesellschaft führt.

Die Herausforderungen, die mit der Forschung im Bereich der Trans-Gesundheit verbunden sind, erfordern jedoch kontinuierliche Anstrengungen und Engagement. Nur durch die Zusammenarbeit von Aktivisten, Wissenschaftlern und politischen Entscheidungsträgern kann eine umfassende Veränderung erzielt werden, die die Bedürfnisse von Trans-Personen in den Mittelpunkt stellt.

Initiativen zur Verbesserung der Gesundheitsversorgung

In den letzten Jahren hat Sara Bingham verschiedene Initiativen ins Leben gerufen, die darauf abzielen, die Gesundheitsversorgung für Trans-Personen in Kanada zu verbessern. Diese Initiativen sind nicht nur wichtig, um die medizinische Versorgung zu optimieren, sondern auch, um das Bewusstsein und das Verständnis für die speziellen Bedürfnisse der Trans-Community zu fördern.

Forschung und Datenanalyse

Eine der grundlegenden Initiativen, die Sara unterstützt hat, ist die Förderung von Forschung und Datenanalyse im Bereich der Trans-Gesundheit. Es gibt oft einen Mangel an verlässlichen Daten über die gesundheitlichen Bedürfnisse von Trans-Personen, was zu einer unzureichenden medizinischen Versorgung führt. Sara hat sich mit verschiedenen Universitäten und Forschungsinstituten zusammengetan, um Studien zu initiieren, die sich mit den spezifischen gesundheitlichen Herausforderungen von Trans-Personen befassen.

Ein Beispiel hierfür ist die *Trans Health Survey*, die in mehreren Provinzen durchgeführt wurde und Daten über den Zugang zu Gesundheitsdiensten, Erfahrungen mit Diskriminierung und die allgemeinen Gesundheitsbedürfnisse von Trans-Personen gesammelt hat. Diese Daten sind entscheidend, um politische Entscheidungsträger über die Notwendigkeit von Veränderungen im Gesundheitssystem zu informieren.

Aufklärungskampagnen

Sara hat auch maßgeblich an der Entwicklung von Aufklärungskampagnen mitgewirkt, die darauf abzielen, sowohl medizinisches Fachpersonal als auch die breite Öffentlichkeit über Trans-Gesundheit zu informieren. Diese Kampagnen umfassen Workshops, Seminare und Informationsmaterialien, die sich mit Themen wie Hormonersatztherapie, chirurgischen Optionen und psychischer Gesundheit befassen.

Ein Beispiel für eine erfolgreiche Kampagne ist die *Trans Health Awareness Week*, die jährlich in mehreren Städten Kanadas stattfindet. Während dieser Woche werden verschiedene Veranstaltungen organisiert, darunter Podiumsdiskussionen mit medizinischen Fachleuten, persönliche Erfahrungsberichte von Trans-Personen und Informationsstände, die den Zugang zu Ressourcen erleichtern.

Partnerschaften mit Gesundheitsorganisationen

Ein weiterer wichtiger Aspekt von Saras Initiativen ist die Zusammenarbeit mit Gesundheitsorganisationen. Sara hat sich mit verschiedenen Organisationen wie der *Canadian Medical Association* und der *Trans Health Coalition* zusammengetan, um Standards für die Gesundheitsversorgung von Trans-Personen zu entwickeln. Diese Partnerschaften haben dazu beigetragen, Richtlinien zu erstellen, die sicherstellen, dass Trans-Personen respektvoll und kompetent behandelt werden.

Ein konkretes Ergebnis dieser Zusammenarbeit ist die Veröffentlichung des *Trans Health Guidelines*, ein umfassendes Dokument, das medizinisches Fachpersonal über bewährte Praktiken in der Behandlung von Trans-Personen informiert. Diese Richtlinien wurden in medizinischen Ausbildungsprogrammen integriert, was zu einer besseren Ausbildung zukünftiger Ärzte führt.

Politische Lobbyarbeit

Sara hat auch aktiv Lobbyarbeit geleistet, um politische Entscheidungsträger auf die Bedürfnisse von Trans-Personen aufmerksam zu machen. Sie hat an verschiedenen Anhörungen und Konferenzen teilgenommen, um die Stimmen von Trans-Personen zu vertreten und Veränderungen im Gesundheitssystem zu fordern.

Ein bemerkenswerter Erfolg war die Verabschiedung des *Trans Health Access Act*, der sicherstellt, dass Trans-Personen Zugang zu notwendigen medizinischen Behandlungen haben, ohne Diskriminierung oder zusätzliche Hürden. Diese Gesetzgebung hat nicht nur das Leben vieler Trans-Personen verbessert, sondern auch einen Präzedenzfall für andere Provinzen geschaffen.

Community-basierte Initiativen

Zusätzlich zu ihren Bemühungen auf politischer Ebene hat Sara auch Community-basierte Initiativen ins Leben gerufen, die den direkten Zugang zu Gesundheitsdiensten für Trans-Personen erleichtern. Diese Initiativen beinhalten mobile Kliniken, die in ländlichen und unterversorgten Gebieten eingesetzt werden, um Trans-Personen die notwendige medizinische Versorgung zu bieten.

Ein Beispiel ist die *Trans Health Mobile Clinic*, die regelmäßig in verschiedenen Städten Kanadas unterwegs ist. Diese Klinik bietet nicht nur medizinische Dienstleistungen an, sondern auch psychologische Unterstützung und Ressourcen für Trans-Personen, die möglicherweise keinen Zugang zu traditionellen Gesundheitseinrichtungen haben.

Zukunftsperspektiven

Die Initiativen von Sara Bingham zur Verbesserung der Gesundheitsversorgung für Trans-Personen sind ein wichtiger Schritt in die richtige Richtung, aber es gibt noch viel zu tun. Die Herausforderungen, mit denen Trans-Personen konfrontiert sind, sind vielfältig und komplex, und es ist entscheidend, dass die Gesellschaft weiterhin auf diese Themen aufmerksam macht.

AUFKLÄRUNG UND SENSIBILISIERUNG 81

In Zukunft plant Sara, ihre Bemühungen auf die Verbesserung der psychischen Gesundheitsversorgung für Trans-Personen auszuweiten. Studien zeigen, dass Trans-Personen ein höheres Risiko für psychische Erkrankungen haben, oft aufgrund von Diskriminierung und sozialer Isolation. Daher ist es von entscheidender Bedeutung, dass auch in diesem Bereich Fortschritte erzielt werden.

Zusammenfassend lässt sich sagen, dass Saras Initiativen zur Verbesserung der Gesundheitsversorgung für Trans-Personen nicht nur einen direkten Einfluss auf das Leben vieler Einzelner haben, sondern auch einen kulturellen Wandel in der Wahrnehmung und Behandlung von Trans-Personen im Gesundheitswesen fördern. Ihre Arbeit ist ein inspirierendes Beispiel dafür, wie Aktivismus und Engagement konkrete Veränderungen bewirken können.

Aufklärungskampagnen und ihre Wirkung

Aufklärungskampagnen spielen eine entscheidende Rolle im Aktivismus für Trans-Gesundheit. Sie sind nicht nur ein Mittel zur Informationsverbreitung, sondern auch ein Werkzeug zur Bekämpfung von Vorurteilen und Stigmatisierung gegenüber transidenten Personen. In diesem Abschnitt untersuchen wir die verschiedenen Aspekte von Aufklärungskampagnen, ihre Theorien, Herausforderungen und konkrete Beispiele, die die Bedeutung dieser Initiativen verdeutlichen.

Theoretische Grundlagen

Die Theorie der sozialen Veränderung legt nahe, dass Aufklärungskampagnen durch die Veränderung von Einstellungen und Verhaltensweisen zu einer positiven gesellschaftlichen Transformation führen können. Diese Theorie basiert auf dem *Health Belief Model*, das besagt, dass das Verhalten von Individuen stark von ihrer Wahrnehmung der Bedrohung durch eine bestimmte Gesundheitsproblematik sowie von den wahrgenommenen Vorteilen und Barrieren zur Verhaltensänderung abhängt.

Die Kampagnen zielen darauf ab, das Bewusstsein für die spezifischen Gesundheitsbedürfnisse von transidenten Personen zu schärfen und gleichzeitig die gesellschaftlichen Stereotypen zu hinterfragen. Dies geschieht häufig durch die Verwendung von Geschichten, die persönliche Erfahrungen von Betroffenen einbeziehen, um Empathie zu erzeugen und die menschliche Seite der Thematik zu beleuchten.

Herausforderungen bei Aufklärungskampagnen

Trotz der positiven Absichten stehen Aufklärungskampagnen vor mehreren Herausforderungen:

- **Widerstand gegen Veränderung:** Viele Menschen sind in ihren Überzeugungen fest verankert und zeigen Widerstand gegenüber neuen Informationen. Dies kann durch tief verwurzelte kulturelle oder religiöse Überzeugungen bedingt sein.

- **Fehlende Ressourcen:** Oftmals mangelt es an finanziellen Mitteln und personellen Ressourcen, um umfassende und nachhaltige Kampagnen durchzuführen. Dies schränkt die Reichweite und Effektivität der Initiativen ein.

- **Stigmatisierung:** Die Stigmatisierung von transidenten Personen kann dazu führen, dass Betroffene zögern, ihre Geschichten zu teilen oder sich an Kampagnen zu beteiligen, was die Authentizität und den Einfluss der Kampagnen verringert.

Beispiele erfolgreicher Aufklärungskampagnen

Ein herausragendes Beispiel für eine effektive Aufklärungskampagne ist die *Transgender Awareness Week*, die jährlich in Kanada und vielen anderen Ländern durchgeführt wird. Diese Woche widmet sich der Sensibilisierung für die Herausforderungen, mit denen transidente Personen konfrontiert sind, und fördert die Sichtbarkeit und Akzeptanz innerhalb der Gesellschaft.

Die Kampagne nutzt soziale Medien, um Geschichten von transidenten Personen zu teilen, und organisiert Veranstaltungen, bei denen die Öffentlichkeit eingeladen ist, mehr über die Themen zu erfahren. Solche Veranstaltungen tragen dazu bei, ein Gefühl der Gemeinschaft zu schaffen und fördern den Dialog zwischen verschiedenen Gruppen.

Ein weiteres Beispiel ist die *Trans Health Information Program* in Ontario, das umfassende Informationsressourcen bereitstellt, um transidente Personen über ihre Gesundheitsrechte und -optionen aufzuklären. Diese Initiative hat nicht nur zur Verbesserung des Zugangs zu Gesundheitsdiensten beigetragen, sondern auch das Bewusstsein für die spezifischen Bedürfnisse dieser Gemeinschaft geschärft.

Wirkung von Aufklärungskampagnen

Die Auswirkungen von Aufklärungskampagnen sind vielschichtig. Studien zeigen, dass gut durchgeführte Kampagnen zu einer erhöhten Akzeptanz von transidenten Personen in der Gesellschaft führen können. Eine Untersuchung von [1] ergab, dass in Gemeinden, die an Aufklärungskampagnen teilnahmen, die Unterstützung für transidente Rechte um 30% zunahm.

Darüber hinaus fördern solche Kampagnen das Verständnis für die medizinischen Herausforderungen, mit denen transidente Personen konfrontiert sind. Durch die Verbreitung von Informationen über die Notwendigkeit von geschlechtsspezifischer Gesundheitsversorgung und die Bedeutung von unterstützenden Dienstleistungen können Aufklärungskampagnen dazu beitragen, Barrieren abzubauen und den Zugang zu verbesserten Gesundheitsdiensten zu erleichtern.

Fazit

Aufklärungskampagnen sind ein unverzichtbarer Bestandteil des Aktivismus für Trans-Gesundheit. Sie tragen nicht nur zur Sensibilisierung der Öffentlichkeit bei, sondern fördern auch das Verständnis und die Akzeptanz von transidenten Personen. Trotz der Herausforderungen, die sie mit sich bringen, zeigen erfolgreiche Kampagnen, dass Veränderung möglich ist und dass die Stimme der Betroffenen gehört werden kann. Durch kontinuierliche Aufklärung und die Schaffung eines unterstützenden Umfelds können wir einen bedeutenden Fortschritt in der Trans-Gesundheit erreichen und eine inklusive Gesellschaft fördern.

Zusammenarbeit mit Gesundheitsorganisationen

Die Zusammenarbeit mit Gesundheitsorganisationen ist für die Förderung der Trans-Gesundheit von entscheidender Bedeutung. Sara Bingham hat in ihrer Karriere immer wieder betont, wie wichtig es ist, mit verschiedenen Institutionen zusammenzuarbeiten, um die Bedürfnisse der Trans-Community zu adressieren und eine umfassende Gesundheitsversorgung zu gewährleisten. Diese Kooperationen sind nicht nur strategisch, sondern auch notwendig, um die oft marginalisierten Stimmen der Trans-Personen in den medizinischen und politischen Diskurs einzubringen.

Theoretische Grundlagen der Zusammenarbeit

Die Theorie der interprofessionellen Zusammenarbeit (IPC) legt nahe, dass die Integration verschiedener Fachdisziplinen zu besseren Gesundheitsergebnissen führt. Laut einem Bericht der Weltgesundheitsorganisation (WHO) aus dem Jahr 2010 ist IPC entscheidend, um die Qualität der Gesundheitsversorgung zu verbessern und die Patientenzufriedenheit zu erhöhen. In Bezug auf die Trans-Gesundheit bedeutet dies, dass Fachleute aus verschiedenen Bereichen – von Psychologen über Endokrinologen bis hin zu Sozialarbeitern – zusammenarbeiten müssen, um eine umfassende und respektvolle Versorgung zu gewährleisten.

Herausforderungen in der Zusammenarbeit

Trotz der theoretischen Vorteile gibt es zahlreiche Herausforderungen, die bei der Zusammenarbeit mit Gesundheitsorganisationen auftreten können. Eine der größten Hürden ist das Vorurteil gegenüber Trans-Personen innerhalb des Gesundheitssystems. Studien zeigen, dass Trans-Personen häufig Diskriminierung und Unverständnis erfahren, was zu einer Unterversorgung und einer schlechten gesundheitlichen Gesamtbilanz führt.

Ein Beispiel hierfür ist die Studie von Bockting et al. (2013), die ergab, dass 23% der befragten Trans-Personen angaben, aufgrund ihrer Geschlechtsidentität in einer medizinischen Einrichtung schlecht behandelt worden zu sein. Diese Erfahrungen können dazu führen, dass Trans-Personen zögern, medizinische Hilfe in Anspruch zu nehmen, was die Notwendigkeit unterstreicht, Gesundheitsorganisationen für Schulungsprogramme zu gewinnen, die Sensibilität und Verständnis für die spezifischen Bedürfnisse der Trans-Community fördern.

Praktische Beispiele der Zusammenarbeit

Sara Bingham hat aktiv mit verschiedenen Gesundheitsorganisationen zusammengearbeitet, um Programme zu entwickeln, die auf die spezifischen Bedürfnisse von Trans-Personen zugeschnitten sind. Ein bemerkenswertes Beispiel ist die Partnerschaft mit der Canadian Medical Association (CMA), um Richtlinien zu erstellen, die den Zugang zu geschlechtsaffirmierenden Behandlungen erleichtern. Diese Richtlinien bieten nicht nur einen Rahmen für die medizinische Versorgung, sondern fördern auch die Schulung von Fachkräften im Umgang mit Trans-Personen.

AUFKLÄRUNG UND SENSIBILISIERUNG

Ein weiteres Beispiel ist die Zusammenarbeit mit lokalen Gesundheitsbehörden zur Durchführung von Aufklärungskampagnen. Diese Kampagnen zielen darauf ab, das Bewusstsein für Trans-Gesundheit zu erhöhen und gleichzeitig Ressourcen für Trans-Personen bereitzustellen. Durch die Bereitstellung von Informationsmaterialien und Workshops konnten viele Missverständnisse über die Bedürfnisse und Rechte von Trans-Personen abgebaut werden.

Erfolgsgeschichten und deren Auswirkungen

Die Zusammenarbeit mit Gesundheitsorganisationen hat bereits konkrete Erfolge hervorgebracht. Eine der bemerkenswertesten Errungenschaften war die Einführung eines landesweiten Programms zur Gesundheitsversorgung für Trans-Personen, das von mehreren Provinzen in Kanada übernommen wurde. Dieses Programm hat nicht nur den Zugang zu medizinischen Dienstleistungen verbessert, sondern auch das Vertrauen von Trans-Personen in das Gesundheitssystem gestärkt.

Ein weiteres Beispiel ist die Initiative zur Entwicklung eines nationalen Standards für die Gesundheitsversorgung von Trans-Personen, die durch die Zusammenarbeit mit der Canadian Nurses Association (CNA) ermöglicht wurde. Die Einführung solcher Standards hat dazu beigetragen, die Qualität der Versorgung zu erhöhen und die Ausbildung von Pflegekräften in Bezug auf Trans-Gesundheit zu verbessern.

Zukunftsperspektiven der Zusammenarbeit

Die Zukunft der Zusammenarbeit zwischen Aktivisten wie Sara Bingham und Gesundheitsorganisationen sieht vielversprechend aus. Die wachsende Anerkennung der Bedeutung von Trans-Gesundheit in der öffentlichen Diskussion eröffnet neue Möglichkeiten für Partnerschaften und Initiativen. Der Einsatz von Technologien, wie Telemedizin, könnte zudem den Zugang zu spezialisierten Gesundheitsdiensten für Trans-Personen in ländlichen und unterversorgten Gebieten verbessern.

Insgesamt ist die Zusammenarbeit mit Gesundheitsorganisationen ein wesentlicher Bestandteil von Saras Arbeit. Durch die Schaffung eines integrativen und unterstützenden Umfelds wird nicht nur die Lebensqualität von Trans-Personen verbessert, sondern auch der Weg für zukünftige Generationen geebnet, um gleichberechtigt und respektvoll behandelt zu werden.

Schlussfolgerung

Zusammenfassend lässt sich sagen, dass die Zusammenarbeit mit Gesundheitsorganisationen eine der effektivsten Strategien ist, um die Herausforderungen in der Trans-Gesundheit anzugehen. Saras Engagement und ihre Fähigkeit, Brücken zu bauen, sind entscheidend, um sicherzustellen, dass die Stimmen der Trans-Community gehört werden und dass die notwendigen Veränderungen im Gesundheitssystem stattfinden. Durch kontinuierliche Zusammenarbeit und den Austausch von Wissen können wir eine gerechtere und inklusivere Gesundheitsversorgung für alle erreichen.

Die Rolle der Politik in der Trans-Gesundheit

Die Politik spielt eine entscheidende Rolle in der Gestaltung der Gesundheitsversorgung für Trans-Personen. In Kanada, wo Sara Bingham aktiv ist, gibt es eine Vielzahl von politischen Maßnahmen und Gesetzen, die entweder die Gesundheitsversorgung verbessern oder behindern können. Diese politischen Rahmenbedingungen beeinflussen nicht nur den Zugang zu medizinischen Dienstleistungen, sondern auch die gesellschaftliche Wahrnehmung und Akzeptanz von Trans-Personen.

Politische Rahmenbedingungen

Die Gesetzgebung in Bezug auf Trans-Gesundheit variiert erheblich zwischen den Provinzen und Territorien Kanadas. Einige Regionen haben umfassende Richtlinien zur Unterstützung der Trans-Gemeinschaft eingeführt, während andere hinterherhinken. Ein Beispiel für positive politische Maßnahmen ist die Einführung von Richtlinien, die sicherstellen, dass Trans-Personen Zugang zu geschlechtsbestimmenden Behandlungen haben, ohne diskriminierende Anforderungen erfüllen zu müssen. Diese Richtlinien sind oft das Ergebnis von jahrelangem Aktivismus und politischem Druck durch Organisationen wie die Canadian Professional Association for Transgender Health (CPATH).

Gesundheitspolitik und Finanzierung

Ein zentrales Problem in der Trans-Gesundheit ist die Finanzierung von medizinischen Behandlungen. Viele Trans-Personen sind mit finanziellen Barrieren konfrontiert, die den Zugang zu notwendigen Gesundheitsdiensten einschränken. In vielen Fällen sind geschlechtsbejahende Behandlungen nicht vollständig von den Gesundheitskassen abgedeckt, was dazu führt, dass

Trans-Personen private Mittel aufbringen müssen. Dies führt zu einer Ungleichheit im Zugang zur Gesundheitsversorgung, die oft von sozioökonomischen Faktoren beeinflusst wird.

$$\text{Zugang} = \frac{\text{Verfügbarkeit von Behandlungen}}{\text{Finanzielle Barrieren} + \text{Gesetzliche Rahmenbedingungen}} \quad (9)$$

Diese Gleichung verdeutlicht, dass der Zugang zu Gesundheitsdiensten für Trans-Personen von der Verfügbarkeit der Behandlungen sowie von finanziellen und gesetzlichen Hürden abhängt. Wenn eine der Variablen erhöht wird, kann dies den Zugang verbessern.

Politische Mobilisierung und Advocacy

Sara Bingham und andere Aktivisten haben sich dafür eingesetzt, dass Trans-Gesundheit auf die politische Agenda gesetzt wird. Durch Lobbyarbeit, öffentliche Kampagnen und die Zusammenarbeit mit politischen Entscheidungsträgern haben sie versucht, das Bewusstsein für die spezifischen Gesundheitsbedürfnisse von Trans-Personen zu schärfen. Ein Beispiel hierfür ist die Kampagne „Trans Health Matters", die darauf abzielt, die Politik dazu zu bewegen, die Gesundheitsversorgung für Trans-Personen zu reformieren und die Finanzierung für geschlechtsbejahende Behandlungen zu erhöhen.

Herausforderungen im politischen Prozess

Trotz dieser Fortschritte gibt es erhebliche Herausforderungen im politischen Prozess. Oftmals stehen Trans-Personen und ihre Unterstützer vor Widerständen von politischen Akteuren, die entweder nicht über die notwendigen Informationen verfügen oder bewusst gegen die Rechte von Trans-Personen arbeiten. Dies kann in Form von diskriminierenden Gesetzen, wie etwa dem Verbot von geschlechtsbejahenden Behandlungen für Minderjährige, geschehen. Solche politischen Maßnahmen haben tiefgreifende Auswirkungen auf das Leben von Trans-Jugendlichen und deren Zugang zu wichtigen Gesundheitsdiensten.

Der Einfluss der Öffentlichkeit

Die öffentliche Meinung hat ebenfalls einen bedeutenden Einfluss auf die politische Landschaft. In den letzten Jahren hat sich die Wahrnehmung von Trans-Personen in der Gesellschaft verbessert, was teilweise auf die Sichtbarkeit von Aktivisten wie Sara Bingham zurückzuführen ist. Eine positive öffentliche

Wahrnehmung kann dazu führen, dass Politiker sensibler auf die Bedürfnisse der Trans-Gemeinschaft reagieren. Umgekehrt kann negative Berichterstattung in den Medien oder populistische Rhetorik gegen Trans-Personen die politischen Bemühungen um eine bessere Gesundheitsversorgung gefährden.

Beispiele für positive politische Veränderungen

Ein Beispiel für eine positive politische Veränderung ist die Einführung von geschlechtsneutralen Optionen auf Gesundheitsformularen und Ausweisen. Dies ist ein Schritt, der nicht nur den Zugang zu Gesundheitsdiensten erleichtert, sondern auch die Würde und Identität von Trans-Personen respektiert. Darüber hinaus haben einige Provinzen Programme zur Sensibilisierung von Gesundheitsdienstleistern eingeführt, um sicherzustellen, dass Trans-Personen respektvoll und kompetent behandelt werden.

Zukunftsausblick

Die Rolle der Politik in der Trans-Gesundheit ist ein dynamisches Feld, das ständigen Veränderungen unterliegt. Aktivisten wie Sara Bingham setzen sich weiterhin dafür ein, dass Trans-Gesundheit in den Mittelpunkt der politischen Agenda rückt. Die kommenden Jahre werden entscheidend sein, um zu sehen, ob die politischen Entscheidungsträger auf die Bedürfnisse der Trans-Gemeinschaft reagieren und ob Fortschritte in der Gesundheitsversorgung erzielt werden können.

Zusammenfassend lässt sich sagen, dass die Politik eine zentrale Rolle in der Trans-Gesundheit spielt. Durch politische Mobilisierung, Advocacy und die Schaffung eines unterstützenden Umfelds können Veränderungen herbeigeführt werden, die das Leben von Trans-Personen erheblich verbessern. Es ist von entscheidender Bedeutung, dass diese Themen in den politischen Diskurs integriert werden, um eine gerechtere und inklusivere Gesundheitsversorgung für alle zu gewährleisten.

Saras Einfluss auf politische Entscheidungen

Sara Bingham hat sich im Laufe ihrer Karriere als einflussreiche Stimme in der politischen Landschaft Kanadas etabliert, insbesondere in Bezug auf Trans-Gesundheit. Ihr Engagement hat nicht nur das Bewusstsein für die Herausforderungen, denen Trans-Personen gegenüberstehen, geschärft, sondern auch politische Entscheidungsträger dazu gebracht, notwendige Änderungen in der Gesetzgebung und im Gesundheitswesen in Betracht zu ziehen.

AUFKLÄRUNG UND SENSIBILISIERUNG

Theoretische Grundlagen

Der Einfluss von Aktivisten auf politische Entscheidungen kann durch verschiedene theoretische Rahmenwerke erklärt werden. Die **Theorie des sozialen Wandels** postuliert, dass gesellschaftliche Bewegungen durch kollektive Aktionen und das Engagement von Individuen in der Lage sind, tiefgreifende Veränderungen in der Gesellschaft herbeizuführen. Sara Bingham hat diese Theorie in die Praxis umgesetzt, indem sie eine Plattform für die Anliegen der Trans-Community geschaffen hat.

Politische Mobilisierung

Ein entscheidender Aspekt von Saras Einfluss ist ihre Fähigkeit, Menschen zu mobilisieren. Durch ihre Teilnahme an Protesten, öffentlichen Anhörungen und politischen Kampagnen hat sie nicht nur Aufmerksamkeit auf die Probleme der Trans-Personen gelenkt, sondern auch eine breite Basis von Unterstützern gewonnen. Diese Mobilisierung ist entscheidend, um politischen Druck auf Entscheidungsträger auszuüben.

Beispiele für politischen Einfluss

Ein bemerkenswertes Beispiel für Saras Einfluss auf politische Entscheidungen war ihre Rolle bei der Einführung des **Bill C-16**, der das Diskriminierungsverbot für Trans-Personen in Kanada erweiterte. Durch ihre engagierte Lobbyarbeit und die Mobilisierung von Unterstützern konnte sie die öffentliche Meinung beeinflussen und letztlich dazu beitragen, dass der Gesetzesentwurf im Parlament verabschiedet wurde.

Ein weiteres Beispiel ist ihre Initiative zur Verbesserung der Gesundheitsversorgung für Trans-Personen. Sara hat mit verschiedenen Gesundheitsorganisationen zusammengearbeitet, um Richtlinien zu entwickeln, die eine bessere medizinische Versorgung gewährleisten. Diese Zusammenarbeit führte zur Einführung von Schulungen für medizinisches Personal, um Vorurteile abzubauen und die Qualität der Gesundheitsversorgung zu verbessern.

Herausforderungen und Widerstände

Trotz ihrer Erfolge sieht sich Sara auch Herausforderungen und Widerständen gegenüber. Die politische Landschaft ist oft von Vorurteilen und Diskriminierung geprägt, was es schwierig macht, Veränderungen zu bewirken. Sara hat jedoch Strategien entwickelt, um mit diesen Herausforderungen umzugehen. Sie nutzt soziale Medien, um ihre Botschaften zu verbreiten und die Öffentlichkeit zu mobilisieren, was ihr ermöglicht, eine breitere Reichweite zu erzielen und Unterstützung zu gewinnen.

Langfristige Auswirkungen

Saras Einfluss auf politische Entscheidungen hat nicht nur unmittelbare Auswirkungen auf die Gesetzgebung, sondern auch langfristige Auswirkungen auf die gesellschaftliche Wahrnehmung von Trans-Personen. Indem sie auf die Notwendigkeit von Veränderungen hinweist und die Stimmen der Betroffenen gehört werden, trägt sie dazu bei, eine inklusivere und gerechtere Gesellschaft zu schaffen.

Fazit

Zusammenfassend lässt sich sagen, dass Sara Bingham durch ihre unermüdliche Arbeit und ihren Einfluss auf politische Entscheidungen einen wesentlichen Beitrag zur Verbesserung der Lebensbedingungen von Trans-Personen in Kanada geleistet hat. Ihr Engagement zeigt, wie wichtig es ist, dass Aktivisten in den politischen Prozess eingebunden werden, um sicherzustellen, dass die Bedürfnisse und Anliegen marginalisierter Gruppen Gehör finden.

Die Zukunft der Trans-Gesundheit in Kanada

Die Zukunft der Trans-Gesundheit in Kanada steht an einem entscheidenden Wendepunkt, an dem sich die Fortschritte der letzten Jahre mit den bestehenden Herausforderungen verbinden. Während die gesellschaftliche Akzeptanz von Trans-Personen zunimmt, bleiben viele Probleme in der Gesundheitsversorgung bestehen. Um die Trans-Gesundheit nachhaltig zu verbessern, sind umfassende Veränderungen in den politischen, sozialen und medizinischen Systemen notwendig.

Theoretische Grundlagen

Eine grundlegende Theorie, die die zukünftige Entwicklung der Trans-Gesundheit in Kanada beeinflussen könnte, ist die Intersektionalität. Diese Theorie, die von Kimberlé Crenshaw geprägt wurde, betont, dass verschiedene Identitäten und soziale Kategorien—wie Geschlecht, Ethnie, Sexualität und sozioökonomischer Status—ineinander verwoben sind und sich auf die Erfahrungen von Individuen auswirken. In der Trans-Gesundheit bedeutet dies, dass die Bedürfnisse von

AUFKLÄRUNG UND SENSIBILISIERUNG

Trans-Personen nicht isoliert betrachtet werden können. Die Berücksichtigung intersektionaler Aspekte wird entscheidend sein, um ein umfassendes Verständnis der Herausforderungen zu erlangen, mit denen Trans-Personen konfrontiert sind.

Herausforderungen in der Trans-Gesundheit

Trotz der Fortschritte gibt es mehrere Herausforderungen, die die Zukunft der Trans-Gesundheit in Kanada prägen:

- **Zugang zu Gesundheitsdiensten:** Viele Trans-Personen berichten von Schwierigkeiten, Zugang zu angemessenen Gesundheitsdiensten zu erhalten. Oftmals sind medizinische Fachkräfte nicht ausreichend geschult, um die spezifischen Bedürfnisse von Trans-Personen zu verstehen. Dies führt zu Fehldiagnosen und unangemessenen Behandlungen.

- **Versicherungsschutz:** Ein weiteres bedeutendes Problem ist der unzureichende Versicherungsschutz für Trans-spezifische Gesundheitsleistungen. Viele Versicherungspläne decken keine geschlechtsbestätigenden Verfahren oder Hormonersatztherapien ab, was die finanzielle Belastung für Trans-Personen erhöht.

- **Stigmatisierung und Diskriminierung:** Diskriminierung im Gesundheitswesen bleibt ein zentrales Problem. Trans-Personen erleben häufig Vorurteile und Stigmatisierung, was zu einer Vermeidung von medizinischer Hilfe führt und ihre Gesundheit gefährdet.

Zukunftsorientierte Initiativen

Um diese Herausforderungen zu bewältigen, sind verschiedene Initiativen und Ansätze erforderlich:

- **Schulung von Fachkräften:** Eine umfassende Schulung für medizinisches Personal über Trans-Gesundheit ist unerlässlich. Programme, die sich auf Sensibilisierung und Aufklärung konzentrieren, können dazu beitragen, Vorurteile abzubauen und die Qualität der Versorgung zu verbessern.

- **Politische Maßnahmen:** Die Unterstützung durch die Regierung ist entscheidend. Politische Entscheidungsträger sollten sich für die Einführung von Gesetzen einsetzen, die den Zugang zu geschlechtsbestätigenden Behandlungen garantieren und Diskriminierung im Gesundheitswesen verbieten.

- **Öffentlichkeitsarbeit und Aufklärung:** Die Sensibilisierung der breiten Öffentlichkeit für die Bedürfnisse von Trans-Personen kann dazu beitragen, Vorurteile abzubauen und die Akzeptanz zu fördern. Kampagnen, die die Geschichten von Trans-Personen hervorheben, können einen wichtigen Beitrag leisten.

Beispiele erfolgreicher Programme

Einige Programme in Kanada haben bereits positive Ergebnisse erzielt:

- **Das Trans Health Program in Toronto:** Dieses Programm bietet umfassende Gesundheitsdienste für Trans-Personen, einschließlich psychologischer Unterstützung und medizinischer Versorgung. Die positive Rückmeldung der Teilnehmer zeigt, dass ein integrativer Ansatz erfolgreich sein kann.

- **Die Initiative "Trans Care" in British Columbia:** Diese Initiative hat sich darauf konzentriert, den Zugang zu geschlechtsbestätigenden Behandlungen zu verbessern und die Schulung von Gesundheitsdienstleistern zu fördern. Die Ergebnisse zeigen, dass informierte Fachkräfte zu besseren Gesundheitsresultaten führen.

Ausblick

Die Zukunft der Trans-Gesundheit in Kanada wird stark davon abhängen, wie gut es gelingt, die bestehenden Herausforderungen anzugehen und innovative Lösungen zu implementieren. Es ist entscheidend, dass Trans-Personen in den Entscheidungsprozess einbezogen werden, um sicherzustellen, dass ihre Stimmen gehört werden und ihre Bedürfnisse im Mittelpunkt der Gesundheitsversorgung stehen.

Die Integration intersektionaler Ansätze, die Förderung von politischer Unterstützung und die Ausbildung von Gesundheitsdienstleistern sind Schlüsselfaktoren, die dazu beitragen können, eine gerechtere und inklusive Gesundheitsversorgung für Trans-Personen in Kanada zu schaffen. Nur durch gemeinsames Handeln und Engagement können wir eine Zukunft gestalten, in der Trans-Gesundheit nicht nur anerkannt, sondern auch gefördert wird.

Sara Bingham im Rampenlicht

Medienpräsenz und öffentliche Wahrnehmung

Interviews und Artikel über Sara

Sara Bingham ist nicht nur eine prominente Stimme im Bereich der Trans-Gesundheit, sondern auch eine gefragte Interviewpartnerin und Autorin. Ihre Perspektiven zu wichtigen Themen des LGBTQ-Aktivismus haben in zahlreichen Medien große Beachtung gefunden. In diesem Abschnitt werden einige bedeutende Interviews und Artikel über Sara beleuchtet, die sowohl ihre Ansichten als auch die Relevanz ihrer Arbeit im gesellschaftlichen Diskurs verdeutlichen.

Die Macht der Sichtbarkeit

In einem Interview mit der *Toronto Star* erklärte Sara, wie wichtig Sichtbarkeit für die LGBTQ-Community ist. Sie betonte: *„Wenn wir nicht sichtbar sind, werden unsere Stimmen nicht gehört. Sichtbarkeit ist der erste Schritt zur Veränderung."* Diese Aussage spiegelt eine weit verbreitete Theorie in der Gender- und Queer-Studien wider, die besagt, dass Sichtbarkeit sowohl als eine Form der Repräsentation als auch als ein Werkzeug des Aktivismus fungiert.

Herausforderungen im Gesundheitssystem

In einem Artikel in der *Globe and Mail* sprach Sara über die Herausforderungen, mit denen Trans-Personen im Gesundheitssystem konfrontiert sind. Sie führte aus, dass viele Trans-Personen nicht die notwendige medizinische Versorgung erhalten, die sie benötigen, was zu schwerwiegenden gesundheitlichen Folgen führen kann. Hierbei verwies sie auf eine Studie, die ergab, dass **40%** der Trans-Personen in Kanada an Depressionen leiden, was im Vergleich zur allgemeinen Bevölkerung signifikant höher ist. Sara forderte eine Reform des Gesundheitssystems, um sicherzustellen, dass Trans-Gesundheit als integraler Bestandteil der allgemeinen Gesundheitsversorgung anerkannt wird.

Einfluss durch soziale Medien

Sara nutzt soziale Medien nicht nur zur Verbreitung ihrer Botschaften, sondern auch, um mit ihrer Community in Kontakt zu treten. In einem Interview mit dem Podcast *Queer Voices* erklärte sie: *„Soziale Medien sind ein zweischneidiges Schwert. Sie können sowohl eine Plattform für Empowerment als auch einen Raum für Diskriminierung bieten."* Diese Aussage verdeutlicht die Komplexität der digitalen Landschaft, in der Aktivisten arbeiten. Sara hat jedoch gelernt, diese Plattformen strategisch zu nutzen, um positive Veränderungen zu bewirken und ihre Reichweite zu erhöhen.

Medienkritik und öffentliche Wahrnehmung

In einem kritischen Artikel über die Darstellung von Trans-Personen in den Medien äußerte Sara: *„Die Medien haben eine Verantwortung, die Realität von Trans-Personen genau darzustellen. Falsche Darstellungen schaden uns allen."* Diese Kritik ist besonders relevant in Anbetracht der Tatsache, dass viele Darstellungen von Trans-Personen in den Medien oft stereotyp und einseitig sind. Sara fordert eine diversere und realistischere Repräsentation, um das Verständnis und die Akzeptanz in der Gesellschaft zu fördern.

Interviews als Plattform für Bildung

Sara hat auch an verschiedenen Konferenzen teilgenommen, bei denen sie Interviews gegeben hat, die sich auf die Bildung über Trans-Gesundheit konzentrieren. In einem Gespräch mit der *Canadian Medical Association Journal* betonte sie die Notwendigkeit, medizinisches Personal über die spezifischen Bedürfnisse von Trans-Personen aufzuklären. Sie sagte: *„Es ist nicht genug, nur die Grundlagen zu verstehen. Mediziner müssen die Nuancen der Trans-Gesundheit kennen, um effektive und respektvolle Pflege bieten zu können."*

Reflexion über ihre Medienpräsenz

Sara reflektierte in einem persönlichen Blogbeitrag über ihre Erfahrungen mit der Medienberichterstattung. Sie schrieb: *„Es ist eine ständige Balance zwischen dem, was ich teilen möchte, und dem, was die Öffentlichkeit sehen will."* Diese Reflexion zeigt die Herausforderungen, die mit der Medienpräsenz einhergehen, insbesondere für Aktivisten, die oft unter dem Druck stehen, eine bestimmte Narrative zu verkörpern. Sara hat jedoch gelernt, diese Herausforderungen als Teil ihrer Reise zu akzeptieren und nutzt sie, um ihre Botschaft weiter zu verbreiten.

Schlussfolgerung

Insgesamt zeigen die Interviews und Artikel über Sara Bingham, wie ihre Stimme und ihre Erfahrungen nicht nur zur Sichtbarkeit von Trans-Personen beitragen, sondern auch eine Plattform für Bildung und Veränderung schaffen. Ihre Fähigkeit, komplexe Themen mit Humor und Empathie zu vermitteln, macht sie zu einer einflussreichen Figur im Aktivismus. Die Herausforderungen, die sie anspricht, sind nicht nur persönliche Kämpfe, sondern auch gesellschaftliche Probleme, die eine breite Aufmerksamkeit und Veränderung erfordern. Saras Engagement und ihre Medienpräsenz sind entscheidend, um den Diskurs über Trans-Gesundheit und LGBTQ-Rechte voranzutreiben und eine inklusivere Gesellschaft zu fördern.

Die Bedeutung von Sichtbarkeit für den Aktivismus

Die Sichtbarkeit von LGBTQ-Personen und ihren Anliegen ist ein entscheidender Faktor für den Erfolg von Aktivismus. Sichtbarkeit bedeutet nicht nur, dass Individuen und Gemeinschaften in der Öffentlichkeit wahrgenommen werden, sondern auch, dass ihre Stimmen gehört werden und ihre Erfahrungen anerkannt sind. In dieser Sektion werden wir die verschiedenen Dimensionen der Sichtbarkeit im Aktivismus untersuchen und deren Bedeutung für die LGBTQ-Community hervorheben.

Theoretische Grundlagen der Sichtbarkeit

Die Theorie der Sichtbarkeit, wie sie von Judith Butler in ihren Arbeiten zur Gender-Theorie formuliert wird, legt nahe, dass Sichtbarkeit sowohl eine Quelle der Macht als auch der Verletzlichkeit ist. Butler argumentiert, dass die Art und Weise, wie Geschlecht und Identität konstruiert werden, stark von gesellschaftlichen Normen abhängt. Sichtbarkeit kann dazu beitragen, diese Normen zu hinterfragen und zu verändern. In diesem Kontext wird Sichtbarkeit zu einem Werkzeug des Widerstands gegen Diskriminierung und Ungerechtigkeit.

Herausforderungen der Sichtbarkeit

Trotz der positiven Aspekte der Sichtbarkeit gibt es auch erhebliche Herausforderungen. Viele LGBTQ-Personen erleben Diskriminierung, Stigmatisierung und sogar Gewalt, wenn sie sich outen oder für ihre Rechte eintreten. Diese Risiken können dazu führen, dass Individuen sich entscheiden, in den Hintergrund zu treten oder ihre Identität zu verbergen. Dies ist besonders relevant in konservativen Gesellschaften oder in Umgebungen, in denen LGBTQ-Rechte nicht anerkannt sind.

Ein Beispiel für die Gefahren der Sichtbarkeit ist die Erfahrung von Sara Bingham selbst. Als sie begann, sich öffentlich für Trans-Rechte einzusetzen, sah sie sich nicht nur mit Unterstützung, sondern auch mit massiven Anfeindungen konfrontiert. Diese Anfeindungen reichten von persönlichen Angriffen bis hin zu Bedrohungen ihrer Sicherheit. Solche Erfahrungen verdeutlichen, dass Sichtbarkeit sowohl eine Quelle der Stärke als auch eine Quelle der Gefahr sein kann.

Positive Auswirkungen der Sichtbarkeit

Trotz der Herausforderungen hat Sichtbarkeit auch transformative Auswirkungen. Sichtbarkeit führt oft zu einer erhöhten Sensibilisierung für LGBTQ-Anliegen in der breiten Öffentlichkeit. Wenn Menschen Geschichten von Aktivisten wie Sara Bingham hören, können sie Empathie entwickeln und ein besseres Verständnis für die Herausforderungen und Kämpfe der LGBTQ-Community gewinnen.

Ein bemerkenswertes Beispiel ist die zunehmende Sichtbarkeit von Trans-Personen in den Medien. Filme, Dokumentationen und soziale Medien haben dazu beigetragen, das Bewusstsein für die Probleme von Trans-Personen zu schärfen und deren Geschichten zu erzählen. Diese Sichtbarkeit hat nicht nur das öffentliche Bewusstsein erhöht, sondern auch politische Veränderungen angestoßen, wie die Einführung von Gesetzen, die den Schutz von Trans-Personen gewährleisten.

Sichtbarkeit und Gemeinschaftsbildung

Ein weiterer wichtiger Aspekt der Sichtbarkeit ist die Förderung von Gemeinschaftsbildung. Wenn LGBTQ-Personen sichtbar sind, fühlen sich andere in der Community ermutigt, sich ebenfalls zu outen und aktiv zu werden. Diese kollektive Sichtbarkeit kann zu einem stärkeren Gefühl der Zugehörigkeit und Unterstützung führen. Sara Bingham hat durch ihre Arbeit zahlreiche andere

Trans-Personen inspiriert, sich für ihre Rechte einzusetzen und ihre Geschichten zu teilen.

Schlussfolgerung

Zusammenfassend lässt sich sagen, dass die Sichtbarkeit für den Aktivismus von entscheidender Bedeutung ist. Sie fördert das Bewusstsein, ermöglicht Gemeinschaftsbildung und kann letztlich zu politischen Veränderungen führen. Dennoch müssen die Risiken und Herausforderungen, die mit der Sichtbarkeit einhergehen, ernst genommen werden. Es ist wichtig, Räume zu schaffen, in denen LGBTQ-Personen sich sicher und unterstützt fühlen können, um ihre Geschichten zu erzählen und für ihre Rechte einzutreten. Sara Bingham ist ein leuchtendes Beispiel dafür, wie Sichtbarkeit sowohl eine Quelle des Wandels als auch eine Herausforderung sein kann, und ihr Engagement zeigt, dass der Kampf für Sichtbarkeit und Anerkennung weitergeht.

$$V = P \cdot C \qquad (10)$$

Hierbei steht V für die Sichtbarkeit, P für die Präsenz in den Medien und C für die Community-Unterstützung. Diese Gleichung verdeutlicht, dass die Sichtbarkeit umso größer ist, je höher die Präsenz in den Medien und die Unterstützung durch die Community sind.

Saras Auftritte bei Konferenzen und Veranstaltungen

Sara Bingham ist nicht nur eine leidenschaftliche Verfechterin der Trans-Gesundheit, sondern auch eine gefragte Rednerin auf nationalen und internationalen Konferenzen. Ihre Auftritte sind oft von einer Mischung aus Ernsthaftigkeit und Humor geprägt, was sie zu einer einzigartigen Stimme im LGBTQ-Aktivismus macht. In diesem Abschnitt werden wir die Bedeutung ihrer Auftritte, die Herausforderungen, denen sie gegenübersteht, und einige bemerkenswerte Beispiele ihrer Beiträge untersuchen.

Die Bedeutung von Konferenzen für den Aktivismus

Konferenzen bieten eine Plattform für den Austausch von Ideen, die Vernetzung von Gleichgesinnten und die Schaffung von Bewusstsein für wichtige Themen. Für Sara sind diese Veranstaltungen nicht nur Gelegenheiten, ihre Botschaft zu verbreiten, sondern auch Räume, in denen sie von anderen lernen und sich inspirieren lassen kann. Ihre Reden konzentrieren sich häufig auf die

Notwendigkeit, Trans-Gesundheit in den Mittelpunkt der öffentlichen Diskussion zu stellen.

Ein Beispiel für eine solche Konferenz ist die *International Transgender Health Conference*, bei der Sara als Hauptrednerin eingeladen wurde. In ihrer Rede sprach sie über die Herausforderungen, die Trans-Personen im Gesundheitswesen gegenüberstehen, und forderte eine umfassende Reform der Gesundheitsrichtlinien. Sie betonte die Bedeutung von Daten und Forschung, um die Bedürfnisse der Trans-Community besser zu verstehen.

Herausforderungen bei Auftritten

Trotz ihrer Erfahrung und Expertise sieht sich Sara bei ihren Auftritten auch Herausforderungen gegenüber. Eine der größten Herausforderungen ist die Diskriminierung, die sie manchmal während ihrer Reden erlebt. In einer ihrer Präsentationen wurde sie von einem Zuhörer unterbrochen, der ihre Ansichten in Frage stellte und versuchte, die Diskussion zu dominieren. Sara reagierte mit bemerkenswerter Gelassenheit und nutzte die Gelegenheit, um auf die Bedeutung von Respekt und Empathie in der Diskussion über Trans-Gesundheit hinzuweisen.

Ein weiteres Problem, mit dem sie konfrontiert ist, ist der Druck, ständig sichtbar zu sein. Als prominente Persönlichkeit in der LGBTQ-Community wird von ihr erwartet, dass sie immer bereit ist, ihre Erfahrungen und ihr Wissen zu teilen. Dies kann emotional belastend sein, insbesondere wenn sie über persönliche Themen spricht, die mit ihrer eigenen Reise zur Selbstakzeptanz verbunden sind.

Beispiele für Saras Beiträge

Sara hat an zahlreichen Konferenzen und Veranstaltungen teilgenommen, die sich mit LGBTQ-Rechten und Trans-Gesundheit befassen. Bei der *Canadian LGBTQ Health Summit* präsentierte sie eine Studie, die die gesundheitlichen Bedürfnisse von Trans-Personen in Kanada beleuchtet. Ihre Forschung zeigte, dass viele Trans-Personen Schwierigkeiten haben, Zugang zu angemessener medizinischer Versorgung zu erhalten, was zu einer erhöhten Inzidenz von psychischen Gesundheitsproblemen führt.

Darüber hinaus war Sara auch bei der *World Pride Conference* in Toronto anwesend, wo sie an einer Podiumsdiskussion über die Rolle von Kunst im Aktivismus teilnahm. Sie sprach darüber, wie kreative Ausdrucksformen dazu beitragen können, das Bewusstsein für Trans-Themen zu schärfen und eine breitere Öffentlichkeit zu erreichen. Ihre Leidenschaft für Kunst und Aktivismus spiegelt sich in ihrer eigenen Arbeit wider, in der sie oft kreative Ansätze nutzt, um ihre Botschaften zu vermitteln.

Die Rolle der sozialen Medien

In der heutigen digitalen Welt spielen soziale Medien eine entscheidende Rolle bei der Verbreitung von Informationen und der Vernetzung von Aktivisten. Sara nutzt Plattformen wie Twitter und Instagram, um ihre Erfahrungen und Gedanken zu teilen, sowohl während als auch nach ihren Auftritten. Diese Interaktionen ermöglichen es ihr, mit einem breiteren Publikum in Kontakt zu treten und die Diskussion über Trans-Gesundheit über die Grenzen von Konferenzen hinaus zu fördern.

In einem ihrer Tweets nach einer Konferenz äußerte sie:

> "Es ist wichtig, dass wir nicht nur in Konferenzräumen sprechen, sondern auch in den sozialen Medien, um sicherzustellen, dass unsere Stimmen gehört werden! #TransHealth #LGBTQRights"

Diese Botschaft verdeutlicht, wie wichtig es für sie ist, die Diskussion über Trans-Gesundheit auf allen verfügbaren Plattformen zu führen.

Fazit

Saras Auftritte bei Konferenzen und Veranstaltungen sind ein wesentlicher Bestandteil ihres Aktivismus. Sie nutzt diese Gelegenheiten, um auf die Herausforderungen der Trans-Community aufmerksam zu machen, sich mit anderen Aktivisten zu vernetzen und ihre Vision für eine gerechtere Gesundheitsversorgung zu teilen. Trotz der Herausforderungen, die sie dabei erlebt, bleibt sie eine inspirierende Figur im Kampf für LGBTQ-Rechte. Ihre Fähigkeit, Humor und Ernsthaftigkeit zu kombinieren, macht ihre Botschaft nicht nur zugänglich, sondern auch einprägsam. Sara Bingham ist ein lebendiges Beispiel dafür, wie wichtig es ist, die eigene Stimme zu erheben und für die Rechte derjenigen zu kämpfen, die oft übersehen werden.

Die Rolle der sozialen Medien in Saras Leben

Die sozialen Medien haben in den letzten Jahrzehnten eine transformative Rolle in der Art und Weise gespielt, wie Aktivisten kommunizieren, mobilisieren und ihre Botschaften verbreiten. Für Sara Bingham war dies besonders entscheidend, da sie ihre Stimme und ihre Anliegen durch Plattformen wie Twitter, Instagram und

Facebook einer breiten Öffentlichkeit zugänglich machen konnte. In diesem Abschnitt werden wir die verschiedenen Dimensionen der sozialen Medien in Saras Leben und Aktivismus untersuchen, einschließlich ihrer Vorteile, Herausforderungen und der einzigartigen Rolle, die sie in der LGBTQ-Community spielt.

Die Macht der Sichtbarkeit

Die sozialen Medien bieten eine Plattform, die es Individuen ermöglicht, sich selbst zu präsentieren und ihre Geschichten zu erzählen. Für Sara war dies nicht nur eine Möglichkeit, ihre Botschaft zu verbreiten, sondern auch eine Chance, Sichtbarkeit für die Trans-Community zu schaffen. Studien haben gezeigt, dass Sichtbarkeit in den sozialen Medien einen direkten Einfluss auf das gesellschaftliche Bewusstsein und die Akzeptanz von LGBTQ-Personen hat [1]. Sara nutzte diese Plattformen, um ihre persönlichen Erfahrungen zu teilen, was nicht nur ihre eigene Sichtbarkeit erhöhte, sondern auch anderen Trans-Personen half, sich in ihrer Identität zu akzeptieren.

Mobilisierung und Aktivismus

Ein weiterer wichtiger Aspekt der sozialen Medien ist ihre Fähigkeit, Menschen zu mobilisieren. Sara organisierte zahlreiche Kampagnen und Veranstaltungen über soziale Medien, die es ihr ermöglichten, schnell und effektiv ein Publikum zu erreichen. Ein herausragendes Beispiel war ihre Kampagne zur Aufklärung über Trans-Gesundheit, die sie über Twitter startete. Innerhalb weniger Tage hatte sie Tausende von Unterstützern mobilisiert, die ihre Botschaft teilten und verbreiteten.

Die Theorie der *Viralität* in sozialen Medien besagt, dass Inhalte, die emotional ansprechend sind, mit größerer Wahrscheinlichkeit geteilt werden. Saras Beiträge, die oft humorvolle und persönliche Anekdoten enthielten, wurden schnell viral und führten zu einer breiten Diskussion über Trans-Gesundheit [?].

Herausforderungen und Risiken

Trotz der vielen Vorteile, die soziale Medien bieten, gibt es auch erhebliche Herausforderungen. Sara sah sich häufig mit Cyberbullying und Diskriminierung konfrontiert. Die Anonymität des Internets ermöglicht es Menschen, beleidigende und verletzende Kommentare zu hinterlassen, was für viele Aktivisten, einschließlich Sara, eine erhebliche Quelle des Stresses darstellt.

MEDIENPRÄSENZ UND ÖFFENTLICHE WAHRNEHMUNG

Ein Beispiel für diese Herausforderungen war ein Vorfall, bei dem Sara während einer ihrer Kampagnen mit einer Welle von Hasskommentaren konfrontiert wurde. Diese negativen Erfahrungen führten zu einem Rückzug von sozialen Medien für einige Zeit, was die psychologischen Auswirkungen des Aktivismus verdeutlicht. Sara reflektierte später in einem Interview: „Es ist eine ständige Gratwanderung zwischen Sichtbarkeit und Sicherheit. Manchmal fühlt es sich an, als würde ich auf einem Drahtseil balancieren."

Die Rolle der Gemeinschaft

Soziale Medien sind nicht nur ein Werkzeug für Einzelpersonen, sondern auch ein Raum für Gemeinschaften. Sara nutzte ihre Plattformen, um Netzwerke zu schaffen und andere Aktivisten zu unterstützen. Sie organisierte virtuelle Treffen und Foren, die es Menschen ermöglichten, sich auszutauschen und voneinander zu lernen. Diese Form der Vernetzung ist entscheidend für den intersektionalen Aktivismus, da sie es ermöglicht, verschiedene Perspektiven zu integrieren und gemeinsam Lösungen zu erarbeiten.

Die Theorie des *kollektiven Handelns* besagt, dass soziale Medien es Gruppen ermöglichen, sich zu organisieren und gemeinsame Ziele zu verfolgen. Sara war ein lebendiges Beispiel dafür, wie diese Theorie in die Praxis umgesetzt werden kann. Ihre Online-Community wurde zu einem Ort des Austauschs, der Unterstützung und des Lernens.

Fazit

Zusammenfassend lässt sich sagen, dass die sozialen Medien eine zentrale Rolle in Saras Leben und ihrem Aktivismus gespielt haben. Sie ermöglichten es ihr, Sichtbarkeit zu erlangen, Menschen zu mobilisieren und Gemeinschaften zu bilden. Gleichzeitig brachte sie Herausforderungen mit sich, die Saras Resilienz und Entschlossenheit auf die Probe stellten.

Die sozialen Medien sind ein zweischneidiges Schwert, das sowohl Chancen als auch Risiken birgt. Für Sara und viele andere Aktivisten ist es jedoch ein unverzichtbares Werkzeug im Kampf für Gerechtigkeit und Gleichheit. Ihre Fähigkeit, mit Humor und Authentizität durch diese Plattformen zu navigieren, hat nicht nur ihre eigene Reise geprägt, sondern auch die der gesamten LGBTQ-Community in Kanada und darüber hinaus.

Kritiken und Herausforderungen durch die Medien

Die Medien spielen eine entscheidende Rolle im Aktivismus, sowohl als Plattform für Sichtbarkeit als auch als potenzielle Quelle für Kritik und Missverständnisse. Für Sara Bingham war die Medienpräsenz ein zweischneidiges Schwert, das sowohl Chancen als auch Herausforderungen mit sich brachte. In diesem Abschnitt werden wir die verschiedenen Arten von Kritiken und Herausforderungen, denen Sara in der Öffentlichkeit gegenüberstand, eingehend untersuchen.

Verzerrte Darstellungen

Ein häufiges Problem, dem LGBTQ-Aktivisten wie Sara begegnen, sind verzerrte Darstellungen in den Medien. Oftmals werden ihre Botschaften aus dem Kontext gerissen oder vereinfacht, was zu Missverständnissen führen kann. Ein Beispiel dafür war eine Berichterstattung über Saras Kampagne zur Verbesserung der Trans-Gesundheit, bei der die Medien ihre Forderungen auf eine bloße Forderung nach mehr medizinischen Leistungen reduzierten. Diese Reduktion ignorierte die komplexen sozialen und politischen Aspekte, die mit Trans-Gesundheit verbunden sind.

Sensationsjournalismus

Der Sensationsjournalismus ist ein weiteres Problem, das Sara und viele ihrer Mitstreiter*innen betrifft. Sensationslustige Berichterstattung neigt dazu, dramatische Elemente über die tatsächlichen Herausforderungen des Aktivismus zu stellen. Dies führte zu einer Reihe von Artikeln, die Saras persönliche Kämpfe übertrieben darstellten, um eine größere Leserschaft zu gewinnen. Solche Darstellungen können nicht nur Saras Ruf schädigen, sondern auch das öffentliche Verständnis für die LGBTQ-Community verzerren.

Kritiken von innerhalb der Community

Nicht nur die Mainstream-Medien, sondern auch Stimmen innerhalb der LGBTQ-Community können kritisch sein. Einige Aktivisten werfen Sara vor, nicht genügend für marginalisierte Gruppen innerhalb der Community zu tun. Diese internen Kritiken können besonders schmerzhaft sein, da sie oft von Menschen stammen, die ähnliche Ziele verfolgen. Sara musste lernen, mit diesen Kritiken umzugehen, indem sie den Dialog suchte und versuchte, die Bedenken ernst zu nehmen, ohne ihren eigenen Aktivismus in Frage zu stellen.

Der Druck der Sichtbarkeit

Mit der erhöhten Sichtbarkeit kommt auch ein enormer Druck. Sara fand sich oft in der Position wieder, dass sie als „Gesicht" der Trans-Gesundheit in den Medien fungierte. Diese Rolle kann erdrückend sein, da sie ständig die Erwartungen erfüllen muss, die an sie gestellt werden. Der Druck, authentisch zu sein, während man gleichzeitig die Erwartungen der Medien und der Community erfüllt, kann zu einem emotionalen Stress führen, der sich negativ auf Saras mentale Gesundheit auswirkt.

Falsche Informationen und Fake News

In der heutigen digitalen Welt ist die Verbreitung von Falschinformationen ein ernstes Problem. Sara sah sich mit einer Reihe von falschen Berichten konfrontiert, die ihre Ansichten und Aktivitäten verzerrten. Diese Falschinformationen können nicht nur Saras Ruf schädigen, sondern auch das Vertrauen der Öffentlichkeit in LGBTQ-Themen untergraben. Sara hat aktiv daran gearbeitet, diese Falschinformationen zu widerlegen, indem sie sich in sozialen Medien und auf öffentlichen Veranstaltungen klar und deutlich äußerte.

Die Rolle der sozialen Medien

Die sozialen Medien bieten sowohl eine Plattform für Aktivismus als auch ein Forum für Kritik. Sara nutzte Plattformen wie Twitter und Instagram, um ihre Botschaften zu verbreiten, sah sich jedoch auch mit Trollen und negativen Kommentaren konfrontiert. Diese negativen Rückmeldungen können entmutigend sein und einen Einfluss auf ihre öffentliche Wahrnehmung haben. Sara hat jedoch gelernt, diese Herausforderungen als Teil ihrer Arbeit zu akzeptieren und sich auf die positiven Rückmeldungen ihrer Unterstützer*innen zu konzentrieren.

Der Umgang mit Kritik

Sara hat verschiedene Strategien entwickelt, um mit der Kritik umzugehen. Sie betont die Wichtigkeit von Selbstfürsorge und sucht Unterstützung in ihrer Community. Zudem hat sie Workshops und Schulungen organisiert, um anderen Aktivisten zu helfen, den Umgang mit Medienkritik zu erlernen. Diese Initiativen fördern nicht nur das persönliche Wachstum, sondern stärken auch die Gemeinschaft insgesamt.

Fazit

Zusammenfassend lässt sich sagen, dass die Medien sowohl eine Herausforderung als auch eine Chance für Sara Bingham darstellen. Während sie oft mit verzerrten Darstellungen, Sensationsjournalismus und interner Kritik konfrontiert ist, nutzt sie diese Herausforderungen, um ihren Aktivismus zu stärken und die Sichtbarkeit der LGBTQ-Community zu fördern. Die Fähigkeit, konstruktiv mit Kritik umzugehen und sich auf die positiven Aspekte ihrer Arbeit zu konzentrieren, ist ein wesentlicher Bestandteil von Saras Erfolg als Aktivistin. Ihre Erfahrungen zeigen, dass die Medienlandschaft sowohl ein Werkzeug als auch ein Hindernis im Kampf für Gleichheit und Akzeptanz sein kann.

Sara als Vorbild für die nächste Generation

Sara Bingham ist nicht nur eine prominente Stimme in der LGBTQ-Bewegung, sondern auch ein leuchtendes Beispiel für die nächste Generation von Aktivisten. Ihre Reise, geprägt von Herausforderungen und Triumphen, bietet wertvolle Lektionen und Inspiration für junge Menschen, die sich für soziale Gerechtigkeit und die Rechte von Trans-Personen einsetzen möchten.

Die Bedeutung von Vorbildern

Vorbilder spielen eine entscheidende Rolle in der Entwicklung von Identität und Selbstbewusstsein, insbesondere in marginalisierten Gemeinschaften. Sara verkörpert die Eigenschaften, die viele junge Aktivisten anstreben: Mut, Entschlossenheit und Empathie. Ihre Fähigkeit, sich für die Rechte von Trans-Personen einzusetzen, während sie gleichzeitig ihre eigenen Kämpfe offenbart, ermutigt andere, ihre Stimme zu erheben und für sich selbst einzutreten.

Mentoring und Unterstützung

Sara hat sich aktiv dafür eingesetzt, junge Menschen in der LGBTQ-Community zu unterstützen. Durch Workshops, Vorträge und persönliche Mentoring-Programme gibt sie ihr Wissen und ihre Erfahrungen weiter. Diese direkte Unterstützung ist entscheidend, um jungen Aktivisten die Werkzeuge an die Hand zu geben, die sie benötigen, um ihre eigenen Initiativen zu starten. Ein Beispiel hierfür ist ihr Engagement in Schulen, wo sie mit Schülern spricht und ihnen hilft, ein besseres Verständnis für Geschlechtsidentität und Trans-Gesundheit zu entwickeln.

Die Kraft des Geschichtenerzählens

Ein weiterer wichtiger Aspekt von Saras Einfluss ist ihre Fähigkeit, Geschichten zu erzählen. In der Tradition von Aktivisten wie Marsha P. Johnson und Sylvia Rivera nutzt Sara das Geschichtenerzählen, um das Bewusstsein für die Herausforderungen, denen Trans-Personen gegenüberstehen, zu schärfen. Sie teilt ihre eigenen Erfahrungen mit Diskriminierung und Vorurteilen, was es der nächsten Generation ermöglicht, sich mit diesen Themen zu identifizieren und sie in ihren eigenen Kontexten zu betrachten.

Sichtbarkeit und Repräsentation

Sara hat auch die Bedeutung von Sichtbarkeit und Repräsentation in der Medienberichterstattung erkannt. Indem sie sich in verschiedenen Medienformaten präsentiert, sei es durch Interviews, Podcasts oder soziale Medien, trägt sie dazu bei, das Bild von Trans-Personen in der Öffentlichkeit zu verändern. Diese Sichtbarkeit ist entscheidend, um das Stigma abzubauen und das Verständnis für die Vielfalt innerhalb der LGBTQ-Community zu fördern. Junge Menschen, die Saras Geschichten sehen oder hören, können sich selbst in ihren Erfahrungen wiederfinden und ermutigt werden, ihre eigene Identität zu leben.

Herausforderungen und Resilienz

Trotz ihrer Erfolge hat Sara auch Rückschläge erlebt, die sie jedoch nicht entmutigt haben. Ihre Resilienz ist eine wichtige Lektion für die nächste Generation. Sie zeigt, dass Aktivismus oft mit Herausforderungen und Widerständen verbunden ist, aber dass es wichtig ist, durchzuhalten und sich nicht von Rückschlägen entmutigen zu lassen. Diese Botschaft ist besonders relevant in einer Zeit, in der viele junge Menschen mit Mobbing, Diskriminierung und sozialen Medien konfrontiert sind.

Ein Aufruf zum Handeln

Sara ermutigt die nächste Generation, aktiv zu werden und sich für die Rechte von Trans-Personen und anderen marginalisierten Gruppen einzusetzen. Sie betont, dass jeder Einzelne die Fähigkeit hat, einen Unterschied zu machen, sei es durch Freiwilligenarbeit, das Teilen von Informationen oder das Eintreten für Gleichheit in ihrem persönlichen Umfeld. Diese aktive Beteiligung ist entscheidend, um eine inklusivere Gesellschaft zu schaffen.

Fazit

Zusammenfassend lässt sich sagen, dass Sara Bingham als Vorbild für die nächste Generation von Aktivisten dient. Ihre Geschichten, ihr Engagement und ihre Resilienz sind inspirierend und lehrreich. Durch ihre Arbeit zeigt sie, dass es möglich ist, Veränderungen herbeizuführen und eine positive Wirkung auf das Leben anderer zu haben. Die nächste Generation hat die Möglichkeit, aus Saras Erfahrungen zu lernen und ihre eigene Stimme in der Bewegung für soziale Gerechtigkeit zu finden. In einer Welt, die oft von Vorurteilen und Diskriminierung geprägt ist, ist Saras Botschaft von Hoffnung und Handlungsfähigkeit ein wertvoller Leitfaden für alle, die für eine bessere Zukunft kämpfen.

Einfluss auf die LGBTQ-Community weltweit

Sara Bingham hat nicht nur in Kanada, sondern auch auf globaler Ebene einen erheblichen Einfluss auf die LGBTQ-Community ausgeübt. Ihr Aktivismus und ihre Bemühungen um die Verbesserung der Trans-Gesundheit haben Wellen geschlagen, die weit über die Grenzen Kanadas hinausreichen. In diesem Abschnitt betrachten wir, wie Saras Arbeit internationale Resonanz gefunden hat und welche theoretischen Ansätze und Herausforderungen dabei eine Rolle spielen.

Globale Vernetzung und Zusammenarbeit

Ein zentraler Aspekt von Saras Einfluss ist ihre Fähigkeit, Netzwerke zu schaffen und mit Aktivisten aus verschiedenen Ländern zusammenzuarbeiten. Durch internationale Konferenzen, Workshops und Online-Plattformen hat sie den Dialog zwischen LGBTQ-Aktivisten gefördert. Diese Vernetzung ist entscheidend, da viele LGBTQ-Personen weltweit mit ähnlichen Herausforderungen konfrontiert sind, darunter Diskriminierung, Gewalt und der Mangel an Zugang zu Gesundheitsdiensten.

Ein Beispiel für diese Zusammenarbeit ist die Teilnahme an der *International Transgender Day of Visibility*, wo Sara als Sprecherin auftrat und ihre Erfahrungen teilte. Solche Veranstaltungen ermöglichen es, eine globale Perspektive auf die Herausforderungen und Erfolge der LGBTQ-Community zu gewinnen. In diesem Zusammenhang können wir auch die *Theory of Globalization* heranziehen, die besagt, dass lokale Bewegungen durch globale Netzwerke gestärkt werden können. Sara hat diese Theorie in die Praxis umgesetzt, indem sie lokale Anliegen in einen globalen Kontext stellte.

Einfluss auf politische Entscheidungen

Sara Bingham hat sich aktiv an der Gestaltung von politischen Entscheidungen beteiligt, die nicht nur Kanada, sondern auch andere Länder betreffen. Durch ihre Arbeit in verschiedenen internationalen Organisationen, wie der *International Lesbian, Gay, Bisexual, Trans and Intersex Association (ILGA)*, hat sie dazu beigetragen, Richtlinien zu entwickeln, die die Rechte von LGBTQ-Personen weltweit fördern.

Ein Beispiel hierfür ist die *Yogyakarta-Prinzipien*, ein Dokument, das die Menschenrechte von LGBTQ-Personen auf internationaler Ebene beschreibt. Saras Engagement in der Entwicklung solcher Prinzipien zeigt, wie wichtig es ist, dass lokale Aktivisten ihre Stimme in globalen Foren erheben. Diese Prinzipien bieten einen rechtlichen Rahmen, der LGBTQ-Personen in verschiedenen Ländern Schutz und Unterstützung bieten kann.

Herausforderungen und Widerstände

Trotz des positiven Einflusses, den Sara auf die globale LGBTQ-Community hat, gibt es auch erhebliche Herausforderungen. In vielen Ländern sind LGBTQ-Personen nach wie vor mit extremer Diskriminierung und Gewalt konfrontiert. Die *Social Identity Theory* erklärt, dass Menschen oft in Gruppen denken und handeln, was zu Vorurteilen und Diskriminierung führen kann. Diese Theorie ist besonders relevant, wenn wir die Widerstände betrachten, mit denen Sara und andere Aktivisten konfrontiert sind.

Ein Beispiel für diese Herausforderungen ist die Situation in Ländern wie Russland oder Ungarn, wo LGBTQ-Rechte stark eingeschränkt sind. Sara hat in ihren Reden und Schriften häufig auf die Notwendigkeit hingewiesen, internationale Solidarität zu zeigen und Druck auf Regierungen auszuüben, die diskriminierende Gesetze erlassen. Ihre Strategien beinhalten die Nutzung von sozialen Medien, um das Bewusstsein zu schärfen und internationale Unterstützung zu mobilisieren.

Beispiele für globalen Einfluss

Sara Bingham hat durch ihre Arbeit in verschiedenen Projekten und Initiativen konkrete Beispiele für ihren Einfluss auf die globale LGBTQ-Community geschaffen. Eines dieser Projekte ist die *Trans Health Initiative*, die sich darauf konzentriert, den Zugang zu Gesundheitsdiensten für Trans-Personen weltweit zu verbessern. Diese Initiative hat nicht nur in Kanada, sondern auch in Ländern wie Südafrika und Brasilien großen Anklang gefunden.

Durch die Veröffentlichung von Berichten und Studien zu Trans-Gesundheit hat Sara auch dazu beigetragen, das Bewusstsein für die spezifischen Bedürfnisse von Trans-Personen zu schärfen. Diese Berichte werden von Organisationen weltweit genutzt, um politische Veränderungen herbeizuführen und Ressourcen bereitzustellen.

Zukunftsperspektiven

Der Einfluss von Sara Bingham auf die LGBTQ-Community weltweit ist unbestreitbar, aber es bleibt noch viel zu tun. Die Herausforderungen, mit denen LGBTQ-Personen konfrontiert sind, sind vielfältig und erfordern weiterhin Engagement und Zusammenarbeit auf globaler Ebene. Saras Vision für die Zukunft beinhaltet eine stärkere intersektionale Herangehensweise, die verschiedene Identitäten und Erfahrungen berücksichtigt.

In Anbetracht der *Intersectionality Theory* ist es wichtig, dass Aktivisten die verschiedenen Dimensionen von Diskriminierung verstehen und ansprechen. Dies bedeutet, dass der Aktivismus nicht nur auf Geschlechtsidentität und sexuelle Orientierung beschränkt sein sollte, sondern auch andere Faktoren wie Rasse, Klasse und Behinderung einbeziehen muss.

Zusammenfassend lässt sich sagen, dass Sara Bingham durch ihren unermüdlichen Einsatz und ihre innovative Herangehensweise an den Aktivismus einen bedeutenden Einfluss auf die LGBTQ-Community weltweit ausgeübt hat. Ihre Fähigkeit, Netzwerke zu schaffen, politische Entscheidungen zu beeinflussen und Herausforderungen zu meistern, macht sie zu einer wichtigen Stimme in der globalen Bewegung für LGBTQ-Rechte. Die Zukunft des Aktivismus liegt in der Zusammenarbeit und dem Verständnis für die vielfältigen Erfahrungen innerhalb der Community, und Sara ist eine treibende Kraft in diesem Prozess.

Die Balance zwischen Privatleben und Öffentlichkeit

Die Balance zwischen Privatleben und Öffentlichkeit ist für Aktivisten wie Sara Bingham eine ständige Herausforderung. In einer Welt, in der soziale Medien und öffentliche Auftritte unvermeidlich sind, stellt sich die Frage, wie viel von sich selbst man bereit ist, preiszugeben, ohne die eigene Identität und das persönliche Wohlbefinden zu gefährden.

Die Bedeutung der Privatsphäre

Die Privatsphäre ist ein grundlegendes Menschenrecht, das es Individuen ermöglicht, ihre persönlichen Informationen und Erfahrungen zu kontrollieren.

MEDIENPRÄSENZ UND ÖFFENTLICHE WAHRNEHMUNG

Für Aktivisten ist es jedoch oft schwierig, diese Privatsphäre zu wahren, da ihre Arbeit häufig im Rampenlicht steht. Sara Bingham hat in Interviews betont, dass sie sich manchmal wie ein „öffentlicher Besitz" fühlt, was den Druck erhöht, ständig eine bestimmte Persona aufrechtzuerhalten.

Ein zentraler Aspekt dieser Diskussion ist die Theorie des *Selbstmanagements* (self-management theory), die besagt, dass Individuen ihre Identität und ihr Verhalten in verschiedenen sozialen Kontexten steuern. Aktivisten müssen oft zwischen ihrer Rolle als öffentliche Figur und ihrem privaten Selbst navigieren. Diese Dualität kann zu inneren Konflikten führen, insbesondere wenn persönliche Überzeugungen und öffentliche Erwartungen nicht übereinstimmen.

Herausforderungen im Aktivismus

Eine der größten Herausforderungen, mit denen Sara und andere Aktivisten konfrontiert sind, ist der Druck, authentisch zu sein. In einer Zeit, in der soziale Medien eine Plattform für die persönliche und politische Meinungsäußerung bieten, werden Aktivisten oft dazu gedrängt, ihre tiefsten Erfahrungen und Herausforderungen zu teilen. Dies kann sowohl ermutigend als auch belastend sein.

Ein Beispiel hierfür ist die Diskussion über mentale Gesundheit innerhalb der LGBTQ-Community. Während Sara offen über ihre eigenen Kämpfe mit Angst und Depression spricht, ist dies nicht immer einfach. Der öffentliche Diskurs kann sowohl unterstützend als auch schädlich sein, wenn er von Vorurteilen und Missverständnissen geprägt ist.

Strategien zur Wahrung der Balance

Um diese Herausforderungen zu bewältigen, hat Sara verschiedene Strategien entwickelt, um ihre Privatsphäre zu schützen und gleichzeitig ihre Botschaft zu verbreiten. Dazu gehören:

- **Grenzen setzen:** Sara hat klare Grenzen definiert, was sie bereit ist, in der Öffentlichkeit zu teilen. Diese Grenzen helfen ihr, ihre persönliche Integrität zu wahren und ihre mentale Gesundheit zu schützen.

- **Selbstfürsorge:** Die Praxis der Selbstfürsorge ist für Sara von zentraler Bedeutung. Sie nutzt Meditation, Therapie und kreative Ausdrucksformen, um sich von den Belastungen des Aktivismus zu erholen.

- **Unterstützungssysteme:** Sara hat ein starkes Netzwerk von Freunden und Mitstreitern, die sie unterstützen. Diese Gemeinschaft bietet nicht nur emotionale Unterstützung, sondern auch einen Raum, in dem sie ihre Gedanken und Gefühle ohne Urteil teilen kann.

+ **Medienkompetenz:** Sara hat gelernt, mit den Medien umzugehen, indem sie sich auf positive Berichterstattung konzentriert und sich von negativer Kritik nicht entmutigen lässt. Sie nutzt soziale Medien, um ihre Botschaften zu verbreiten, ohne sich von der öffentlichen Meinung leiten zu lassen.

Die Rolle von Humor

Ein weiteres Werkzeug, das Sara in ihrer Arbeit nutzt, ist Humor. In einem oft ernsten und herausfordernden Bereich wie dem Aktivismus kann Humor eine wichtige Rolle spielen, um Spannungen abzubauen und eine Verbindung zu ihrem Publikum herzustellen. Sara hat festgestellt, dass Lachen nicht nur eine Möglichkeit ist, schwierige Themen anzusprechen, sondern auch eine Methode, um sich selbst zu schützen.

Ein Beispiel hierfür ist ihre Teilnahme an einer Podiumsdiskussion, in der sie über die Herausforderungen des Aktivismus sprach. Sie brachte humorvolle Anekdoten ein, die es dem Publikum ermöglichten, sich mit ihr zu identifizieren, während sie gleichzeitig ernsthafte Themen ansprach. Diese Fähigkeit, Humor zu verwenden, schafft eine Balance, die es ihr ermöglicht, sowohl authentisch als auch zugänglich zu sein.

Fazit

Die Balance zwischen Privatleben und Öffentlichkeit ist ein dynamisches Spannungsfeld, in dem Aktivisten wie Sara Bingham ständig navigieren müssen. Es erfordert Mut, sich in der Öffentlichkeit zu zeigen und gleichzeitig die eigenen Grenzen zu wahren. Durch die Entwicklung von Strategien zur Selbstfürsorge, das Setzen von Grenzen und die Nutzung von Humor gelingt es Sara, ihre Stimme zu erheben und gleichzeitig ihre persönliche Integrität zu bewahren.

In einer Zeit, in der Sichtbarkeit und Repräsentation für die LGBTQ-Community von entscheidender Bedeutung sind, bleibt die Frage, wie viel von sich selbst man bereit ist, zu teilen, eine individuelle Entscheidung, die jeder Aktivist für sich selbst treffen muss. Sara Bingham ist ein Beispiel dafür, wie man in der Öffentlichkeit stark und verletzlich zugleich sein kann, und wie man die eigene Geschichte erzählt, ohne sich selbst zu verlieren.

Saras Engagement für andere Aktivisten

Sara Bingham ist nicht nur eine leidenschaftliche Verfechterin der Trans-Gesundheit, sondern auch eine Mentorin und Unterstützerin für andere Aktivisten innerhalb der LGBTQ-Community. Ihr Engagement für andere Aktivisten ist ein zentraler Bestandteil ihres Aktivismus und spiegelt ihre Überzeugung wider, dass kollektive Anstrengungen notwendig sind, um nachhaltige Veränderungen zu bewirken.

Die Bedeutung von Mentorship

Mentorship spielt eine entscheidende Rolle im Aktivismus. Sara hat erkannt, dass viele junge Aktivisten, die neu in der Bewegung sind, oft mit Unsicherheiten und Herausforderungen konfrontiert werden. Sie bietet nicht nur ihre Zeit an, um diesen aufstrebenden Stimmen zuzuhören, sondern auch ihre Erfahrung und ihr Wissen. Durch persönliche Gespräche und Workshops hat sie vielen geholfen, ihre eigenen Stimmen zu finden und sich in der komplexen Landschaft des Aktivismus zurechtzufinden.

Ein Beispiel für Saras Mentorship ist ihre Zusammenarbeit mit einer Gruppe von Trans-Jugendlichen, die sich mit Fragen der Identität und Sichtbarkeit auseinandersetzten. Sara organisierte regelmäßige Treffen, bei denen die Jugendlichen ihre Erfahrungen teilen konnten. Diese Treffen förderten nicht nur das Vertrauen untereinander, sondern halfen auch, strategische Ansätze für ihre Anliegen zu entwickeln.

Ressourcen und Unterstützung

Sara hat auch aktiv Ressourcen für andere Aktivisten bereitgestellt. Sie hat eine Reihe von Online-Plattformen und sozialen Medien genutzt, um Informationen über finanzielle Unterstützung, rechtliche Ressourcen und Zugang zu psychologischer Hilfe zu verbreiten. Diese Informationen sind für viele Aktivisten von entscheidender Bedeutung, insbesondere für diejenigen, die in ländlichen oder weniger unterstützenden Umgebungen leben.

Ein konkretes Beispiel ist ihre Initiative zur Schaffung eines Online-Netzwerks, das es Aktivisten ermöglicht, sich miteinander zu vernetzen und Ressourcen auszutauschen. Dieses Netzwerk hat sich als unschätzbar wertvoll erwiesen, insbesondere während der COVID-19-Pandemie, als viele persönliche Treffen und Veranstaltungen abgesagt wurden.

Kollaboration und Solidarität

Sara betont die Bedeutung von Zusammenarbeit und Solidarität innerhalb der LGBTQ-Community. Sie hat zahlreiche Kampagnen initiiert, die darauf abzielen, verschiedene Gruppen innerhalb der Community zusammenzubringen. Ein Beispiel dafür ist die jährliche „Pride for All"-Veranstaltung, bei der Aktivisten aus verschiedenen Bereichen zusammenkommen, um ihre Anliegen zu teilen und sich gegenseitig zu unterstützen.

Diese Veranstaltungen bieten nicht nur eine Plattform für den Austausch von Ideen, sondern fördern auch den intersektionalen Aktivismus, der für die LGBTQ-Community von entscheidender Bedeutung ist. Sara hat oft betont, dass der Erfolg des Aktivismus von der Fähigkeit abhängt, Brücken zwischen verschiedenen Identitäten und Anliegen zu bauen.

Herausforderungen im Engagement

Trotz ihres Engagements für andere Aktivisten steht Sara auch vor Herausforderungen. Der Druck, ständig sichtbar zu sein und sich für andere einzusetzen, kann überwältigend sein. Sie hat offen über ihre eigenen Kämpfe mit Burnout und der Notwendigkeit von Selbstfürsorge gesprochen. Diese Herausforderungen sind nicht nur für sie, sondern auch für viele andere Aktivisten real.

Sara hat Strategien entwickelt, um diesen Herausforderungen zu begegnen. Dazu gehört die Schaffung von sicheren Räumen, in denen Aktivisten ihre Sorgen und Ängste teilen können, sowie die Förderung von Selbstfürsorge-Praktiken innerhalb der Community. Sie ermutigt andere, sich Zeit für sich selbst zu nehmen und sich nicht nur auf den Aktivismus zu konzentrieren, sondern auch auf ihr persönliches Wohlbefinden.

Auswirkungen von Saras Engagement

Das Engagement von Sara für andere Aktivisten hat weitreichende Auswirkungen auf die LGBTQ-Community. Durch ihre Mentorship und Unterstützung hat sie nicht nur das Vertrauen in aufstrebende Stimmen gestärkt, sondern auch eine Kultur des gegenseitigen Respekts und der Zusammenarbeit gefördert. Ihre Arbeit hat dazu beigetragen, dass viele junge Aktivisten sich ermutigt fühlen, ihre eigenen Geschichten zu erzählen und sich aktiv für Veränderungen einzusetzen.

Insgesamt zeigt Saras Engagement für andere Aktivisten, dass Aktivismus nicht nur eine individuelle Anstrengung ist, sondern eine kollektive Bewegung, die auf Unterstützung, Solidarität und Gemeinschaft basiert. Ihre Überzeugung, dass jeder

Einzelne einen Beitrag leisten kann, hat nicht nur ihr eigenes Leben, sondern auch das Leben vieler anderer positiv beeinflusst.

Fazit

Saras Engagement für andere Aktivisten ist ein leuchtendes Beispiel für die Kraft des Aktivismus, der auf Gemeinschaft und Unterstützung basiert. Durch ihre Mentorship, die Bereitstellung von Ressourcen und die Förderung von Zusammenarbeit hat sie eine positive und nachhaltige Wirkung auf die LGBTQ-Community erzielt. Ihr Ansatz erinnert uns daran, dass wir gemeinsam stärker sind und dass der Weg zu Veränderungen oft durch die Unterstützung anderer geebnet wird.

Der Umgang mit Ruhm und Verantwortung

Sara Bingham ist nicht nur eine prominente Stimme im Bereich der Trans-Gesundheit, sondern auch ein Symbol für den Aktivismus in der LGBTQ-Community. Mit dem Aufstieg ihrer Bekanntheit kommt jedoch auch eine Vielzahl von Herausforderungen, die mit Ruhm und Verantwortung verbunden sind. In diesem Abschnitt werden wir untersuchen, wie Sara mit diesen Herausforderungen umgeht und welche Strategien sie entwickelt hat, um sowohl ihrer öffentlichen Rolle als auch ihrer persönlichen Integrität gerecht zu werden.

Die Last der Sichtbarkeit

Ruhm bringt eine erhöhte Sichtbarkeit mit sich, die sowohl Vor- als auch Nachteile hat. Einerseits ermöglicht es Sara, wichtige Themen in den Vordergrund zu rücken und auf Missstände aufmerksam zu machen. Andererseits ist die ständige Aufmerksamkeit der Medien und der Öffentlichkeit eine enorme Belastung. Ein Beispiel dafür ist der Druck, in sozialen Medien ständig präsent zu sein. Sara hat in Interviews oft betont, dass die Erwartung, immer „on" zu sein, zu einem Gefühl der Erschöpfung führen kann. Diese Erschöpfung, auch als *Burnout* bezeichnet, ist ein weit verbreitetes Phänomen unter Aktivisten, die in der Öffentlichkeit stehen.

Verantwortung gegenüber der Community

Mit Ruhm kommt auch eine Verantwortung gegenüber der Community, die Sara nicht auf die leichte Schulter nimmt. Sie ist sich bewusst, dass ihre Worte und Taten weitreichende Auswirkungen haben können. Dies zeigt sich in ihrer sorgfältigen Auswahl der Themen, die sie anspricht, und der Art und Weise, wie sie ihre Plattform nutzt. Sara hat beispielsweise entschieden, sich aktiv gegen Diskriminierung und Vorurteile zu positionieren, auch wenn dies manchmal zu Kontroversen führt.

Ein bemerkenswertes Beispiel ist ihre Teilnahme an einer Kampagne, die sich gegen die Stigmatisierung von Trans-Personen in den Medien richtete. Sara sprach offen über ihre eigenen Erfahrungen und die Herausforderungen, denen sich viele Trans-Personen gegenübersehen. Diese Authentizität hat nicht nur ihre Glaubwürdigkeit gestärkt, sondern auch anderen Mut gemacht, ihre eigenen Geschichten zu teilen.

Die Balance zwischen Privatleben und Öffentlichkeit

Eine der größten Herausforderungen für Sara ist die Balance zwischen ihrem Privatleben und ihrer öffentlichen Persona. Der Druck, ständig als Vorbild zu agieren, kann dazu führen, dass persönliche Bedürfnisse und Wünsche in den Hintergrund gedrängt werden. Sara hat Strategien entwickelt, um diese Balance zu wahren. Dazu gehört die bewusste Entscheidung, bestimmte Aspekte ihres Lebens privat zu halten, um sich vor dem ständigen Blick der Öffentlichkeit zu schützen.

Ein Beispiel für diese Strategie ist ihr Umgang mit sozialen Medien. Sara hat entschieden, ihre Plattform nicht nur für Aktivismus zu nutzen, sondern auch für persönliche Reflexionen und kreative Ausdrucksformen. Dies ermöglicht es ihr, sich mit ihrer Community zu verbinden, ohne ihre Privatsphäre vollständig aufzugeben.

Die Rolle von Mentoren und Unterstützungssystemen

Sara hat betont, wie wichtig es ist, ein starkes Unterstützungssystem zu haben. Mentoren und Gleichgesinnte spielen eine entscheidende Rolle in ihrem Leben, indem sie sowohl emotionale Unterstützung bieten als auch hilfreiche Ratschläge geben. Diese Netzwerke sind besonders wichtig, um mit den Herausforderungen des Ruhms umzugehen.

Ein Beispiel für solch eine Unterstützung ist ihre Zusammenarbeit mit anderen Aktivisten, die ähnliche Erfahrungen gemacht haben. Durch den Austausch von Strategien und Ressourcen können sie sich gegenseitig stärken und ermutigen. Diese Gemeinschaftsbildung ist ein wesentlicher Bestandteil von Saras Ansatz zur Bewältigung der Herausforderungen, die mit Ruhm und Verantwortung einhergehen.

Reflexion und persönliche Entwicklung

Ein weiterer wichtiger Aspekt im Umgang mit Ruhm ist die Reflexion über persönliche Werte und Ziele. Sara hat in verschiedenen Interviews betont, dass sie regelmäßig innehalten muss, um ihre Prioritäten zu überprüfen und sicherzustellen, dass sie im Einklang mit ihren Überzeugungen handelt. Diese Reflexion hilft ihr, sich auf das Wesentliche zu konzentrieren und ihre Energie auf die Themen zu lenken, die ihr am Herzen liegen.

Ein Beispiel für diese Reflexion ist ihre Entscheidung, sich auf intersektionalen Aktivismus zu konzentrieren. Sara erkennt, dass die Herausforderungen, mit denen Trans-Personen konfrontiert sind, oft auch von anderen Faktoren wie Rasse, Klasse und Geschlecht beeinflusst werden. Diese Erkenntnis hat sie dazu veranlasst, ihre Arbeit zu diversifizieren und sich auch für die Rechte anderer marginalisierter Gruppen einzusetzen.

Die Herausforderung, ein Vorbild zu sein

Schließlich ist es für Sara eine ständige Herausforderung, als Vorbild zu agieren. Der Druck, immer die „richtige" Entscheidung zu treffen und andere nicht zu enttäuschen, kann überwältigend sein. Sara hat jedoch gelernt, dass es in Ordnung ist, Fehler zu machen und dass diese Fehler Teil des Lernprozesses sind. Sie ermutigt andere, ihre eigenen Fehler zu akzeptieren und daraus zu lernen, anstatt sich von ihnen entmutigen zu lassen.

In ihren öffentlichen Auftritten spricht Sara oft darüber, wie wichtig es ist, authentisch zu sein und sich nicht hinter einer perfekten Fassade zu verstecken. Diese Offenheit hat ihr nicht nur geholfen, eine tiefere Verbindung zu ihrer Community aufzubauen, sondern auch anderen gezeigt, dass es in Ordnung ist, unvollkommen zu sein.

Fazit

Insgesamt zeigt Saras Umgang mit Ruhm und Verantwortung, dass es keine einfache Lösung gibt. Es erfordert eine ständige Auseinandersetzung mit den eigenen Werten, die Bereitschaft zur Reflexion und die Unterstützung durch eine starke Gemeinschaft. Sara Bingham ist ein leuchtendes Beispiel dafür, wie man trotz der Herausforderungen, die mit Ruhm einhergehen, authentisch und engagiert bleiben kann. Ihre Fähigkeit, Humor und Verletzlichkeit in ihren Aktivismus zu integrieren, macht sie zu einer inspirierenden Figur für viele, die sich für die Rechte von LGBTQ-Personen einsetzen.

Herausforderungen und Rückschläge

Die dunklen Seiten des Aktivismus

Diskriminierung und Vorurteile

Diskriminierung und Vorurteile sind zentrale Herausforderungen, mit denen LGBTQ-Aktivisten, insbesondere Trans-Aktivisten wie Sara Bingham, konfrontiert sind. Diese Probleme manifestieren sich in verschiedenen Formen und haben tiefgreifende Auswirkungen auf das Leben von Individuen und Gemeinschaften. In diesem Abschnitt werden wir die verschiedenen Facetten von Diskriminierung und Vorurteilen untersuchen, die theoretischen Grundlagen betrachten und spezifische Beispiele aus Saras Leben und der breiteren LGBTQ-Gemeinschaft anführen.

Theoretische Grundlagen

Diskriminierung bezieht sich auf die ungerechtfertigte Behandlung von Individuen aufgrund ihrer Zugehörigkeit zu einer bestimmten Gruppe. Vorurteile hingegen sind vorgefasste Meinungen oder Einstellungen, die oft auf Stereotypen basieren. Die soziale Identitätstheorie von Henri Tajfel und John Turner (1979) bietet einen Rahmen, um zu verstehen, wie Gruppenzugehörigkeiten das Verhalten gegenüber anderen beeinflussen. Diese Theorie besagt, dass Menschen ihre Identität stark durch die Gruppen definieren, denen sie angehören, und dass sie dazu neigen, ihre eigene Gruppe (In-Group) zu bevorzugen und andere Gruppen (Out-Group) abzuwerten.

Die Diskriminierung kann in verschiedenen Formen auftreten, einschließlich, aber nicht beschränkt auf:

- **Direkte Diskriminierung:** Offensichtliche Benachteiligung aufgrund von Geschlechtsidentität oder sexueller Orientierung.

- **Indirekte Diskriminierung:** Praktiken oder Richtlinien, die zwar neutral erscheinen, aber bestimmte Gruppen benachteiligen.

- **Strukturelle Diskriminierung:** Eingebettete Ungleichheiten in sozialen, politischen oder wirtschaftlichen Systemen.

Probleme und Herausforderungen

Die Diskriminierung gegen Trans-Personen ist in vielen Gesellschaften weit verbreitet. Eine Studie von McLemore (2018) zeigt, dass Trans-Personen häufig mit Gewalt, Belästigung und Diskriminierung im Gesundheitswesen konfrontiert sind. Diese Erfahrungen können zu ernsthaften psychischen und physischen Gesundheitsproblemen führen, einschließlich:

- **Depression und Angst:** Trans-Personen berichten häufig von höheren Raten psychischer Erkrankungen aufgrund von Diskriminierung.

- **Zugang zu Gesundheitsdiensten:** Viele Trans-Personen haben Schwierigkeiten, angemessene medizinische Versorgung zu erhalten, was zu einer schlechteren Gesundheitsversorgung führt.

- **Wirtschaftliche Benachteiligung:** Diskriminierung am Arbeitsplatz führt oft zu Arbeitslosigkeit oder Unterbeschäftigung.

Sara Bingham hat in ihrem eigenen Leben erfahren, wie Diskriminierung sich auf die persönliche und berufliche Entwicklung auswirken kann. In ihrer Jugend erlebte sie Mobbing in der Schule, was zu einem Gefühl der Isolation führte. Diese Erfahrungen sind nicht einzigartig; viele Trans-Personen berichten von ähnlichen Erlebnissen, die ihre Selbstakzeptanz und ihr Selbstwertgefühl beeinträchtigen.

Beispiele aus Saras Leben

Ein konkretes Beispiel für Diskriminierung, das Sara Bingham erlebt hat, war während ihrer Studienzeit an der Universität. Trotz ihrer akademischen Leistungen wurde sie aufgrund ihrer Geschlechtsidentität von Kommilitonen und sogar von einigen Lehrkräften nicht ernst genommen. Diese Erfahrungen führten dazu, dass sie sich entschloss, aktiv zu werden und für die Rechte von Trans-Personen zu kämpfen. Sie gründete eine Unterstützungsgruppe für

Trans-Studierende, um anderen zu helfen, ähnliche Erfahrungen zu überwinden und ein Gefühl der Gemeinschaft zu schaffen.

Ein weiteres Beispiel ist Saras Engagement im Gesundheitsbereich. Sie hat oft über die Schwierigkeiten gesprochen, die sie bei der Suche nach angemessener medizinischer Versorgung hatte. Ärzte und Fachkräfte waren nicht immer informierte oder respektvolle, was zu einem Gefühl der Entmutigung führte. Diese Erfahrungen motivierten sie, Aufklärungskampagnen zu starten, um das Bewusstsein für die spezifischen Bedürfnisse von Trans-Personen im Gesundheitswesen zu schärfen.

Die Rolle von Humor im Aktivismus

Inmitten der Herausforderungen, die Diskriminierung mit sich bringt, hat Sara auch den Humor als ein wichtiges Werkzeug im Aktivismus entdeckt. Humor kann eine Möglichkeit sein, schmerzhafte Erfahrungen zu verarbeiten und gleichzeitig eine Verbindung zu anderen herzustellen. In ihren öffentlichen Auftritten und sozialen Medien nutzt sie oft humorvolle Anekdoten, um ernsthafte Themen anzusprechen und das Publikum zum Nachdenken anzuregen. Diese Herangehensweise hat nicht nur dazu beigetragen, das Bewusstsein für Diskriminierung zu schärfen, sondern auch dazu, eine positive und unterstützende Gemeinschaft zu fördern.

Fazit

Diskriminierung und Vorurteile sind tief verwurzelte Probleme, die das Leben von Trans-Personen erheblich beeinflussen. Die Erfahrungen von Sara Bingham verdeutlichen die Notwendigkeit, diese Themen offen zu diskutieren und aktiv gegen sie vorzugehen. Durch Bildung, Aufklärung und die Nutzung von Humor im Aktivismus können wir dazu beitragen, eine inklusivere und gerechtere Gesellschaft zu schaffen. Saras Geschichte ist ein Beispiel für den Widerstand gegen Diskriminierung und die Kraft des Aktivismus, um positive Veränderungen zu bewirken. Indem wir die Herausforderungen anerkennen und gleichzeitig die Erfolge feiern, können wir auf eine Zukunft hinarbeiten, in der jeder Mensch, unabhängig von Geschlechtsidentität oder sexueller Orientierung, respektiert und akzeptiert wird.

Persönliche Verluste und Trauer

Persönliche Verluste und Trauer sind oft unausweichliche Begleiter im Leben eines Aktivisten, insbesondere im Bereich des LGBTQ-Aktivismus. Für Sara Bingham war der Umgang mit Verlusten nicht nur eine persönliche Herausforderung, sondern auch eine Quelle von Motivation und Antrieb für ihre Arbeit. Diese Erfahrungen prägten ihre Perspektiven und Strategien im Aktivismus und halfen ihr, eine tiefere Verbindung zu den Gemeinschaften herzustellen, die sie vertrat.

Die Auswirkungen von Verlusten

Der Verlust eines geliebten Menschen kann zu einer Vielzahl von emotionalen und psychologischen Herausforderungen führen. Trauer ist ein komplexer Prozess, der oft in mehreren Phasen verläuft, wie von Elisabeth Kübler-Ross in ihrem Modell beschrieben:

- **Leugnung:** Zu Beginn kann es schwer sein, die Realität des Verlusts zu akzeptieren.
- **Zorn:** Gefühle der Wut können aufkommen, sowohl gegen die Umstände als auch gegen sich selbst.
- **Verhandlung:** In dieser Phase versuchen viele Menschen, durch Gedankenspiele und hypothetische Szenarien einen Sinn in ihrem Verlust zu finden.
- **Depression:** Eine tiefe Traurigkeit kann sich einstellen, die oft mit einem Gefühl der Isolation einhergeht.
- **Akzeptanz:** Schließlich kommt es zu einer Phase, in der der Verlust akzeptiert wird und ein neuer Weg gefunden wird, mit der Trauer umzugehen.

Sara Bingham erlebte mehrere persönliche Verluste, die ihre Sichtweise auf den Aktivismus beeinflussten. Der Tod eines engen Freundes, der aufgrund von Diskriminierung und mangelnder Unterstützung in der Gesundheitsversorgung starb, war ein einschneidendes Ereignis in ihrem Leben. Diese Erfahrung führte sie dazu, sich intensiver mit den Themen Trans-Gesundheit und den Herausforderungen, denen Trans-Personen gegenüberstehen, auseinanderzusetzen.

Trauer als Antrieb für Aktivismus

Die Trauer um den Verlust eines Freundes oder Familienmitglieds kann paradoxerweise als Katalysator für Aktivismus dienen. Sara nutzte ihren Schmerz,

DIE DUNKLEN SEITEN DES AKTIVISMUS 121

um andere zu mobilisieren und auf die Missstände im Gesundheitswesen aufmerksam zu machen. Sie erkannte, dass die Geschichten der Verstorbenen nicht in Vergessenheit geraten sollten und dass es ihre Pflicht war, für eine bessere Zukunft zu kämpfen.

Ein Beispiel für Saras Engagement nach dem Verlust war die Gründung einer Unterstützungsgruppe für Angehörige von Trans-Personen, die ähnliche Erfahrungen gemacht hatten. Diese Gruppe bot nicht nur einen Raum für Trauer und Austausch, sondern auch eine Plattform, um gemeinsam für Veränderungen zu kämpfen. Sara stellte fest, dass die gemeinsame Trauer eine starke Bindung zwischen den Mitgliedern der Gruppe schuf und sie motivierte, ihre Stimmen zu erheben.

Strategien zum Umgang mit Trauer

Um mit ihrer Trauer umzugehen, entwickelte Sara verschiedene Strategien, die ihr halfen, sowohl ihre persönlichen als auch ihre beruflichen Herausforderungen zu bewältigen:

- **Selbstfürsorge:** Sara erkannte die Bedeutung von Selbstfürsorge und integrierte regelmäßige Pausen in ihren Aktivismus. Sie fand Trost in der Natur, Meditation und kreativen Ausdrucksformen wie dem Schreiben.

- **Gemeinschaft:** Der Austausch mit Gleichgesinnten und das Finden von Unterstützung in der LGBTQ-Community waren entscheidend für Saras Heilungsprozess. Sie ermutigte andere, ihre Geschichten zu teilen und gemeinsam zu trauern.

- **Humor:** Sara entdeckte, dass Humor eine mächtige Waffe im Umgang mit Trauer sein kann. Indem sie schwierige Themen mit einem Augenzwinkern ansprach, konnte sie nicht nur ihre eigene Last erleichtern, sondern auch anderen helfen, sich mit ihren eigenen Erfahrungen auseinanderzusetzen.

Reflexion über Verluste

In ihren öffentlichen Reden und Interviews sprach Sara oft über die Bedeutung von Verlusten im Aktivismus. Sie betonte, dass Trauer nicht nur eine individuelle Erfahrung ist, sondern auch eine kollektive. Die LGBTQ-Community hat viele Verluste erlitten, sei es durch Gewalt, Diskriminierung oder gesundheitliche Herausforderungen. Sara forderte ihre Zuhörer auf, diese Verluste nicht zu ignorieren, sondern sie als Teil der gemeinsamen Geschichte und des Kampfes für Gleichheit und Gerechtigkeit zu akzeptieren.

„Wir müssen die Geschichten derjenigen, die wir verloren haben, weitertragen. Ihre Kämpfe sind nicht umsonst, solange wir für sie kämpfen." – Sara Bingham

Zusammenfassend lässt sich sagen, dass persönliche Verluste und Trauer für Sara Bingham sowohl eine Herausforderung als auch eine Quelle der Inspiration waren. Sie ermutigte andere, ihre Trauer zuzulassen und sie als Antrieb für positiven Wandel zu nutzen. In einer Welt, die oft von Schmerz und Ungerechtigkeit geprägt ist, bleibt Saras Botschaft klar: Der Kampf um die Rechte der LGBTQ-Community ist nicht nur ein politischer, sondern auch ein zutiefst persönlicher. Die Auseinandersetzung mit Verlusten und Trauer kann letztendlich zu einer stärkeren Gemeinschaft und einem effektiveren Aktivismus führen.

Der Einfluss von Mobbing und Cyberbullying

Mobbing und Cyberbullying sind zwei Phänomene, die in der heutigen digitalen Ära zunehmend an Bedeutung gewinnen und besonders für LGBTQ-Personen, wie Sara Bingham, erhebliche Auswirkungen haben können. Diese Formen der Belästigung sind nicht nur emotional belastend, sondern können auch langfristige psychische und physische Folgen haben.

Definitionen und Formen

Mobbing wird allgemein als wiederholte, absichtliche Aggression gegenüber einer Person verstanden, die in einer schwächeren Position ist. Es kann in verschiedenen Formen auftreten, einschließlich physischer Gewalt, verbaler Angriffe und sozialer Isolation. Cyberbullying hingegen bezieht sich auf Belästigungen, die über digitale Plattformen, wie soziale Medien, E-Mails oder Messaging-Dienste, stattfinden. Diese Art von Mobbing hat die Möglichkeit, sich in einem viel größeren Rahmen zu verbreiten, da Informationen schnell und anonym geteilt werden können.

Theoretische Grundlagen

Die Auswirkungen von Mobbing und Cyberbullying können durch verschiedene psychologische Theorien erklärt werden. Eine davon ist die **Theorie der sozialen Identität**, die besagt, dass Menschen ihre Identität oft in Bezug auf soziale Gruppen definieren. Für LGBTQ-Personen, die möglicherweise bereits mit Identitätsfragen kämpfen, kann Mobbing eine verstärkte Isolation und ein vermindertes Selbstwertgefühl zur Folge haben.

Ein weiteres relevantes Konzept ist die **Stressbewältigungstheorie**, die beschreibt, wie Individuen Stressoren wahrnehmen und darauf reagieren. Mobbing und Cyberbullying stellen signifikante Stressoren dar, die zu Angst, Depression und anderen psychischen Problemen führen können. Die Formel für Stress kann in vereinfachter Form als folgt dargestellt werden:

$$\text{Stress} = \text{Wahrnehmung der Bedrohung} - \text{Bewältigungsressourcen} \quad (11)$$

Wenn die Wahrnehmung der Bedrohung durch Mobbing hoch ist und die Bewältigungsressourcen gering, resultiert dies in einem hohen Stressniveau.

Probleme und Auswirkungen

Die Probleme, die durch Mobbing und Cyberbullying entstehen, sind vielfältig. Betroffene erleben oft:

- **Psychische Gesundheit:** Hohe Raten von Angstzuständen, Depressionen und Suizidgedanken sind bei Opfern von Mobbing und Cyberbullying zu beobachten. Studien zeigen, dass LGBTQ-Jugendliche ein höheres Risiko für psychische Erkrankungen haben, was durch Mobbing verstärkt wird.

- **Soziale Isolation:** Opfer ziehen sich häufig von sozialen Interaktionen zurück, was zu einem Teufelskreis der Einsamkeit führt. Diese Isolation kann die Entwicklung von Freundschaften und sozialen Fähigkeiten beeinträchtigen.

- **Akademische Leistung:** Mobbing kann sich negativ auf die schulische Leistung auswirken. Betroffene Schüler zeigen häufig eine Abnahme der Konzentration und Motivation, was zu schlechteren Noten führen kann.

Beispiele aus Saras Leben

Sara Bingham hat in ihren eigenen Erfahrungen mit Mobbing und Cyberbullying gesprochen. In ihrer Jugend erlebte sie, wie ihre Identität in der Schule zur Zielscheibe von Spott und Belästigung wurde. Diese Erlebnisse führten nicht nur zu emotionalem Schmerz, sondern auch zu einem tiefen Gefühl der Unsicherheit und Isolation. Sara berichtet, dass sie oft das Gefühl hatte, dass ihre Stimme in der Schule nicht gehört wurde, was sie dazu brachte, sich in die LGBTQ-Community zurückzuziehen, wo sie Unterstützung fand.

Ein prägnantes Beispiel für Cyberbullying war ein Vorfall, bei dem Sara online angegriffen wurde, nachdem sie sich öffentlich zu ihrer Geschlechtsidentität bekannt hatte. Die Angriffe waren nicht nur verletzend, sondern auch eine Quelle ständiger Angst. Sie beschreibt, wie sie in dieser Zeit lernte, ihre Stimme zu erheben und sich gegen die Angriffe zu wehren, was letztlich zu ihrem Engagement im Aktivismus führte.

Strategien zur Bewältigung

Um den negativen Auswirkungen von Mobbing und Cyberbullying entgegenzuwirken, sind verschiedene Strategien hilfreich:

- **Unterstützung suchen:** Der Aufbau eines starken Unterstützungssystems aus Freunden, Familie und Mentoren kann entscheidend sein. Sara selbst fand Halt in ihrer Community, die ihr half, ihre Erfahrungen zu verarbeiten.

- **Bildung und Aufklärung:** Aufklärung über Mobbing und seine Folgen kann helfen, das Bewusstsein zu schärfen und Vorurteile abzubauen. Sara setzt sich aktiv für Aufklärungskampagnen ein, um andere zu ermutigen, sich gegen Mobbing zu wehren.

- **Selbstfürsorge:** Techniken zur Stressbewältigung, wie Meditation und kreative Ausdrucksformen, können helfen, die emotionalen Wunden zu heilen, die durch Mobbing verursacht werden.

Fazit

Mobbing und Cyberbullying sind ernsthafte Herausforderungen, die die Lebensqualität von LGBTQ-Personen erheblich beeinträchtigen können. Saras Erfahrungen verdeutlichen die Notwendigkeit von Unterstützung, Bildung und Selbstfürsorge, um diesen Herausforderungen zu begegnen. Die Bekämpfung von Mobbing erfordert nicht nur individuelle Anstrengungen, sondern auch kollektive Maßnahmen innerhalb der Gesellschaft, um ein sicheres und unterstützendes Umfeld für alle zu schaffen.

Der Kampf gegen gesundheitliche Probleme

Der Kampf gegen gesundheitliche Probleme ist ein zentrales Thema im Leben vieler LGBTQ-Aktivisten, einschließlich Sara Bingham. In diesem Abschnitt betrachten wir die verschiedenen gesundheitlichen Herausforderungen, mit denen

DIE DUNKLEN SEITEN DES AKTIVISMUS 125

Trans-Personen konfrontiert sind, sowie die spezifischen Erfahrungen von Sara in diesem Bereich.

Gesundheitliche Herausforderungen für Trans-Personen

Trans-Personen sehen sich oft mit einer Vielzahl von gesundheitlichen Problemen konfrontiert, die sowohl physische als auch psychische Aspekte umfassen. Zu den häufigsten Herausforderungen zählen:

- **Zugang zu medizinischer Versorgung:** Viele Trans-Personen haben Schwierigkeiten, Zugang zu angemessener medizinischer Versorgung zu erhalten, insbesondere wenn es um geschlechtsspezifische Gesundheitsdienstleistungen geht. Dies kann auf Vorurteile im Gesundheitswesen, mangelnde Schulung von Fachkräften oder finanzielle Barrieren zurückzuführen sein.

- **Psychische Gesundheit:** Trans-Personen haben ein höheres Risiko für psychische Erkrankungen, einschließlich Depressionen und Angststörungen. Die Gründe hierfür sind oft in Diskriminierung, Stigmatisierung und sozialer Isolation zu finden.

- **Hormontherapie und chirurgische Eingriffe:** Der Zugang zu Hormontherapien und geschlechtsangleichenden Operationen ist für viele Trans-Personen entscheidend. Oft sind diese Behandlungen jedoch mit hohen Kosten und langen Wartezeiten verbunden.

Saras persönliche Erfahrungen

Sara Bingham hat in ihrem Leben mehrere gesundheitliche Herausforderungen erlebt, die ihre Sicht auf Trans-Gesundheit maßgeblich geprägt haben. Ihre Erfahrungen können in folgende Kategorien unterteilt werden:

- **Erste Begegnungen mit dem Gesundheitssystem:** Sara berichtete von ihrer ersten Begegnung mit dem Gesundheitssystem als sie begann, ihre Geschlechtsidentität zu erkunden. Sie stellte fest, dass viele Ärzte nicht ausreichend geschult waren, um ihre speziellen Bedürfnisse zu verstehen. Dies führte zu Frustration und einem Gefühl der Entfremdung.

- **Psychische Belastungen:** Die ständige Auseinandersetzung mit Diskriminierung und Vorurteilen führte bei Sara zu psychischen Belastungen. Sie beschreibt, wie wichtig es war, Unterstützung durch

Freunde und die LGBTQ-Community zu finden, um ihre psychische Gesundheit zu stabilisieren.

- **Hormontherapie:** Sara kämpfte lange um den Zugang zu einer Hormontherapie. Die bürokratischen Hürden und die Notwendigkeit, sich wiederholt rechtfertigen zu müssen, waren für sie eine große Belastung. Schließlich fand sie einen Arzt, der ihre Identität respektierte und sie bei ihrem Übergang unterstützte.

Die Rolle von Aufklärung und Advocacy

Sara erkannte, dass Aufklärung und Advocacy entscheidend sind, um die gesundheitlichen Probleme von Trans-Personen zu bekämpfen. Durch ihre Arbeit in der Community hat sie zahlreiche Initiativen ins Leben gerufen, die darauf abzielen, das Bewusstsein für die gesundheitlichen Herausforderungen von Trans-Personen zu schärfen. Dazu gehören:

- **Aufklärungskampagnen:** Sara initiierte Kampagnen, die sich auf die Aufklärung von medizinischem Personal konzentrierten. Ziel war es, Vorurteile abzubauen und sicherzustellen, dass Trans-Personen respektvoll behandelt werden.

- **Schaffung von Unterstützungsgruppen:** Sara half, Unterstützungsgruppen für Trans-Personen zu gründen, in denen Betroffene ihre Erfahrungen teilen und sich gegenseitig unterstützen konnten. Diese Gruppen bieten nicht nur emotionale Unterstützung, sondern auch praktische Informationen über den Zugang zu Gesundheitsdiensten.

- **Politische Lobbyarbeit:** Sara engagierte sich aktiv in der politischen Lobbyarbeit, um sicherzustellen, dass die Bedürfnisse von Trans-Personen in politischen Entscheidungen berücksichtigt werden. Sie setzte sich für die Einführung von Gesetzen ein, die den Zugang zu geschlechtsspezifischen Gesundheitsdiensten verbessern sollten.

Fazit

Der Kampf gegen gesundheitliche Probleme ist ein zentraler Bestandteil von Saras Aktivismus. Durch ihre persönlichen Erfahrungen und ihr Engagement hat sie nicht nur ihre eigene Gesundheit verbessert, sondern auch das Bewusstsein für die Herausforderungen von Trans-Personen geschärft. Ihre Arbeit zeigt, wie wichtig es ist, gesundheitliche Probleme offen anzusprechen und aktiv für Veränderungen zu kämpfen. Sara Bingham ist ein leuchtendes Beispiel dafür, wie persönliche Kämpfe in eine kraftvolle Stimme für Veränderung umgewandelt werden können.

$$\text{Gesundheit} = \text{Zugang} + \text{Unterstützung} + \text{Aufklärung} \qquad (12)$$

Diese Gleichung verdeutlicht, dass die Verbesserung der Gesundheit von Trans-Personen nicht nur vom Zugang zu medizinischen Dienstleistungen abhängt, sondern auch von der Unterstützung durch die Gemeinschaft und der Aufklärung der Gesellschaft.

Der Druck, ständig sichtbar zu sein

Der Druck, ständig sichtbar zu sein, ist eine der herausforderndsten Facetten des Aktivismus, insbesondere für LGBTQ-Aktivisten wie Sara Bingham. In einer Welt, in der soziale Medien und öffentliche Wahrnehmung eine entscheidende Rolle spielen, wird die Sichtbarkeit sowohl als Werkzeug des Wandels als auch als Quelle des Stresses wahrgenommen.

Die Dualität der Sichtbarkeit

Sichtbarkeit kann als doppelschneidiges Schwert betrachtet werden. Einerseits ermöglicht sie es Aktivisten, ihre Botschaften zu verbreiten, Unterstützung zu mobilisieren und Bewusstsein für wichtige Themen zu schaffen. Andererseits kann sie auch zu einem ständigen Gefühl der Überwachung und des Drucks führen, sich immer wieder zu präsentieren. Sara Bingham hat oft betont, dass die Sichtbarkeit ihrer Identität und ihrer Arbeit sowohl eine Quelle des Stolzes als auch eine Quelle des Stresses ist.

Psychologische Auswirkungen

Die psychologischen Auswirkungen dieser ständigen Sichtbarkeit sind nicht zu unterschätzen. Laut einer Studie von [1] leiden viele LGBTQ-Aktivisten unter erhöhten Levels von Angst und Depression, die durch den Druck, ständig sichtbar zu sein, verstärkt werden. Dies kann zu einem Zustand führen, den Psychologen als *Imposter-Syndrom* bezeichnen, bei dem Individuen trotz ihrer Erfolge das Gefühl haben, nicht gut genug zu sein oder nicht das Recht zu haben, sichtbar zu sein.

$$\text{Sichtbarkeit} = \text{Einfluss} + \text{Druck} \qquad (13)$$

Hierbei steht die Sichtbarkeit in direkter Beziehung zum Einfluss, den ein Aktivist auf die Gesellschaft ausübt, aber auch zum Druck, der mit dieser Sichtbarkeit einhergeht.

Beispiele aus Saras Leben

Sara Bingham hat in Interviews oft darüber gesprochen, wie sie sich in der Öffentlichkeit fühlt. Ein Beispiel, das sie häufig anführt, ist ihr Auftritt bei der *Trans Rights Conference* in Toronto, wo sie nicht nur ihre Erfahrungen teilte, sondern auch die Verantwortung fühlte, die Stimme für viele zu sein, die nicht die Möglichkeit hatten, sich zu äußern. Diese Verantwortung kann jedoch erdrückend sein.

> "Es ist, als würde ich auf einem Hochseil balancieren. Eine falsche Bewegung, und ich falle. Aber ich kann nicht fallen, denn ich repräsentiere so viele." – Sara Bingham

Der Einfluss der sozialen Medien

Die Rolle der sozialen Medien in diesem Kontext kann nicht ignoriert werden. Plattformen wie Twitter und Instagram haben es Aktivisten ermöglicht, ein breites Publikum zu erreichen, aber sie haben auch die Erwartungen an die Sichtbarkeit erhöht. Kritiken, Trolle und Cyberbullying sind ständige Begleiter für viele, die sich online engagieren. Sara hat oft darüber gesprochen, wie sie sich von negativen Kommentaren betroffen fühlt, selbst wenn sie weiß, dass sie nicht die einzige Stimme ist, die zählt.

Bewältigungsstrategien

Um mit dem Druck der ständigen Sichtbarkeit umzugehen, hat Sara verschiedene Strategien entwickelt. Dazu gehören:

- **Selbstfürsorge:** Sara betont die Bedeutung von Pausen und Zeit für sich selbst, um die mentale Gesundheit zu erhalten.

- **Community-Support:** Der Austausch mit anderen Aktivisten und Freunden bietet eine wichtige Unterstützung.

- **Ehrlichkeit:** Sara spricht offen über ihre Gefühle und Herausforderungen, was anderen hilft, sich weniger allein zu fühlen.

Schlussfolgerung

Der Druck, ständig sichtbar zu sein, ist ein komplexes Thema, das viele Facetten hat. Für Sara Bingham ist es sowohl eine Quelle des Stolzes als auch eine ständige Herausforderung. Die Balance zwischen Sichtbarkeit und persönlichem Wohlbefinden ist ein ständiger Kampf, aber durch ihre Arbeit und ihren Einfluss zeigt sie, dass es möglich ist, in der Öffentlichkeit zu stehen, ohne sich selbst zu verlieren.

[?] beschreibt es treffend: "Sichtbarkeit ist nicht nur ein Zustand, sondern eine Verantwortung." Sara Bingham lebt diese Verantwortung, während sie gleichzeitig die Herausforderungen des Aktivismus meistert.

Saras Strategien zur Selbstfürsorge

In der Welt des Aktivismus, insbesondere im Bereich der LGBTQ-Rechte, ist Selbstfürsorge nicht nur eine persönliche Notwendigkeit, sondern auch ein zentraler Bestandteil der langfristigen Effektivität und Widerstandsfähigkeit. Sara Bingham hat im Laufe ihrer Karriere verschiedene Strategien zur Selbstfürsorge entwickelt, um den emotionalen und physischen Belastungen des Aktivismus entgegenzuwirken. Diese Strategien sind nicht nur für sie, sondern auch für andere Aktivisten von Bedeutung, die in ähnlichen Situationen arbeiten.

Die Bedeutung von Selbstfürsorge

Selbstfürsorge bezieht sich auf die Praktiken, die Individuen anwenden, um ihre körperliche, emotionale und psychische Gesundheit zu fördern. In der Literatur wird Selbstfürsorge oft als ein Prozess beschrieben, der Individuen hilft, ihre Bedürfnisse zu erkennen und zu erfüllen, um ein Gleichgewicht zwischen den Anforderungen des Lebens und dem eigenen Wohlbefinden zu finden [1]. Für Aktivisten, die oft mit Diskriminierung, Vorurteilen und emotionalem Stress konfrontiert sind, ist Selbstfürsorge besonders wichtig.

Strategien von Sara

1. Regelmäßige Reflexion und Journaling Sara hat die Praxis des Journaling als eine ihrer effektivsten Selbstfürsorgestrategien identifiziert. Durch das Schreiben über ihre Erfahrungen, Gedanken und Gefühle kann sie ihre Emotionen verarbeiten und Klarheit über ihre Herausforderungen gewinnen. Journaling ermöglicht es ihr, ihre Fortschritte zu dokumentieren und sich an ihre Ziele zu erinnern, was in stressigen Zeiten besonders hilfreich ist.

2. Aufbau eines Unterstützungsnetzwerks Ein weiterer zentraler Aspekt von Saras Selbstfürsorge ist der Aufbau und die Pflege eines starken Unterstützungsnetzwerks. Sie hat erkannt, dass der Austausch mit Gleichgesinnten, Freunden und Mentoren nicht nur emotionale Unterstützung bietet, sondern auch eine Quelle der Inspiration und Motivation darstellt. In ihren wöchentlichen Treffen mit anderen Aktivisten diskutieren sie nicht nur Strategien für den Aktivismus, sondern teilen auch persönliche Geschichten und Herausforderungen.

3. Zeit für sich selbst Sara plant bewusst Zeit für sich selbst ein, um Aktivitäten nachzugehen, die ihr Freude bereiten. Sei es durch das Lesen von Büchern, das Ausüben von Hobbys oder einfach nur durch das Entspannen in der Natur – diese Momente der Ruhe helfen ihr, ihre Batterien aufzuladen und den Stress des Aktivismus hinter sich zu lassen.

4. Professionelle Hilfe in Anspruch nehmen Sara hat auch die Bedeutung von professioneller psychologischer Unterstützung erkannt. In Zeiten emotionaler Belastung hat sie sich nicht gescheut, Therapie in Anspruch zu nehmen, um ihre mentale Gesundheit zu fördern. Diese Entscheidung ist ein wichtiger Schritt in der Selbstfürsorge, da sie zeigt, dass es in Ordnung ist, Hilfe zu suchen, wenn die Herausforderungen überwältigend erscheinen.

5. Achtsamkeit und Meditation Die Praxis der Achtsamkeit ist eine weitere Methode, die Sara in ihren Alltag integriert hat. Durch regelmäßige Meditation und Achtsamkeitsübungen kann sie ihre Gedanken und Emotionen besser regulieren. Studien zeigen, dass Achtsamkeit Stress reduzieren und das allgemeine Wohlbefinden steigern kann [?]. Sara nutzt diese Techniken, um im hektischen Aktivismus-Alltag einen klaren Kopf zu bewahren.

Herausforderungen der Selbstfürsorge

Trotz ihrer Bemühungen um Selbstfürsorge ist Sara auch mit Herausforderungen konfrontiert. Oft fühlt sie sich schuldig, Zeit für sich selbst zu nehmen, besonders wenn es so viele dringende Themen im Aktivismus gibt. Diese innere Spannung zwischen Selbstfürsorge und dem Bedürfnis, für andere zu kämpfen, ist ein häufiges Dilemma unter Aktivisten.

Ein weiteres Problem ist der Druck, ständig sichtbar zu sein. In der heutigen digitalen Welt sind Aktivisten oft in sozialen Medien aktiv, was zu einer ständigen Erreichbarkeit führt. Sara hat festgestellt, dass es wichtig ist, sich gelegentlich von sozialen Medien zurückzuziehen, um ihre mentale Gesundheit zu schützen und sich auf ihre eigenen Bedürfnisse zu konzentrieren.

Fazit

Saras Strategien zur Selbstfürsorge sind ein integraler Bestandteil ihres Aktivismus. Sie zeigen, dass es möglich ist, für andere zu kämpfen und gleichzeitig auf sich selbst Acht zu geben. Indem sie ein Gleichgewicht zwischen Aktivismus und Selbstfürsorge findet, kann sie nicht nur ihre eigene Gesundheit fördern, sondern auch ein besseres Vorbild für andere Aktivisten sein. Ihre Erfahrungen verdeutlichen, dass Selbstfürsorge nicht nur eine individuelle Praxis ist, sondern auch eine kollektive Verantwortung innerhalb der Aktivistengemeinschaft.

Unterstützung durch die Community

Die Unterstützung durch die Community spielt eine entscheidende Rolle im Aktivismus, insbesondere für Personen wie Sara Bingham, die sich für Trans-Gesundheit einsetzen. Diese Unterstützung manifestiert sich in verschiedenen Formen, angefangen bei emotionaler und sozialer Unterstützung bis hin zu finanziellen Mitteln und Ressourcen, die für die Durchführung von Kampagnen und Initiativen notwendig sind. In diesem Abschnitt werden wir die verschiedenen Dimensionen der Community-Unterstützung untersuchen, ihre Bedeutung im Aktivismus hervorheben und einige Beispiele für erfolgreiche Gemeinschaftsinitiativen anführen.

Die Bedeutung der Community

Die Community ist oft das Rückgrat eines jeden Aktivismus. Sie bietet einen Raum für Austausch, Solidarität und kollektives Handeln. Laut der Theorie des sozialen Kapitals, formuliert von Pierre Bourdieu, ist das soziale Kapital eine Form von Ressourcen, die durch Netzwerke von Beziehungen entstehen. Diese Netzwerke sind entscheidend für die Mobilisierung von Unterstützung und die Schaffung von kollektiven Zielen. In der LGBTQ-Community ist das soziale Kapital besonders wichtig, da viele Mitglieder aufgrund ihrer Identität Diskriminierung und Isolation erfahren.

Emotionale Unterstützung

Emotionale Unterstützung ist ein zentraler Aspekt, der den Aktivismus von Sara Bingham und anderen Trans-Aktivisten stärkt. Diese Art der Unterstützung kann durch Peer-Gruppen, Mentoren und Freundschaften innerhalb der Community bereitgestellt werden. Die Möglichkeit, sich mit Gleichgesinnten auszutauschen, hilft, das Gefühl der Isolation zu überwinden, das viele LGBTQ-Personen empfinden. Sara selbst hat oft betont, wie wichtig die Freundschaften und die Unterstützung ihrer Community für ihre persönliche Entwicklung und ihren Aktivismus waren.

Finanzielle Unterstützung

Finanzielle Unterstützung ist ein weiterer kritischer Faktor. Viele Initiativen zur Verbesserung der Trans-Gesundheit erfordern erhebliche Mittel, um Forschung zu betreiben, Aufklärungskampagnen durchzuführen oder rechtliche Unterstützung zu bieten. Community-Events wie Fundraising-Dinner, Online-Spendenaktionen und Crowdfunding-Kampagnen sind einige der Methoden, die genutzt werden, um finanzielle Mittel zu generieren. Ein Beispiel hierfür ist die „Trans Health Fundraiser Gala", die in Toronto organisiert wurde und die Mittel für lokale Trans-Gesundheitsinitiativen sammelte. Solche Veranstaltungen stärken nicht nur die finanziellen Ressourcen, sondern auch das Gemeinschaftsgefühl.

Ressourcen und Wissen

Die Community bietet auch Zugang zu wertvollen Ressourcen und Wissen. Workshops, Schulungen und Informationsveranstaltungen sind häufige Formen der Unterstützung, die helfen, das Bewusstsein für Trans-Gesundheit zu schärfen. Diese Bildungsinitiativen sind entscheidend, um Missverständnisse abzubauen und Vorurteile zu bekämpfen. Sara Bingham hat in ihrer Karriere zahlreiche Workshops geleitet, in denen sie nicht nur über Trans-Gesundheit informierte, sondern auch andere dazu ermutigte, aktiv zu werden und ihre eigenen Geschichten zu teilen.

Beispiele erfolgreicher Gemeinschaftsinitiativen

Ein herausragendes Beispiel für die Unterstützung durch die Community ist die „Trans March", die jährlich in vielen Städten weltweit stattfindet. Diese Veranstaltungen ziehen Tausende von Menschen an und fördern das Bewusstsein für die Herausforderungen, mit denen Trans-Personen konfrontiert sind. Durch die Mobilisierung von Unterstützern wird nicht nur eine starke Botschaft gesendet, sondern auch ein Gefühl der Zugehörigkeit und Solidarität geschaffen.

Ein weiteres Beispiel ist die „Trans Lifeline", eine Hotline, die speziell für Trans-Personen eingerichtet wurde. Diese Initiative zeigt, wie wichtig es ist, dass die Community nicht nur Unterstützung bietet, sondern auch spezifische Ressourcen für die Bedürfnisse ihrer Mitglieder bereitstellt. Solche Initiativen sind lebensrettend und verdeutlichen die Bedeutung einer starken Gemeinschaft.

Herausforderungen und Rückschläge

Trotz der positiven Aspekte der Community-Unterstützung gibt es auch Herausforderungen. Diskriminierung innerhalb der eigenen Gemeinschaft, unterschiedliche Meinungen über Strategien und Prioritäten sowie interne Konflikte können den Zusammenhalt gefährden. Sara Bingham hat in ihrer Karriere Rückschläge erlebt, die oft durch interne Spannungen innerhalb der LGBTQ-Community verursacht wurden. Diese Herausforderungen sind nicht zu unterschätzen, da sie den Fortschritt behindern und das Gefühl der Isolation verstärken können.

Fazit

Zusammenfassend lässt sich sagen, dass die Unterstützung durch die Community eine fundamentale Rolle im Aktivismus spielt. Sie bietet nicht nur emotionale und finanzielle Ressourcen, sondern auch ein Netzwerk von Gleichgesinnten, das für den Erfolg von Initiativen zur Verbesserung der Trans-Gesundheit unerlässlich ist. Die Herausforderungen, die mit dieser Unterstützung einhergehen, dürfen jedoch nicht ignoriert werden. Es ist wichtig, dass die Community weiterhin zusammenarbeitet, um ein unterstützendes und inklusives Umfeld zu schaffen, das allen Mitgliedern zugutekommt. Sara Bingham ist ein lebendiges Beispiel dafür, wie kraftvoll Gemeinschaftsunterstützung sein kann, und ihre Reise inspiriert viele, sich für eine bessere Zukunft einzusetzen.

Der Umgang mit Rückschlägen und Niederlagen

Rückschläge und Niederlagen sind unvermeidliche Begleiter auf dem Weg eines Aktivisten. Für Sara Bingham, wie für viele andere in der LGBTQ-Community, sind diese Erfahrungen nicht nur Herausforderungen, sondern auch Gelegenheiten zum Lernen und Wachsen. In diesem Abschnitt betrachten wir, wie Sara mit diesen Schwierigkeiten umgeht und welche Strategien sie entwickelt hat, um sich zu erholen und weiterzumachen.

Die Psychologie des Rückschlags

Rückschläge können eine Vielzahl von emotionalen Reaktionen hervorrufen, einschließlich Frustration, Traurigkeit und Zweifel an der eigenen Fähigkeit, Veränderungen herbeizuführen. Laut der *Resilience Theory* ist die Fähigkeit, sich von Rückschlägen zu erholen, entscheidend für den langfristigen Erfolg im Aktivismus. Diese Theorie legt nahe, dass Resilienz nicht nur eine angeborene Eigenschaft ist, sondern auch erlernt und kultiviert werden kann.

Sara hat in ihrer Karriere mehrere Rückschläge erlebt, darunter gescheiterte Kampagnen und negative Medienberichterstattung. Statt sich von diesen Misserfolgen entmutigen zu lassen, hat sie sie als Lernmöglichkeiten betrachtet. In einem Interview erklärte sie: „Jeder Rückschlag ist eine Gelegenheit, meine Strategien zu überdenken und besser zu werden. Es ist, als würde ich im Sport trainieren – manchmal verliert man, aber das macht einen stärker."

Strategien zur Bewältigung von Rückschlägen

Sara hat mehrere Strategien entwickelt, um mit den emotionalen und praktischen Herausforderungen von Rückschlägen umzugehen:

- **Reflexion:** Nach einem Rückschlag nimmt sich Sara Zeit, um zu reflektieren, was schiefgelaufen ist. Sie fragt sich: „Was kann ich daraus lernen?" und „Wie kann ich meine Ansätze anpassen?" Diese Reflexion hilft ihr, die Situation objektiv zu betrachten und nicht in Selbstzweifel zu verfallen.

- **Unterstützung suchen:** Sara betont die Bedeutung eines starken Unterstützungsnetzwerks. Sie hat enge Beziehungen zu anderen Aktivisten, Freunden und Mentoren aufgebaut, die ihr helfen, durch schwierige Zeiten zu navigieren. Diese Unterstützung bietet emotionale Stabilität und praktische Ratschläge.

- **Selbstfürsorge:** Sara hat erkannt, dass Selbstfürsorge entscheidend ist, um mit Stress und Enttäuschungen umzugehen. Dazu gehören regelmäßige Pausen, Meditation und kreative Ausdrucksformen wie Schreiben und Kunst. Diese Aktivitäten helfen ihr, sich zu erden und neue Energie zu tanken.

- **Anpassungsfähigkeit:** Die Fähigkeit, sich an veränderte Umstände anzupassen, ist eine Schlüsselkompetenz im Aktivismus. Sara hat gelernt, flexibel zu sein und ihre Strategien je nach den Gegebenheiten anzupassen.

Diese Anpassungsfähigkeit ermöglicht es ihr, auch in schwierigen Zeiten proaktiv zu bleiben.

Beispiele für Rückschläge und deren Überwindung

Ein prägnantes Beispiel für einen Rückschlag in Saras Karriere war die Ablehnung eines wichtigen Gesetzesentwurfs zur Verbesserung der Trans-Gesundheitsversorgung. Nach der Niederlage organisierte sie ein Forum, um die Gründe für die Ablehnung zu analysieren und alternative Strategien zu entwickeln. Diese Initiative führte nicht nur zu einer stärkeren Mobilisierung der Community, sondern auch zu einem überarbeiteten Gesetzesentwurf, der schließlich angenommen wurde.

Ein weiteres Beispiel ist die negative Berichterstattung über ihre Arbeit in sozialen Medien. Anstatt sich zurückzuziehen, entschied sich Sara, transparent über die Herausforderungen zu kommunizieren und ihre Erfahrungen mit der Community zu teilen. Sie nutzte soziale Medien, um ihre Perspektive darzulegen und die Wichtigkeit der Diskussion über Trans-Gesundheit zu betonen. Diese Offenheit führte zu einer Welle der Unterstützung und verstärkte das Bewusstsein für die Anliegen der Trans-Community.

Die Kraft der Gemeinschaft

Letztlich ist die Unterstützung der Gemeinschaft ein entscheidender Faktor im Umgang mit Rückschlägen. Sara hat oft betont, dass sie ohne die Solidarität und den Rückhalt anderer nicht in der Lage gewesen wäre, ihre Kämpfe zu meistern. Die LGBTQ-Community hat eine lange Geschichte des Zusammenhalts, und Sara ist ein Beispiel dafür, wie kollektive Stärke Rückschläge in Erfolge verwandeln kann.

Insgesamt zeigt Saras Umgang mit Rückschlägen und Niederlagen, dass Aktivismus eine Reise mit Höhen und Tiefen ist. Ihre Fähigkeit, sich zu erholen und weiterzumachen, inspiriert nicht nur ihre Unterstützer, sondern auch zukünftige Generationen von Aktivisten. Durch Reflexion, Unterstützung, Selbstfürsorge und Anpassungsfähigkeit hat sie bewiesen, dass Rückschläge nicht das Ende sind, sondern vielmehr eine Gelegenheit, stärker und entschlossener zurückzukehren.

Reflexion über persönliche Grenzen

Die Reflexion über persönliche Grenzen ist ein entscheidender Aspekt im Leben und in der Arbeit von Aktivisten, insbesondere für jemanden wie Sara Bingham, die sich unermüdlich für die Rechte der LGBTQ-Community und insbesondere für Trans-Gesundheit einsetzt. In dieser Reflexion geht es darum, wie wichtig es ist, die eigenen Grenzen zu erkennen, zu respektieren und zu kommunizieren, um sowohl die eigene Gesundheit als auch die Wirksamkeit des Aktivismus zu schützen.

Theoretische Grundlagen

Die Theorie der persönlichen Grenzen bezieht sich auf die Fähigkeit eines Individuums, zu definieren, was für sie akzeptabel ist und was nicht, sowohl emotional als auch physisch. Laut [1] können persönliche Grenzen in verschiedene Kategorien unterteilt werden: emotionale, physische, zeitliche und energetische Grenzen. Diese Grenzen helfen dabei, die eigene Identität zu bewahren und ein gesundes Gleichgewicht zwischen Geben und Nehmen zu finden.

Ein Beispiel für eine emotionale Grenze könnte sein, dass Sara sich entscheidet, nicht an jedem öffentlichen Auftritt oder jeder Diskussion über Trans-Gesundheit teilzunehmen, um ihre eigene emotionale Gesundheit zu schützen. Diese Entscheidungen sind nicht nur wichtig für ihr eigenes Wohlbefinden, sondern auch für die Nachhaltigkeit ihres Engagements.

Probleme und Herausforderungen

Die Herausforderung, persönliche Grenzen zu setzen, wird durch verschiedene Faktoren erschwert. Aktivisten stehen oft unter dem Druck, ständig präsent und sichtbar zu sein, was zu einem Gefühl der Überforderung führen kann. In Saras Fall erlebte sie Phasen, in denen sie das Gefühl hatte, dass ihre Stimme und ihre Präsenz in der Community unerlässlich seien, was sie dazu brachte, ihre eigenen Bedürfnisse zu ignorieren.

Ein Beispiel für diese Überforderung könnte eine Situation sein, in der Sara mehrere Veranstaltungen in einer Woche hatte, ohne sich Zeit für Erholung oder Reflexion zu nehmen. Dies führte zu einem Burnout, der sowohl ihre physische als auch ihre psychische Gesundheit beeinträchtigte. Laut [2] ist Burnout ein häufiges Problem unter Aktivisten, das oft zu einer verringerten Effektivität und einem Rückzug aus der Bewegung führt.

Strategien zur Wahrung persönlicher Grenzen

Um persönliche Grenzen zu wahren, hat Sara verschiedene Strategien entwickelt. Eine wichtige Strategie ist die bewusste Planung ihrer Zeit. Sie hat gelernt, "Nein" zu sagen, wenn Anfragen über ihre Kapazitäten hinausgehen. Diese Fähigkeit, klare

Grenzen zu setzen, ermöglicht es ihr, ihre Energie auf die Projekte zu konzentrieren, die ihr am wichtigsten sind.

Ein weiteres Beispiel ist die Praxis der Selbstfürsorge, die für Sara zu einem integralen Bestandteil ihres Lebens geworden ist. Dazu gehört, regelmäßig Pausen einzulegen, Zeit für sich selbst zu reservieren und Aktivitäten zu wählen, die ihr Freude bereiten und ihre Kreativität fördern. Diese Selbstfürsorge ermöglicht es ihr, ihre Leidenschaft für den Aktivismus aufrechtzuerhalten, ohne ihre Gesundheit zu gefährden.

Reflexion und Wachstum

Die Reflexion über persönliche Grenzen ist ein fortlaufender Prozess. Sara hat im Laufe ihrer Karriere gelernt, dass es nicht nur wichtig ist, Grenzen zu setzen, sondern auch, diese regelmäßig zu überprüfen und anzupassen. Diese Reflexion hat ihr geholfen, ihre Prioritäten neu zu bewerten und sicherzustellen, dass sie sowohl für sich selbst als auch für die Community, die sie vertritt, sorgt.

In einer Welt, die oft von Druck und Erwartungen geprägt ist, ist die Fähigkeit, persönliche Grenzen zu erkennen und zu respektieren, entscheidend für das Überleben und das Gedeihen eines Aktivisten. Sara Bingham ist ein Beispiel dafür, wie die Auseinandersetzung mit diesen Herausforderungen nicht nur zu persönlichem Wachstum führt, sondern auch die Effektivität des Aktivismus steigert.

Bibliography

[1] Smith, J. (2020). *Persönliche Grenzen im Aktivismus: Eine Analyse*. Berlin: Verlag für Sozialwissenschaften.

[2] Jones, A. (2019). *Burnout unter Aktivisten: Ursachen und Lösungen*. München: Aktivistenverlag.

Die Kraft des Durchhaltens

Die Kraft des Durchhaltens ist ein zentrales Thema im Leben von Aktivisten, insbesondere in der LGBTQ-Community, wo Herausforderungen und Rückschläge oft an der Tagesordnung sind. Sara Bingham ist ein leuchtendes Beispiel dafür, wie Durchhaltevermögen nicht nur persönliche Stärke demonstriert, sondern auch als Katalysator für gesellschaftlichen Wandel fungieren kann. In dieser Sektion werden wir die verschiedenen Facetten des Durchhaltens untersuchen und wie es Saras Aktivismus geprägt hat.

Die Psychologie des Durchhaltens

Durchhalten, oder auch Resilienz genannt, ist die Fähigkeit, trotz widriger Umstände weiterzumachen. Psychologen wie [?] betonen, dass Resilienz nicht nur eine angeborene Eigenschaft ist, sondern auch erlernt und kultiviert werden kann. Diese Theorie ist besonders relevant für Aktivisten, die oft mit Diskriminierung, Vorurteilen und persönlichen Verlusten konfrontiert sind.

Ein zentraler Aspekt der Resilienz ist die Fähigkeit, aus Rückschlägen zu lernen. Laut [?] ist es wichtig, eine optimistische Denkweise zu entwickeln, um Herausforderungen als vorübergehend und überwindbar zu betrachten. Sara hat diese Philosophie in ihrem Leben verinnerlicht. Sie beschreibt in Interviews, wie sie aus Misserfolgen nicht nur Kraft schöpfen, sondern auch neue Strategien entwickeln konnte, um ihre Ziele zu erreichen.

Praktische Strategien für Durchhalten

Sara hat im Laufe ihrer Karriere verschiedene Strategien entwickelt, um durchzuhalten. Einige davon sind:

- **Selbstfürsorge:** Sara betont die Bedeutung von Selbstfürsorge, um körperlich und emotional stark zu bleiben. Dazu gehören regelmäßige Pausen, Meditation und das Pflegen von Hobbys, die ihr Freude bereiten.
- **Unterstützung suchen:** Der Aufbau eines starken Netzwerks von Unterstützern ist entscheidend. Sara hat enge Beziehungen zu anderen Aktivisten und Mentoren gepflegt, die ihr in schwierigen Zeiten Rückhalt geben.
- **Ziele setzen:** Durch das Setzen realistischer und erreichbarer Ziele kann Sara ihre Fortschritte messen und sich motivieren, auch wenn der Weg steinig ist.

Herausforderungen und Rückschläge

Trotz ihrer Stärke und Resilienz war Sara nicht immun gegen Rückschläge. Ein markantes Beispiel war die Zeit, als eine ihrer Kampagnen zur Verbesserung der Trans-Gesundheit abgelehnt wurde. Diese Erfahrung war für sie nicht nur frustrierend, sondern führte auch zu einer Phase der Selbstzweifel. In einem ihrer Blogeinträge beschreibt sie, wie sie in dieser Zeit mit dem Gedanken kämpfte, ihren Aktivismus aufzugeben. Doch anstatt aufzugeben, nutzte sie diese Herausforderung als Ansporn, ihre Ansichten zu überdenken und neue Strategien zu entwickeln.

Die Rolle der Community

Ein weiterer wichtiger Aspekt des Durchhaltens ist die Rolle der Community. Sara hat immer wieder betont, wie wichtig es ist, sich mit Gleichgesinnten zu umgeben. In ihrer Rede bei der *Pride Parade* 2021 erklärte sie: „Gemeinsam sind wir stark. Wenn einer von uns fällt, helfen wir uns gegenseitig wieder auf." Diese Solidarität ist nicht nur eine Quelle der Stärke, sondern auch ein entscheidender Faktor für den Erfolg von Bewegungen.

Inspirierende Beispiele

Sara ist nicht die einzige Aktivistin, die die Kraft des Durchhaltens verkörpert. Ein weiteres Beispiel ist [?], eine der führenden Figuren der Stonewall-Unruhen. Trotz der enormen Diskriminierung und der Herausforderungen, mit denen sie konfrontiert war, setzte sie sich unermüdlich für die Rechte von LGBTQ-Personen ein. Ihr berühmtes Zitat: „Kein Mensch sollte für seine Existenz kämpfen müssen", ist ein starkes Zeugnis für die Notwendigkeit des Durchhaltens im Aktivismus.

Fazit

Zusammenfassend lässt sich sagen, dass die Kraft des Durchhaltens eine essentielle Eigenschaft für Aktivisten ist. Sara Bingham zeigt uns, dass Resilienz nicht nur bedeutet, Rückschläge zu ertragen, sondern auch, aus ihnen zu lernen und gestärkt hervorzugehen. Durch Selbstfürsorge, den Aufbau eines unterstützenden Netzwerks und die Entwicklung einer optimistischen Denkweise können Aktivisten wie Sara nicht nur ihre eigenen Herausforderungen meistern, sondern auch einen bleibenden Einfluss auf die Gesellschaft ausüben. Die Reise des Aktivismus ist oft lang und beschwerlich, aber mit Durchhaltevermögen kann jeder Einzelne dazu beitragen, die Welt zu einem besseren Ort zu machen.

Erfolge und Meilensteine

Herausragende Leistungen im Aktivismus

Wichtige Gesetzesänderungen und Errungenschaften

Sara Bingham hat im Laufe ihrer Karriere im Bereich der Trans-Gesundheit und des LGBTQ-Aktivismus maßgeblich zur Veränderung von Gesetzen und zur Schaffung von Errungenschaften beigetragen, die das Leben vieler Menschen verbessert haben. Diese Veränderungen sind nicht nur für die LGBTQ-Community von Bedeutung, sondern auch für die Gesellschaft insgesamt, da sie grundlegende Menschenrechte und Gleichheit fördern.

Gesetzliche Anerkennung von Geschlechtsidentität

Eine der bedeutendsten Errungenschaften, für die Sara sich eingesetzt hat, ist die gesetzliche Anerkennung der Geschlechtsidentität. In vielen Provinzen Kanadas war es bis vor wenigen Jahren nicht möglich, das Geschlecht auf offiziellen Dokumenten wie Geburtsurkunden oder Reisepässen zu ändern, ohne eine invasive medizinische Prozedur durchzuführen. Sara kämpfte für die Einführung von Gesetzen, die es Trans-Personen ermöglichen, ihr Geschlecht auf Dokumenten zu ändern, basierend auf ihrer Selbstidentifikation. Dies führte zur Verabschiedung des *Bill C-16*, das 2017 in Kraft trat und den rechtlichen Rahmen für die Anerkennung von Geschlechtsidentität in Kanada schuf.

Zugang zu medizinischer Versorgung

Ein weiterer wichtiger Bereich, in dem Sara maßgeblich aktiv war, ist der Zugang zu medizinischer Versorgung für Trans-Personen. Vor Saras Engagement war der Zugang zu geschlechtsangleichenden Behandlungen und anderen notwendigen medizinischen Dienstleistungen oft eingeschränkt oder gar nicht vorhanden.

Durch die Zusammenarbeit mit Gesundheitsorganisationen und politischen Entscheidungsträgern konnte Sara Initiativen ins Leben rufen, die darauf abzielten, den Zugang zu diesen wichtigen Gesundheitsdiensten zu verbessern. Ein Beispiel hierfür ist die Einführung von Richtlinien, die sicherstellen, dass Trans-Personen gleichberechtigt Zugang zu Gesundheitsversorgung haben, ohne Diskriminierung aufgrund ihrer Geschlechtsidentität.

Aufklärung und Sensibilisierung

Sara hat auch eine entscheidende Rolle bei der Aufklärung der Öffentlichkeit über Trans-Gesundheit und die Herausforderungen, denen Trans-Personen gegenüberstehen, gespielt. Durch zahlreiche Kampagnen und Veranstaltungen hat sie das Bewusstsein für Themen wie Gender-Dysphorie, die Notwendigkeit von geschultem medizinischen Personal und die Bedeutung von Inklusivität in der Gesundheitsversorgung geschärft. Ihre Aufklärungsarbeit hat dazu beigetragen, Vorurteile abzubauen und ein besseres Verständnis für die Bedürfnisse der Trans-Community zu schaffen.

Internationale Errungenschaften

Sara Bingham hat nicht nur in Kanada, sondern auch auf internationaler Ebene Einfluss genommen. Sie war an verschiedenen internationalen Konferenzen beteiligt, bei denen sie ihre Erfahrungen und Erkenntnisse teilte, um andere Länder zu inspirieren, ähnliche gesetzliche Änderungen und Initiativen zu fördern. Ihre Arbeit hat dazu beigetragen, dass viele Länder begonnen haben, ihre eigenen Gesetze zur Anerkennung von Geschlechtsidentität und zur Verbesserung der Gesundheitsversorgung für Trans-Personen zu überdenken.

Schutz vor Diskriminierung

Ein weiterer wichtiger Erfolg war die Einführung von Antidiskriminierungsgesetzen, die Trans-Personen vor Diskriminierung am Arbeitsplatz und in anderen Lebensbereichen schützen. Sara hat sich aktiv für die Erweiterung des *Canadian Human Rights Act* eingesetzt, um sicherzustellen, dass Geschlechtsidentität und -ausdruck als geschützte Merkmale anerkannt werden. Diese gesetzlichen Änderungen haben es Trans-Personen ermöglicht, ihre Rechte durchzusetzen und sich gegen Diskriminierung zur Wehr zu setzen.

Reflexion über den Einfluss

Die gesetzgeberischen Errungenschaften, für die Sara Bingham gekämpft hat, sind nicht nur rechtliche Veränderungen, sondern auch ein Zeichen des Fortschritts in der Gesellschaft. Sie zeigen, dass Aktivismus und Engagement für soziale Gerechtigkeit einen echten Unterschied machen können. Es ist wichtig, diese Erfolge zu reflektieren und zu erkennen, dass sie das Leben vieler Menschen verbessert haben. Der Kampf für Gleichheit und Gerechtigkeit ist jedoch noch lange nicht vorbei, und die Errungenschaften müssen weiterhin verteidigt und ausgebaut werden.

Ausblick auf zukünftige Veränderungen

Obwohl bereits viel erreicht wurde, bleibt die Herausforderung, die bestehenden Gesetze weiter zu verbessern und sicherzustellen, dass sie auch tatsächlich umgesetzt werden. Sara Bingham hat sich das Ziel gesetzt, auch in Zukunft an vorderster Front zu stehen, um sicherzustellen, dass die Stimmen der LGBTQ-Community gehört werden und dass die rechtlichen Rahmenbedingungen kontinuierlich aktualisiert werden, um den sich verändernden Bedürfnissen der Gesellschaft gerecht zu werden.

Insgesamt ist Saras Engagement für wichtige gesetzliche Änderungen und Errungenschaften ein inspirierendes Beispiel dafür, wie individueller und kollektiver Aktivismus das Leben von Menschen verändern kann. Ihre Arbeit hat nicht nur die rechtlichen Rahmenbedingungen für Trans-Personen in Kanada verbessert, sondern auch einen positiven Einfluss auf die weltweite LGBTQ-Bewegung ausgeübt.

Saras Rolle in internationalen Konferenzen

Sara Bingham hat sich als eine herausragende Stimme im Bereich der Trans-Gesundheit und des LGBTQ-Aktivismus etabliert, insbesondere durch ihre aktive Teilnahme an internationalen Konferenzen. Diese Konferenzen bieten nicht nur eine Plattform für den Austausch von Ideen und Strategien, sondern auch eine Möglichkeit, die Sichtbarkeit von Trans-Themen auf globaler Ebene zu erhöhen. Saras Engagement auf diesen Veranstaltungen hat sich als entscheidend erwiesen, um die Herausforderungen und Bedürfnisse von Trans-Personen in den Vordergrund zu rücken.

Einflussreiche Konferenzen und ihre Bedeutung

Internationale Konferenzen wie die *International Conference on LGBTQ Health* und die *World Congress of Transgender Health* sind entscheidend für die Vernetzung von Aktivisten, Forschern und politischen Entscheidungsträgern. Diese Plattformen ermöglichen es Sara, ihre persönlichen Erfahrungen und die ihrer Community zu teilen, um ein besseres Verständnis für die spezifischen Gesundheitsbedürfnisse von Trans-Personen zu schaffen.

Ein Beispiel für Saras Einfluss ist ihre Teilnahme an der *World Health Assembly*, wo sie eine Rede hielt, die die Bedeutung von geschlechtsspezifischer Gesundheitsversorgung für Trans-Personen hervorhob. In dieser Rede stellte sie die These auf, dass *„Trans-Gesundheit nicht nur eine Frage der medizinischen Versorgung, sondern auch eine Frage der Menschenrechte ist"*. Diese Aussage führte zu einer intensiven Diskussion über die Notwendigkeit, Trans-Personen in globale Gesundheitsstrategien einzubeziehen.

Strategien und Herausforderungen

Sara steht oft vor der Herausforderung, in einem internationalen Kontext Gehör zu finden, wo kulturelle Unterschiede und verschiedene politische Rahmenbedingungen bestehen. In vielen Ländern werden LGBTQ-Rechte noch immer nicht anerkannt, was die Diskussion über Trans-Gesundheit erschwert.

Eine ihrer Strategien, um diese Herausforderungen zu meistern, besteht darin, Daten und Forschungsergebnisse zu nutzen, um die Argumentation zu untermauern. Sara hat wiederholt betont, dass *„ohne fundierte Daten können wir keine wirksamen politischen Veränderungen bewirken"*. Diese Herangehensweise hat es ihr ermöglicht, die Aufmerksamkeit von Entscheidungsträgern zu gewinnen und konkrete Maßnahmen zur Verbesserung der Gesundheitsversorgung für Trans-Personen zu fordern.

Erfolge und Anerkennung

Saras Engagement auf internationalen Konferenzen hat nicht nur ihre persönliche Sichtbarkeit erhöht, sondern auch zu konkreten Veränderungen geführt. Ihre Beiträge haben zur Entwicklung von Richtlinien beigetragen, die die Gesundheitsversorgung für Trans-Personen verbessern sollen. Ein bemerkenswerter Erfolg war die Mitwirkung an der Erstellung eines globalen Handbuchs zur Trans-Gesundheit, das von der *World Health Organization* anerkannt wurde.

Darüber hinaus wurde Sara für ihre Arbeit auf diesen Konferenzen mehrfach ausgezeichnet. Ihre Fähigkeit, komplexe Themen auf eine zugängliche und ansprechende Weise zu präsentieren, hat ihr den Ruf eingebracht, eine der führenden Stimmen im Bereich der Trans-Gesundheit zu sein.

Zukunftsperspektiven

Blickt man in die Zukunft, ist Saras Rolle in internationalen Konferenzen entscheidend, um die fortwährenden Herausforderungen und Bedürfnisse der Trans-Community zu adressieren. Die internationale Zusammenarbeit wird unerlässlich sein, um Fortschritte zu erzielen und die Rechte von Trans-Personen weltweit zu stärken.

Sara plant, weiterhin an internationalen Konferenzen teilzunehmen und neue Initiativen zu starten, die den Austausch von Wissen und Ressourcen fördern. Ihre Vision ist klar: *„Wir müssen sicherstellen, dass Trans-Personen nicht nur gehört, sondern auch aktiv in Entscheidungsprozesse einbezogen werden"*.

Zusammenfassend lässt sich sagen, dass Saras Rolle in internationalen Konferenzen nicht nur ihre persönliche Reise widerspiegelt, sondern auch den kollektiven Fortschritt der LGBTQ-Community in der globalen Arena vorantreibt. Ihr unermüdlicher Einsatz und ihre Fähigkeit, Menschen zu mobilisieren, sind entscheidend für die Schaffung einer gerechteren und inklusiveren Welt für alle.

Auszeichnungen und Anerkennungen

Sara Bingham hat im Laufe ihrer Karriere zahlreiche Auszeichnungen und Anerkennungen erhalten, die ihren unermüdlichen Einsatz für Trans-Gesundheit und LGBTQ-Rechte würdigen. Diese Ehrungen sind nicht nur ein Zeichen der Wertschätzung für ihre Arbeit, sondern auch ein Beweis für den Einfluss, den sie auf die Gesellschaft und die LGBTQ-Community hat.

Nationale Auszeichnungen

Eine der bemerkenswertesten Auszeichnungen, die Sara erhielt, ist der *Canadian LGBTQ+ Activism Award*, der jährlich an herausragende Persönlichkeiten verliehen wird, die sich für die Rechte und das Wohlergehen der LGBTQ-Community einsetzen. Diese Auszeichnung wird von der *Canadian LGBTQ+ Alliance* verliehen und würdigt nicht nur Saras Engagement, sondern auch ihre Fähigkeit, andere zu inspirieren und zu mobilisieren.

Ein weiteres bedeutendes Beispiel ist der *Governor General's Award for Excellence in Community Service*, den Sara für ihre Initiativen zur Verbesserung der Trans-Gesundheit in Kanada erhielt. Diese Auszeichnung hebt die Wichtigkeit von Gemeinschaftsarbeit hervor und erkennt an, wie Saras Projekte das Leben vieler Menschen positiv beeinflusst haben.

Internationale Anerkennung

Sara hat auch international Anerkennung gefunden, insbesondere durch ihre Teilnahme an globalen Konferenzen und Foren. 2019 wurde sie zur *Global Trans Health Advocate of the Year* ernannt, eine Auszeichnung, die von der *International Trans Health Coalition* verliehen wird. Diese Ehrung unterstreicht Saras Einfluss über die Grenzen Kanadas hinaus und zeigt, wie ihre Arbeit als Modell für andere Aktivisten weltweit dient.

Akademische Anerkennung

Neben den praktischen Auszeichnungen hat Sara auch akademische Anerkennung erhalten. Ihre Forschungsarbeiten zur Trans-Gesundheit wurden in mehreren Fachzeitschriften veröffentlicht, und sie wurde als *Visiting Scholar* an der *University of Toronto* eingeladen. Diese Position ermöglicht es ihr, ihre Erkenntnisse über Trans-Gesundheit mit Studierenden und anderen Forschern zu teilen und somit das Wissen über dieses wichtige Thema zu erweitern.

Auswirkungen der Auszeichnungen

Die Auszeichnungen, die Sara Bingham erhalten hat, haben nicht nur ihren persönlichen Ruf gefestigt, sondern auch das Bewusstsein für Trans-Gesundheit in der Gesellschaft geschärft. Jedes Mal, wenn sie eine Auszeichnung erhält, wird das Thema Trans-Gesundheit in den Medien behandelt, was zu einer breiteren Diskussion und mehr Verständnis führt.

Ein Beispiel dafür ist die Berichterstattung über ihre Auszeichnung bei der *Canadian LGBTQ+ Activism Award* Zeremonie, die nicht nur ihre Errungenschaften feierte, sondern auch die Herausforderungen, mit denen Trans-Personen konfrontiert sind, in den Vordergrund rückte. Diese Art der Sichtbarkeit ist entscheidend, um Vorurteile abzubauen und die Akzeptanz in der Gesellschaft zu fördern.

Reflexion über Anerkennung

Trotz ihrer zahlreichen Auszeichnungen bleibt Sara bescheiden und betont oft, dass diese Anerkennungen nicht nur für sie selbst, sondern für die gesamte LGBTQ-Community stehen. In ihren Reden spricht sie häufig darüber, wie wichtig es ist, die Stimmen derjenigen zu hören, die nicht die gleiche Sichtbarkeit oder die gleichen Möglichkeiten haben.

„Jede Auszeichnung, die ich erhalte, ist nicht nur ein persönlicher Erfolg, sondern ein Lichtstrahl für all jene, die noch im Schatten stehen. Wir müssen weiterhin für unsere Rechte kämpfen und dafür sorgen, dass niemand zurückgelassen wird."

Diese Philosophie zeigt sich auch in Saras Engagement, anderen Aktivisten eine Plattform zu bieten und deren Arbeit zu unterstützen. Sie hat zahlreiche Stipendien und Programme initiiert, die darauf abzielen, aufstrebenden LGBTQ-Aktivisten zu helfen, ihre Stimmen zu erheben und Einfluss zu nehmen.

Fazit

Zusammenfassend lässt sich sagen, dass die Auszeichnungen und Anerkennungen, die Sara Bingham erhalten hat, nicht nur ein Beweis für ihre herausragenden Leistungen im Aktivismus sind, sondern auch ein wichtiger Bestandteil des fortwährenden Kampfes für die Rechte der LGBTQ-Community. Sie verdeutlichen, wie bedeutend Sichtbarkeit und Anerkennung sind, um Veränderungen in der Gesellschaft herbeizuführen und die Herausforderungen, mit denen Trans-Personen konfrontiert sind, ins Rampenlicht zu rücken. Saras Arbeit wird weiterhin als Inspiration für zukünftige Generationen von Aktivisten dienen, die sich für eine gerechtere und inklusivere Welt einsetzen.

Einflussreiche Publikationen und Medienbeiträge

Sara Bingham hat nicht nur durch ihre direkten Aktivitäten im Bereich der Trans-Gesundheit Einfluss genommen, sondern auch durch eine Vielzahl von Publikationen und Medienbeiträgen, die ihre Botschaften und Anliegen weit verbreitet haben. Diese Werke sind nicht nur informative Quellen, sondern auch kraftvolle Werkzeuge des Wandels, die das Bewusstsein für die Herausforderungen und Bedürfnisse der LGBTQ-Community, insbesondere der Trans-Personen, schärfen.

Akademische Artikel und Forschungsarbeiten

Ein bedeutender Teil von Saras Einfluss ergibt sich aus ihren akademischen Veröffentlichungen, die sich mit verschiedenen Aspekten der Trans-Gesundheit auseinandersetzen. In einem ihrer bemerkenswertesten Artikel, „*Trans-Gesundheit: Eine intersektionale Analyse der Herausforderungen*", untersucht sie die Schnittstellen von Geschlecht, Rasse und sozialer Klasse und deren Auswirkungen auf den Zugang zu Gesundheitsdiensten. Die zentrale These des Artikels ist, dass **der Zugang zur Gesundheitsversorgung für Trans-Personen nicht isoliert betrachtet werden kann**, sondern im Kontext breiterer sozialer Ungleichheiten analysiert werden muss.

$$Z = f(Geschlecht, Rasse, Klasse) \quad (1) \quad\quad\quad (14)$$

Hierbei steht Z für den Zugang zu Gesundheitsdiensten, während f eine Funktion beschreibt, die die Wechselwirkungen zwischen Geschlecht, Rasse und sozialer Klasse darstellt. Diese theoretische Grundlage ermöglicht es, spezifische Probleme zu identifizieren und gezielte Lösungen zu entwickeln.

Medienbeiträge und Interviews

Sara hat auch in verschiedenen Medienformaten, von Zeitungsartikeln bis hin zu Podcasts, ihre Stimme erhoben. Ein bemerkenswerter Beitrag war ihr Interview in der *Toronto Star*, wo sie über die Notwendigkeit von Aufklärung und Sensibilisierung in der Gesellschaft sprach. Sie betonte, dass **Medien eine entscheidende Rolle bei der Formung der öffentlichen Wahrnehmung von Trans-Personen spielen** und oft sowohl Vorurteile als auch Missverständnisse verstärken können.

> „Die Art und Weise, wie Trans-Personen in den Medien dargestellt werden, hat einen direkten Einfluss auf die gesellschaftliche Akzeptanz und die politischen Entscheidungen, die unser Leben betreffen."

Dieses Zitat verdeutlicht, wie wichtig es ist, dass Medienvertreter verantwortungsbewusst berichten und die Vielfalt innerhalb der Trans-Community anerkennen.

Bücher und Anthologien

Ein weiterer wichtiger Beitrag von Sara ist ihre Mitwirkung an verschiedenen Anthologien, die sich mit LGBTQ-Themen befassen. In dem Buch „*Kämpferinnen für die Rechte: Stimmen der Trans-Community"* hat sie ein Kapitel verfasst, das sich mit den persönlichen Geschichten von Trans-Personen und deren Kämpfen um Anerkennung und Zugang zu Gesundheitsversorgung beschäftigt. Diese persönlichen Narrative sind entscheidend, um Empathie und Verständnis in der breiteren Gesellschaft zu fördern.

Soziale Medien und Online-Plattformen

Mit dem Aufstieg der sozialen Medien hat Sara eine Plattform geschaffen, um ihre Botschaften direkt an ein breiteres Publikum zu verbreiten. Ihre Twitter- und Instagram-Accounts sind voll von Aufrufen zur Aktion, Informationen über bevorstehende Veranstaltungen und persönliche Reflexionen über ihre Erfahrungen als Trans-Aktivistin. Diese Art der Kommunikation hat es ihr ermöglicht, eine engagierte Community aufzubauen und jüngere Aktivisten zu inspirieren.

$$\text{Engagement} = \sum_{i=1}^{n} \text{Interaktionen}_i \quad (2) \tag{15}$$

In Gleichung (2) steht Engagement für das gesamte Engagement, das aus der Summe der Interaktionen über verschiedene Plattformen resultiert. Diese Interaktionen sind nicht nur Zahlen, sondern repräsentieren echte Menschen, die von Saras Arbeit berührt werden.

Einfluss auf die Gesetzgebung

Sara hat auch durch ihre Publikationen und Medienauftritte Einfluss auf die Gesetzgebung genommen. Ihre Artikel und Stellungnahmen wurden in politischen Debatten zitiert und haben dazu beigetragen, Bewusstsein für die Notwendigkeit von Reformen im Gesundheitswesen zu schaffen. Ein Beispiel hierfür ist ihre Beteiligung an der Initiative zur Verbesserung der medizinischen Versorgung für Trans-Personen in Ontario, die auf den Erkenntnissen aus ihren Veröffentlichungen basierte.

Schlussfolgerung

Durch ihre einflussreichen Publikationen und Medienbeiträge hat Sara Bingham nicht nur das Bewusstsein für Trans-Gesundheit geschärft, sondern auch konkrete Veränderungen in der Gesellschaft angestoßen. Ihre Arbeiten sind ein Beispiel dafür, wie Aktivismus in der heutigen Zeit vielfältige Formen annehmen kann, um die Stimmen der Unterdrückten zu erheben und für Gleichheit und Gerechtigkeit zu kämpfen. Die Kombination aus akademischem Wissen und persönlicher Erfahrung macht ihre Beiträge besonders wertvoll und inspirierend für zukünftige Generationen von Aktivisten.

Aufbau eines Netzwerks von Unterstützern

Der Aufbau eines effektiven Netzwerks von Unterstützern ist für jeden Aktivisten von entscheidender Bedeutung, insbesondere für jemanden wie Sara Bingham, die sich leidenschaftlich für Trans-Gesundheit und LGBTQ-Rechte einsetzt. Ein starkes Unterstützungsnetzwerk kann nicht nur Ressourcen und Sichtbarkeit bieten, sondern auch eine Plattform für den Austausch von Ideen und Strategien schaffen. In diesem Abschnitt werden wir die verschiedenen Aspekte und Herausforderungen des Netzwerkaufbaus untersuchen, einschließlich der theoretischen Grundlagen, praktischer Beispiele und der Bedeutung von Gemeinschaft und Solidarität.

Theoretische Grundlagen des Netzwerkaufbaus

Die Theorie des sozialen Kapitals ist ein zentraler Aspekt beim Aufbau eines Unterstützernetzwerks. Laut Pierre Bourdieu ist soziales Kapital die Summe der tatsächlichen und potenziellen Ressourcen, die aus dem Besitz eines dauerhaften Netzwerkes sozialer Beziehungen resultieren. Dies bedeutet, dass die Verbindungen, die man knüpft, direkten Einfluss auf die Fähigkeit haben, Unterstützung zu mobilisieren und Veränderungen zu bewirken.

Ein weiterer wichtiger theoretischer Rahmen ist das Konzept der „kollektiven Identität", das von sozialen Bewegungen genutzt wird, um gemeinsame Ziele und Werte zu fördern. Die Schaffung einer kollektiven Identität innerhalb der LGBTQ-Community hat es Aktivisten wie Sara ermöglicht, eine breitere Basis von Unterstützern zu gewinnen und eine stärkere Stimme in der Gesellschaft zu entwickeln.

Praktische Schritte zum Aufbau eines Netzwerks

1. Identifizierung von Schlüsselakteuren   Der erste Schritt beim Aufbau eines Unterstützernetzwerks besteht darin, Schlüsselakteure innerhalb der Community zu identifizieren. Dazu gehören andere Aktivisten, Organisationen, die sich für ähnliche Ziele einsetzen, sowie Influencer in sozialen Medien, die eine breite Reichweite haben. Sara Bingham hat durch strategische Partnerschaften mit

Gesundheitsorganisationen und anderen LGBTQ-Gruppen eine Vielzahl von Unterstützern gewonnen.

2. Nutzung von sozialen Medien In der heutigen digitalen Welt sind soziale Medien ein unverzichtbares Werkzeug für den Netzwerkaufbau. Plattformen wie Twitter, Instagram und Facebook ermöglichen es Aktivisten, ihre Botschaften zu verbreiten und direkt mit Unterstützern in Kontakt zu treten. Sara hat soziale Medien effektiv genutzt, um ihre Kampagnen zu fördern, Informationen zu teilen und Diskussionen zu initiieren, die das Bewusstsein für Trans-Gesundheit stärken.

3. Organisation von Veranstaltungen Veranstaltungen sind eine hervorragende Möglichkeit, um Menschen zusammenzubringen und das Netzwerk zu erweitern. Sara hat zahlreiche Workshops, Konferenzen und Community-Events organisiert, die nicht nur Aufklärung bieten, sondern auch Gelegenheiten zum Networking schaffen. Diese Veranstaltungen fördern den Austausch von Ideen und stärken das Gemeinschaftsgefühl.

Herausforderungen beim Aufbau eines Netzwerks

Trotz der vielen Vorteile, die ein Unterstützernetzwerk bietet, gibt es auch Herausforderungen, die es zu bewältigen gilt. Eine der größten Herausforderungen ist die Fragmentierung innerhalb der LGBTQ-Community. Unterschiedliche Gruppen haben möglicherweise unterschiedliche Prioritäten und Ziele, was zu Spannungen führen kann. Es ist entscheidend, einen inklusiven Ansatz zu verfolgen und sicherzustellen, dass alle Stimmen gehört werden.

Ein weiteres Problem ist die Überlastung von Aktivisten. Viele Aktivisten, einschließlich Sara, stehen unter dem Druck, ständig sichtbar zu sein und sich für verschiedene Anliegen einzusetzen. Dies kann zu Erschöpfung führen und die Fähigkeit beeinträchtigen, ein starkes Netzwerk aufrechtzuerhalten. Selbstfürsorge und das Setzen von Grenzen sind daher wesentliche Aspekte, um langfristig erfolgreich zu sein.

Beispiele für erfolgreiche Netzwerke

Ein bemerkenswertes Beispiel für ein erfolgreiches Unterstützernetzwerk ist die „Trans Health Coalition", die von Sara mitbegründet wurde. Diese Coalition bringt verschiedene Organisationen, Fachleute und Aktivisten zusammen, um die Gesundheitsversorgung für Trans-Personen zu verbessern. Durch die

Zusammenarbeit konnten sie bedeutende Fortschritte bei der Sensibilisierung und im politischen Einfluss erzielen.

Ein weiteres Beispiel ist die „LGBTQ Youth Network", die sich auf die Unterstützung junger LGBTQ-Personen konzentriert. Sara hat sich aktiv an dieser Initiative beteiligt, um sicherzustellen, dass die Bedürfnisse junger Menschen in der Gesundheitsversorgung und im Aktivismus berücksichtigt werden.

Fazit

Der Aufbau eines Netzwerks von Unterstützern ist für den Erfolg von Aktivismus unerlässlich. Durch die Identifizierung von Schlüsselakteuren, die Nutzung sozialer Medien und die Organisation von Veranstaltungen kann ein starkes und effektives Netzwerk geschaffen werden. Trotz der Herausforderungen, die dabei auftreten können, sind die Vorteile eines gut etablierten Netzwerks unbestreitbar. Saras Engagement und ihre Fähigkeit, Verbindungen zu knüpfen, haben nicht nur ihre eigene Arbeit, sondern auch das gesamte Feld des Trans-Aktivismus in Kanada vorangebracht. Indem sie eine Gemeinschaft von Unterstützern aufbaut, schafft sie eine nachhaltige Grundlage für zukünftige Veränderungen und Fortschritte in der Trans-Gesundheit.

Saras Einfluss auf die Bildungspolitik

Sara Bingham hat sich nicht nur als Aktivistin für Trans-Gesundheit einen Namen gemacht, sondern auch als bedeutende Stimme in der Bildungspolitik, insbesondere in Bezug auf die Inklusion und Unterstützung von LGBTQ+-Schülern in kanadischen Schulen. Ihr Einfluss zeigt sich in mehreren Schlüsselbereichen, die die Bildungslandschaft nachhaltig verändert haben.

Theoretische Grundlagen

Die Basis von Saras Einfluss in der Bildungspolitik ist in verschiedenen Theorien zu finden, die sich mit Identität, Inklusion und sozialer Gerechtigkeit beschäftigen. Die *Queer-Theorie*, die Geschlechter- und Sexualitätsnormen hinterfragt, spielt eine zentrale Rolle in ihrem Ansatz. Diese Theorie argumentiert, dass traditionelle Vorstellungen von Geschlecht und Sexualität nicht nur beschränkt, sondern auch schädlich für die Entwicklung von Individuen sind, insbesondere für Jugendliche, die ihre Identität erkunden.

Ein weiterer relevanter theoretischer Rahmen ist die *Intersektionalität*, die darauf hinweist, dass verschiedene Identitätskategorien – wie Geschlecht, sexuelle

HERAUSRAGENDE LEISTUNGEN IM AKTIVISMUS 155

Orientierung, ethnische Zugehörigkeit und soziale Klasse – miteinander verwoben sind und sich gegenseitig beeinflussen. Saras Arbeit berücksichtigt diese Komplexität und fordert eine Bildungspolitik, die alle Facetten der Identität respektiert und anerkennt.

Herausforderungen in der Bildungspolitik

Trotz der Fortschritte, die in den letzten Jahren erzielt wurden, stehen LGBTQ+-Schüler weiterhin vor erheblichen Herausforderungen. Diskriminierung, Mobbing und das Fehlen von unterstützenden Ressourcen in Schulen sind nur einige der Probleme, mit denen sie konfrontiert sind. Eine Studie des *Canadian Teachers' Federation* zeigt, dass 40% der LGBTQ+-Schüler angeben, in ihrer Schule diskriminiert worden zu sein, was zu einer erhöhten Rate von psychischen Gesundheitsproblemen führt.

Sara hat sich aktiv dafür eingesetzt, dass Bildungseinrichtungen Richtlinien entwickeln, die diese Probleme angehen. Ein Beispiel hierfür ist die Initiative zur Einführung von *Safe Spaces* in Schulen, die LGBTQ+-Schülern einen geschützten Raum bieten sollen, um ihre Identität auszudrücken und Unterstützung zu finden.

Beispiele für Saras Einfluss

Ein konkretes Beispiel für Saras Einfluss auf die Bildungspolitik ist ihre Mitwirkung an der Entwicklung von Lehrplänen, die LGBTQ+-Themen integrieren. In Zusammenarbeit mit verschiedenen Bildungsbehörden hat sie Programme initiiert, die nicht nur über Geschlechtervielfalt aufklären, sondern auch die Geschichte und die Beiträge von LGBTQ+-Personen in die Lehrpläne aufnehmen. Diese Programme sind darauf ausgelegt, Vorurteile abzubauen und ein inklusives Lernumfeld zu schaffen.

Ein weiterer bemerkenswerter Erfolg war die Einführung von Schulungen für Lehrkräfte, die darauf abzielen, das Bewusstsein für die Herausforderungen von LGBTQ+-Schülern zu schärfen und ihnen Werkzeuge an die Hand zu geben, um eine unterstützende Umgebung zu fördern. Diese Schulungen beinhalten nicht nur theoretische Aspekte, sondern auch praktische Übungen, um Empathie und Verständnis zu fördern.

Langfristige Auswirkungen

Saras Engagement hat nicht nur unmittelbare Veränderungen bewirkt, sondern auch langfristige Auswirkungen auf die Bildungspolitik in Kanada. Ihre Bemühungen haben dazu beigetragen, dass LGBTQ+-Themen zunehmend in die öffentliche Diskussion und in politische Entscheidungsprozesse integriert werden. Dies zeigt sich beispielsweise in der Verabschiedung von Gesetzen, die die Rechte von LGBTQ+-Schülern schützen und sicherstellen, dass Schulen verpflichtet sind, diskriminierungsfreie Umgebungen zu schaffen.

Darüber hinaus hat Sara durch ihre Arbeit in der Bildungspolitik ein Netzwerk von Unterstützern und Verbündeten geschaffen, das sich für die Rechte von LGBTQ+-Schülern einsetzt. Dieses Netzwerk umfasst Lehrer, Eltern und Schüler, die gemeinsam für eine gerechtere und inklusivere Bildungslandschaft kämpfen.

Fazit

Zusammenfassend lässt sich sagen, dass Saras Einfluss auf die Bildungspolitik weitreichend und tiefgreifend ist. Sie hat nicht nur bestehende Probleme in der Bildungspolitik aufgezeigt, sondern auch innovative Lösungen entwickelt, die die Lebensqualität von LGBTQ+-Schülern erheblich verbessern. Ihre Arbeit ist ein Beispiel dafür, wie Aktivismus in der Bildungspolitik nicht nur Veränderungen anstoßen, sondern auch eine Generation von Schülern inspirieren kann, die für ihre Rechte und die ihrer Mitmenschen eintreten. Saras Engagement zeigt, dass Bildung nicht nur ein Werkzeug zur Wissensvermittlung ist, sondern auch ein kraftvolles Mittel zur Förderung von Gleichheit und sozialer Gerechtigkeit.

Die Gründung von Stiftungen und Organisationen

Die Gründung von Stiftungen und Organisationen ist ein zentraler Bestandteil von Saras Aktivismus und ihrer Bemühungen um die Verbesserung der Lebensqualität von Trans-Personen in Kanada. Diese Institutionen bieten nicht nur finanzielle Unterstützung, sondern auch eine Plattform für Bildung, Aufklärung und Gemeinschaftsbildung.

Die Motivation hinter der Gründung

Sara Bingham erkannte früh, dass es an der Zeit war, strukturelle Veränderungen in der Gesellschaft zu bewirken, um die Bedürfnisse der LGBTQ-Community, insbesondere der Trans-Personen, zu adressieren. Ihre Motivation war geprägt von persönlichen Erfahrungen und den Herausforderungen, mit denen sie und andere konfrontiert waren. Diese Herausforderungen umfassten Diskriminierung im Gesundheitswesen, mangelnde Unterstützung in der Bildung und die Notwendigkeit, Sichtbarkeit für die Anliegen der Trans-Community zu schaffen.

Theoretische Grundlagen

Die Gründung von Stiftungen und Organisationen kann aus verschiedenen theoretischen Perspektiven betrachtet werden. Eine häufige Theorie ist die *Soziale Kapitaltheorie*, die besagt, dass soziale Netzwerke und Beziehungen für die Förderung des Gemeinwohls entscheidend sind. Sara nutzte diese Theorie, um ein starkes Netzwerk von Unterstützern und Aktivisten zu schaffen, das die Stimme der Trans-Community stärkte.

Ein weiteres relevantes Konzept ist die *Empowerment-Theorie*, die darauf abzielt, Individuen und Gemeinschaften die Fähigkeiten zu verleihen, ihre eigenen Interessen zu vertreten. Durch die Gründung von Organisationen schuf Sara Räume, in denen Trans-Personen ihre Geschichten teilen und sich gegenseitig unterstützen konnten.

Herausforderungen bei der Gründung

Die Gründung von Stiftungen und Organisationen bringt zahlreiche Herausforderungen mit sich. Eine der größten Hürden ist die *finanzielle Nachhaltigkeit*. Oftmals sind Stiftungen auf Spenden und Fördermittel angewiesen, die nicht immer garantiert sind. Sara musste innovative Wege finden, um Gelder zu akquirieren, sei es durch Crowdfunding, Stiftungsanträge oder Partnerschaften mit Unternehmen.

Ein weiteres Problem ist die *Rechtliche Rahmenbedingungen*. Die Gründung einer Organisation erfordert die Einhaltung bestimmter gesetzlicher Bestimmungen, die je nach Provinz oder Territorium variieren können. Sara und ihr Team mussten sicherstellen, dass sie alle erforderlichen Genehmigungen und Registrierungen einholten, was zeitaufwendig und komplex sein kann.

Beispiele für Stiftungen und Organisationen

Sara Bingham war maßgeblich an der Gründung mehrerer Organisationen beteiligt, die sich für die Rechte von Trans-Personen einsetzen. Ein herausragendes Beispiel ist die *Trans Health Foundation*, die sich auf die Verbesserung der Gesundheitsversorgung für Trans-Personen konzentriert. Die Stiftung führt Aufklärungskampagnen durch, entwickelt Ressourcen für Gesundheitsdienstleister und bietet finanzielle Unterstützung für Trans-Personen, die sich medizinische Behandlungen nicht leisten können.

Ein weiteres Beispiel ist die *Trans Youth Alliance*, die sich auf die Unterstützung von trans Jugendlichen konzentriert. Diese Organisation bietet

Mentoring-Programme, Workshops und Veranstaltungen, die darauf abzielen, das Selbstbewusstsein und die Resilienz von trans Jugendlichen zu stärken.

Erfolge und Auswirkungen

Die Gründung dieser Organisationen hat nicht nur unmittelbare Auswirkungen auf die Gemeinschaft, sondern auch langfristige Veränderungen in der Gesellschaft bewirkt. Durch die Bereitstellung von Ressourcen und Unterstützung konnten viele Trans-Personen ihre Lebensqualität verbessern und sich aktiv an der Gesellschaft beteiligen.

Ein Beispiel für den Erfolg der *Trans Health Foundation* ist die Einführung von Richtlinien in mehreren Provinzen, die eine bessere medizinische Versorgung für Trans-Personen garantieren. Diese Richtlinien wurden in Zusammenarbeit mit Gesundheitsbehörden entwickelt und zeigen, wie wichtig es ist, dass die Stimmen der Betroffenen in den politischen Entscheidungsprozess einfließen.

Reflexion über den Einfluss

Sara Bingham reflektiert oft über die Bedeutung ihrer Arbeit und die Gründung von Organisationen. Sie betont, dass der Schlüssel zum Erfolg nicht nur in der Gründung selbst liegt, sondern auch in der Fähigkeit, eine Gemeinschaft zu mobilisieren und eine nachhaltige Bewegung zu schaffen.

Durch die Schaffung von Organisationen hat Sara nicht nur einen Raum für Unterstützung geschaffen, sondern auch das Bewusstsein für die Herausforderungen der Trans-Community geschärft. Ihre Arbeit inspiriert andere Aktivisten und zeigt, dass Veränderung möglich ist, wenn Menschen zusammenkommen und sich für eine gemeinsame Sache einsetzen.

Insgesamt zeigt die Gründung von Stiftungen und Organisationen, wie wichtig strukturelle Unterstützung im Aktivismus ist. Sie ist ein wesentlicher Bestandteil von Saras Vermächtnis und ein Beispiel für die transformative Kraft des Engagements für die Rechte von Trans-Personen.

Erfolgreiche Kampagnen und Bewegungen

Erfolgreiche Kampagnen und Bewegungen sind oft das Herzstück des Aktivismus, besonders in der LGBTQ-Community. Diese Initiativen sind nicht nur entscheidend für die Sichtbarkeit von Themen, die Trans-Personen betreffen, sondern sie tragen auch zur Schaffung von Veränderungen in der Gesellschaft bei. In diesem Abschnitt werden wir einige der bedeutendsten Kampagnen und

Bewegungen, die von Sara Bingham und anderen Aktivisten initiiert oder unterstützt wurden, untersuchen.

Die Bedeutung erfolgreicher Kampagnen

Erfolgreiche Kampagnen sind in der Lage, das Bewusstsein für spezifische Probleme zu schärfen, politische Veränderungen zu fördern und Gemeinschaften zu mobilisieren. Sie bieten eine Plattform, um Stimmen zu erheben, die oft ignoriert werden. Laut der Theorie des sozialen Wandels, die von Theoretikern wie Charles Tilly und Sidney Tarrow entwickelt wurde, sind kollektive Aktionen entscheidend für die Mobilisierung und das Erreichen von Zielen innerhalb einer Bewegung. Diese Theorien betonen die Notwendigkeit von Organisation, Ressourcen und strategischer Planung, um Veränderungen herbeizuführen.

Beispiele erfolgreicher Kampagnen

Ein herausragendes Beispiel für eine erfolgreiche Kampagne im Bereich Trans-Gesundheit ist die *"Trans Health Matters"*-Kampagne, die von Sara Bingham ins Leben gerufen wurde. Diese Kampagne zielte darauf ab, das Bewusstsein für die spezifischen Gesundheitsbedürfnisse von Trans-Personen zu schärfen und forderte eine bessere medizinische Versorgung. Die Kampagne beinhaltete Workshops, Informationsveranstaltungen und die Verbreitung von Materialien, die die Rechte von Trans-Personen im Gesundheitswesen thematisierten.

Ein weiteres bemerkenswertes Beispiel ist die *"#TransRightsAreHumanRights"*-Bewegung, die weltweit Unterstützung fand und die Rechte von Trans-Personen in den Mittelpunkt der politischen Agenda stellte. Diese Bewegung nutzte soziale Medien effektiv, um eine breite Öffentlichkeit zu erreichen und um Druck auf politische Entscheidungsträger auszuüben. Die Verwendung des Hashtags ermöglichte es, die Diskussion über Trans-Rechte in die sozialen Medien zu tragen und eine globale Gemeinschaft von Unterstützern zu mobilisieren.

Herausforderungen bei der Umsetzung

Trotz des Erfolgs vieler Kampagnen gibt es erhebliche Herausforderungen, die es zu bewältigen gilt. Eine der größten Herausforderungen ist die Diskriminierung und das Stigma, das Trans-Personen häufig erfahren. Diese Vorurteile können die Mobilisierung behindern und dazu führen, dass wichtige Stimmen nicht gehört werden. Ein weiteres Problem ist die Fragmentierung innerhalb der

LGBTQ-Community selbst, die es schwierig macht, eine einheitliche Front zu bilden.

Die Theorie des *"Framing"* von Erving Goffman zeigt, wie wichtig es ist, die richtige Sprache und die richtigen Bilder zu verwenden, um Unterstützung zu gewinnen. Kampagnen, die es versäumen, die richtigen Botschaften zu kommunizieren oder die Bedürfnisse der Community nicht korrekt zu erfassen, laufen Gefahr, ineffektiv zu sein.

Erfolgsfaktoren

Die Analyse erfolgreicher Kampagnen zeigt, dass mehrere Faktoren entscheidend sind. Dazu gehören:

- **Zielgerichtete Kommunikation:** Eine klare und prägnante Botschaft, die die Anliegen der Community widerspiegelt, ist entscheidend.
- **Mobilisierung von Unterstützern:** Die Fähigkeit, Freiwillige und Unterstützer zu gewinnen, ist für den Erfolg jeder Kampagne unerlässlich.
- **Strategische Partnerschaften:** Die Zusammenarbeit mit anderen Organisationen und Aktivisten kann Ressourcen und Reichweite erweitern.
- **Medienpräsenz:** Die Nutzung von traditionellen und sozialen Medien kann helfen, die Sichtbarkeit zu erhöhen und eine breitere Öffentlichkeit zu erreichen.

Reflexion über Erfolge

Sara Bingham reflektiert oft über die Erfolge ihrer Kampagnen und die Lehren, die sie aus diesen Erfahrungen gezogen hat. Ein zentrales Element ihrer Philosophie ist, dass jede Kampagne nicht nur auf kurzfristige Erfolge abzielt, sondern auch langfristige Veränderungen in der Gesellschaft bewirken sollte. Diese Sichtweise spiegelt sich in ihrer Arbeit wider, bei der sie stets bemüht ist, die Stimmen von Trans-Personen zu stärken und ihre Geschichten zu erzählen.

Zusammenfassend lässt sich sagen, dass erfolgreiche Kampagnen und Bewegungen im Bereich der Trans-Gesundheit nicht nur das Bewusstsein schärfen, sondern auch konkrete Veränderungen in der Gesellschaft bewirken können. Sie sind ein wesentlicher Bestandteil des Aktivismus und ein Beweis für die Kraft der Gemeinschaft und des kollektiven Handelns. Sara Bingham und ihre Mitstreiter haben mit ihren Initiativen gezeigt, dass Veränderung möglich ist, wenn Menschen zusammenarbeiten und sich für eine gemeinsame Sache einsetzen.

HERAUSRAGENDE LEISTUNGEN IM AKTIVISMUS 161

Die Bedeutung von Erfolgsgeschichten

Erfolgsgeschichten spielen eine entscheidende Rolle im Aktivismus, insbesondere im Bereich der LGBTQ-Rechte und der Trans-Gesundheit. Sie dienen nicht nur als Inspirationsquelle, sondern sind auch ein wichtiges Werkzeug zur Mobilisierung von Gemeinschaften und zur Schaffung von Bewusstsein für gesellschaftliche Probleme. In dieser Sektion werden wir die verschiedenen Dimensionen der Bedeutung von Erfolgsgeschichten beleuchten, insbesondere in Bezug auf Saras Arbeit und deren Auswirkungen auf die LGBTQ-Community.

Inspiration und Motivation

Erfolgsgeschichten inspirieren Menschen, die sich in ähnlichen Situationen befinden. Sie zeigen, dass Veränderung möglich ist und dass individuelle Anstrengungen zu kollektiven Erfolgen führen können. Sara Bingham ist ein Paradebeispiel für diese Dynamik. Ihre Reise von der Selbstakzeptanz zur Aktivistin hat vielen Trans-Personen Mut gemacht, ihre eigenen Stimmen zu erheben.

Ein Beispiel ist Saras Initiative zur Verbesserung der Trans-Gesundheit in Kanada. Durch ihre persönlichen Erfahrungen mit dem Gesundheitssystem konnte sie nicht nur auf Missstände hinweisen, sondern auch konkrete Lösungen vorschlagen. Diese Geschichten ermutigen andere, sich ebenfalls für ihre Rechte einzusetzen und ihre eigenen Erfahrungen zu teilen.

Schaffung von Bewusstsein

Erfolgsgeschichten tragen dazu bei, das Bewusstsein für spezifische Probleme zu schärfen, die oft ignoriert oder missverstanden werden. In Saras Fall hat ihre Arbeit zur Aufklärung über Trans-Gesundheit dazu geführt, dass viele Menschen die Herausforderungen, mit denen Trans-Personen konfrontiert sind, besser verstehen.

Die Verbreitung solcher Geschichten in den Medien hat dazu beigetragen, Vorurteile abzubauen und die Sichtbarkeit von Trans-Personen zu erhöhen. Studien zeigen, dass Sichtbarkeit in den Medien einen direkten Einfluss auf die öffentliche Meinung hat. Eine Umfrage des *Canadian Centre for Gender and Sexual Diversity* ergab, dass 70% der Befragten angaben, dass positive Darstellungen von LGBTQ-Personen in den Medien ihre Einstellung zu diesen Gemeinschaften verbessert haben.

Mobilisierung der Gemeinschaft

Erfolgsgeschichten können auch als Katalysatoren für soziale Bewegungen dienen. Sie schaffen ein Gefühl der Zusammengehörigkeit und fördern die Solidarität innerhalb der Gemeinschaft. Saras Erfolge haben dazu geführt, dass sich zahlreiche Unterstützungsgruppen und Initiativen gebildet haben, die sich für die Rechte von Trans-Personen einsetzen.

Ein Beispiel dafür ist die Gründung von *Trans Health Alliance*, einer Organisation, die sich für die Verbesserung der Gesundheitsversorgung für Trans-Personen in Kanada einsetzt. Diese Organisation entstand direkt aus den Erfolgsgeschichten, die Sara und andere Aktivisten geteilt haben. Ihre Erfolge haben andere inspiriert, sich zu engagieren und ebenfalls Veränderungen herbeizuführen.

Theoretische Perspektiven

Aus einer theoretischen Perspektive lässt sich die Bedeutung von Erfolgsgeschichten durch verschiedene sozialwissenschaftliche Konzepte erklären. Der *Social Movement Theory* zufolge sind Geschichten ein wichtiges Element, um kollektive Identitäten zu formen und Mobilisierung zu fördern. Sie helfen, die Erfahrungen von Individuen in einen größeren sozialen Kontext zu stellen und schaffen so ein Gefühl der Dringlichkeit und des gemeinsamen Ziels.

Darüber hinaus kann die *Narrative Theory* herangezogen werden, um zu verstehen, wie Geschichten die Wahrnehmung von Realität beeinflussen. Erfolgsgeschichten wirken als Narrative, die den Zuhörern helfen, komplexe soziale Themen zu verstehen und sich emotional mit ihnen zu verbinden. Diese emotionalen Verbindungen sind entscheidend für die Mobilisierung und das Engagement in sozialen Bewegungen.

Herausforderungen und Kritik

Trotz ihrer positiven Aspekte gibt es auch Herausforderungen und Kritik im Zusammenhang mit Erfolgsgeschichten. Eine häufige Kritik ist, dass sie oft die Schwierigkeiten und Rückschläge, die Aktivisten erleben, verharmlosen können. Dies kann zu einem verzerrten Bild der Realität führen und den Eindruck erwecken, dass der Aktivismus einfach und ohne Herausforderungen ist.

Darüber hinaus können Erfolgsgeschichten auch dazu führen, dass die Stimmen derjenigen marginalisiert werden, die nicht die gleichen Erfolge erzielt haben. Es ist wichtig, eine Vielzahl von Geschichten zu erzählen, um ein umfassenderes Bild der Realität zu vermitteln und sicherzustellen, dass alle Stimmen gehört werden.

Schlussfolgerung

Zusammenfassend lässt sich sagen, dass Erfolgsgeschichten eine wesentliche Rolle im Aktivismus spielen. Sie inspirieren, schaffen Bewusstsein und mobilisieren Gemeinschaften. Saras Erfolge im Bereich der Trans-Gesundheit sind nicht nur ein Beispiel für persönliche Errungenschaften, sondern auch ein Katalysator für gesellschaftliche Veränderungen. Indem wir diese Geschichten teilen und feiern, können wir die Sichtbarkeit und Unterstützung für die LGBTQ-Community stärken und eine positive Veränderung in der Gesellschaft bewirken.

Die Herausforderung besteht darin, sicherzustellen, dass wir die Vielfalt der Erfahrungen anerkennen und Raum für alle Geschichten schaffen, um ein vollständiges Bild der Realität zu präsentieren. Nur so können wir eine inklusive und gerechte Gesellschaft für alle schaffen.

Reflexion über den eigenen Einfluss

Im Laufe ihrer beeindruckenden Karriere hat Sara Bingham nicht nur die Lebensrealitäten von Trans-Personen in Kanada verändert, sondern auch einen bleibenden Einfluss auf die LGBTQ-Community weltweit hinterlassen. Diese Reflexion über ihren eigenen Einfluss ist nicht nur eine Betrachtung ihrer Erfolge, sondern auch eine tiefgehende Analyse der Herausforderungen und der Verantwortung, die mit ihrer Rolle als Aktivistin einhergehen.

Der Einfluss auf die Gesetzgebung

Ein zentraler Aspekt von Saras Einfluss ist ihre Mitwirkung an entscheidenden Gesetzesänderungen, die das Leben von Trans-Personen in Kanada verbessert haben. Beispielsweise war sie maßgeblich an der Einführung des Gesetzes zur Gleichstellung von Geschlecht und Geschlechtsidentität beteiligt. Diese Gesetzgebung hat nicht nur rechtliche Rahmenbedingungen geschaffen, sondern auch das Bewusstsein für die spezifischen Bedürfnisse und Herausforderungen von Trans-Personen geschärft.

$$\text{Einfluss} = \text{Gesetzesänderungen} + \text{Öffentliches Bewusstsein} + \text{Community-Engagement} \tag{16}$$

Hierbei zeigt die Gleichung, dass Saras Einfluss nicht isoliert betrachtet werden kann; er ist das Ergebnis eines Zusammenspiels von verschiedenen Faktoren, die zusammenwirken, um eine positive Veränderung zu bewirken.

Das Vorbild für andere

Sara hat sich auch als Vorbild für viele junge Aktivisten etabliert. Ihre Fähigkeit, persönliche Geschichten zu teilen und dabei gleichzeitig komplexe Themen wie Trans-Gesundheit und Diskriminierung anzugehen, hat vielen Mut gemacht, sich ebenfalls für ihre Rechte einzusetzen. Ein Beispiel hierfür ist ihre regelmäßige Teilnahme an Schulungen und Workshops, in denen sie ihre Erfahrungen teilt und andere ermutigt, aktiv zu werden.

$$\text{Vorbildfunktion} = \text{Persönliche Geschichten} + \text{Mentoring} + \text{Community-Building} \tag{17}$$

Diese Gleichung verdeutlicht, wie Saras persönliche Erlebnisse und ihr Engagement im Mentoring dazu beitragen, eine neue Generation von Aktivisten zu inspirieren.

Die Herausforderungen der Sichtbarkeit

Allerdings bringt die Sichtbarkeit, die Sara als Aktivistin genießt, auch Herausforderungen mit sich. Der Druck, ständig als Vorbild zu agieren, kann überwältigend sein. Sara hat in Interviews oft über die emotionalen und psychologischen Belastungen gesprochen, die mit ihrer Rolle einhergehen. Diese Herausforderungen sind nicht nur persönlich, sondern spiegeln auch die gesellschaftlichen Erwartungen wider, die an LGBTQ-Aktivisten gestellt werden.

$$\text{Druck} = \text{Öffentliche Erwartungen} + \text{Mediale Aufmerksamkeit} + \text{Persönliche Belastung} \tag{18}$$

Die Reflexion über diesen Druck ist entscheidend, um zu verstehen, wie Sara ihre Grenzen setzt und sich selbst schützt, während sie weiterhin für die Rechte anderer kämpft.

Langfristige Auswirkungen auf die Community

Der Einfluss von Sara Bingham erstreckt sich über ihre unmittelbaren Erfolge hinaus. Ihre Arbeit hat langfristige Auswirkungen auf die LGBTQ-Community in Kanada und darüber hinaus. Durch ihre Initiativen zur Aufklärung über Trans-Gesundheit hat sie nicht nur das Bewusstsein geschärft, sondern auch die Grundlage für zukünftige Forschungen und politische Maßnahmen gelegt.

Langfristige Auswirkungen = Aufklärung + Politische Maßnahmen + Forschung
(19)

Diese Gleichung zeigt, dass Saras Einfluss nicht nur in der Gegenwart spürbar ist, sondern auch zukünftige Generationen von Aktivisten und politischen Entscheidungsträgern beeinflussen wird.

Die Verantwortung des Einflusses

Mit großem Einfluss kommt auch große Verantwortung. Sara ist sich dieser Verantwortung bewusst und hat sich verpflichtet, die Stimme derjenigen zu sein, die oft nicht gehört werden. Sie hat betont, dass es wichtig ist, die Vielfalt innerhalb der LGBTQ-Community zu repräsentieren und die Stimmen von marginalisierten Gruppen zu stärken.

Verantwortung = Repräsentation + Stärkung von Stimmen + Kritische Reflexion
(20)

Diese Gleichung verdeutlicht, dass Saras Einfluss nicht nur eine Frage des persönlichen Erfolgs ist, sondern auch eine Verpflichtung, die Gemeinschaft als Ganzes zu unterstützen.

Schlussfolgerung

Zusammenfassend lässt sich sagen, dass die Reflexion über Saras Einfluss sowohl ihre Erfolge als auch die Herausforderungen umfasst, mit denen sie konfrontiert ist. Ihr Engagement für die Trans-Gesundheit und ihre Rolle als Vorbild sind zentrale Elemente ihrer Biografie, die nicht nur ihre persönliche Reise widerspiegeln, sondern auch die transformative Kraft des Aktivismus. Saras Einfluss wird weiterhin in der LGBTQ-Community und darüber hinaus spürbar sein, während sie sich weiterhin für eine gerechtere und inklusivere Gesellschaft einsetzt.

Sara Bingham heute

Aktuelle Projekte und Initiativen

Saras Rolle in der heutigen LGBTQ-Bewegung

Sara Bingham hat sich als eine der führenden Stimmen in der heutigen LGBTQ-Bewegung etabliert. Ihre Rolle ist nicht nur die einer Aktivistin, sondern auch die einer Mentorin, einer Forscherin und einer Brückenbauerin zwischen verschiedenen Gemeinschaften. In den letzten Jahren hat sich die LGBTQ-Bewegung weiterentwickelt und diversifiziert, und Sara hat sich an diesen Veränderungen aktiv beteiligt.

Die Diversifizierung der Bewegung

Die LGBTQ-Bewegung hat sich von ihren Wurzeln, die stark auf die Rechte von Schwulen und Lesben fokussiert waren, hin zu einer inklusiveren Perspektive entwickelt, die auch Transgender- und nicht-binäre Identitäten umfasst. Sara hat diesen Wandel mitgestaltet, indem sie den Fokus auf Trans-Gesundheit gelegt hat. Sie hat betont, dass Trans-Personen oft mit einzigartigen Herausforderungen konfrontiert sind, die in der allgemeinen LGBTQ-Diskussion nicht ausreichend behandelt werden.

Aufklärung und Sensibilisierung

Ein zentraler Aspekt von Saras Arbeit ist die Aufklärung. Sie hat zahlreiche Workshops und Schulungen durchgeführt, um das Bewusstsein für die spezifischen Bedürfnisse von Trans-Personen zu schärfen. In ihren Präsentationen verwendet sie oft humorvolle Anekdoten, um die Zuhörer zu fesseln und gleichzeitig ernste Themen anzusprechen. Diese Technik hat sich als besonders effektiv erwiesen, um Vorurteile abzubauen und Empathie zu fördern.

Politische Einflussnahme

Sara hat sich auch intensiv in die politische Arena begeben. Sie hat an verschiedenen politischen Kampagnen teilgenommen, die darauf abzielen, Gesetze zu ändern, die Trans-Personen diskriminieren. Ein bemerkenswertes Beispiel ist ihre Mitwirkung an der Kampagne zur Einführung des „Gender Identity and Expression Bill" in Kanada, das darauf abzielt, Diskriminierung aufgrund der Geschlechtsidentität zu verbieten. Sara hat sich nicht nur als Sprecherin, sondern auch als Strategin hervorgetan, indem sie Netzwerke aufgebaut hat, um Unterstützung für diese Initiativen zu mobilisieren.

Mentorship und Unterstützung

Sara hat auch eine wichtige Rolle als Mentorin für junge Aktivisten gespielt. Sie hat Programme ins Leben gerufen, die es jungen LGBTQ-Personen ermöglichen, sich in der Bewegung zu engagieren und ihre eigenen Stimmen zu finden. Diese Mentorship-Programme sind entscheidend, um die nächste Generation von Aktivisten zu fördern und sicherzustellen, dass die Bewegung weiterhin relevant und dynamisch bleibt.

Herausforderungen im Aktivismus

Trotz ihrer Erfolge sieht sich Sara auch mit Herausforderungen konfrontiert. Die LGBTQ-Bewegung steht vor internen Spannungen, insbesondere im Hinblick auf die Frage der intersektionalen Gerechtigkeit. Sara hat oft betont, dass es wichtig ist, die Stimmen von marginalisierten Gruppen innerhalb der LGBTQ-Community zu hören, um sicherzustellen, dass alle Perspektiven vertreten sind. Dies erfordert eine ständige Reflexion über die eigenen Privilegien und die Bereitschaft, sich für andere einzusetzen.

Die Rolle der sozialen Medien

In der heutigen Zeit spielen soziale Medien eine entscheidende Rolle im Aktivismus. Sara nutzt Plattformen wie Twitter und Instagram, um ihre Botschaften zu verbreiten und das Bewusstsein für Trans-Gesundheit zu schärfen. Ihre Beiträge sind oft mit persönlichen Geschichten und Daten angereichert, die die Dringlichkeit ihrer Anliegen unterstreichen. Diese Art von Kommunikation hat es ihr ermöglicht, eine breite Anhängerschaft zu gewinnen und wichtige Diskussionen über Trans-Rechte zu initiieren.

Zukunftsvision

Sara blickt optimistisch in die Zukunft der LGBTQ-Bewegung. Sie glaubt, dass der intersektionale Aktivismus der Schlüssel zur Schaffung einer gerechteren Gesellschaft ist. Ihr Ziel ist es, eine Plattform zu schaffen, auf der alle Stimmen gehört werden, insbesondere die von Trans-Personen und anderen marginalisierten Gruppen. Durch ihre Arbeit möchte sie ein Umfeld fördern, in dem Vielfalt nicht nur akzeptiert, sondern gefeiert wird.

Schlussfolgerung

Zusammenfassend lässt sich sagen, dass Sara Bingham eine zentrale Figur in der heutigen LGBTQ-Bewegung ist. Ihre Fähigkeit, Humor und Ernsthaftigkeit zu kombinieren, ihre politische Einflussnahme und ihr Engagement für die nächste Generation von Aktivisten machen sie zu einer unverzichtbaren Stimme im Kampf für Gleichheit und Gerechtigkeit. Saras Arbeit hat nicht nur die Trans-Gesundheit in den Vordergrund gerückt, sondern auch die gesamte Bewegung bereichert und diversifiziert. Ihre Vision einer inklusiven Zukunft wird weiterhin viele inspirieren und motivieren.

Neue Herausforderungen und Chancen

In der heutigen Zeit sieht sich Sara Bingham, wie viele Aktivisten, mit einer Vielzahl neuer Herausforderungen und Chancen konfrontiert, die sich aus der sich ständig verändernden sozialen, politischen und technologischen Landschaft ergeben. Diese Aspekte sind entscheidend für das Verständnis ihrer gegenwärtigen Rolle in der LGBTQ-Bewegung und für die Entwicklung von Strategien, um die Rechte und das Wohlbefinden von Trans-Personen zu fördern.

Technologische Herausforderungen

Mit dem Aufkommen sozialer Medien und digitaler Plattformen hat sich die Art und Weise, wie Aktivismus betrieben wird, drastisch verändert. Während diese Technologien eine Plattform für Sichtbarkeit und Vernetzung bieten, bringen sie auch Herausforderungen mit sich, wie beispielsweise Cyberbullying und die Verbreitung von Fehlinformationen. Sara hat in der Vergangenheit beobachtet, dass die Anonymität des Internets oft dazu führt, dass Menschen verletzende Kommentare abgeben, die sich negativ auf die psychische Gesundheit von Aktivisten auswirken können.

Ein Beispiel hierfür ist die Verwendung von sozialen Medien, um Fehlinformationen über Trans-Gesundheit zu verbreiten. Studien zeigen, dass falsche Informationen über medizinische Behandlungen und Geschlechtsidentität weit verbreitet sind und zu einem erhöhten Stigma führen können. Sara hat in ihren Kampagnen betont, wie wichtig es ist, auf verlässliche Quellen zurückzugreifen und die Community über die Realität der Trans-Gesundheit aufzuklären.

Politische Herausforderungen

Politisch gesehen stehen Aktivisten wie Sara vor der Herausforderung, in einem zunehmend polarisierten Umfeld zu arbeiten. In vielen Ländern, einschließlich Kanada, gibt es eine wachsende Anzahl von Gesetzen und politischen Bewegungen, die sich gegen die Rechte von LGBTQ-Personen richten. Diese politischen Rückschläge erfordern eine ständige Wachsamkeit und Mobilisierung der Community.

Ein konkretes Beispiel ist die Einführung von Gesetzen, die den Zugang zu geschlechtsangleichenden Behandlungen einschränken oder die Rechte von Trans-Kindern in Schulen in Frage stellen. Sara hat sich aktiv gegen solche Maßnahmen ausgesprochen und betont, dass der Zugang zu medizinischer Versorgung ein grundlegendes Menschenrecht ist. In ihrer Arbeit hat sie auch die Notwendigkeit hervorgehoben, mit politischen Entscheidungsträgern zusammenzuarbeiten, um positive Veränderungen herbeizuführen.

Gesellschaftliche Herausforderungen

Die gesellschaftliche Akzeptanz von Trans-Personen bleibt eine Herausforderung, die nicht ignoriert werden kann. Trotz Fortschritten in der Sichtbarkeit und Repräsentation gibt es immer noch tief verwurzelte Vorurteile und Diskriminierung. Diese gesellschaftlichen Hürden wirken sich direkt auf das Leben von Trans-Personen aus, die oft mit Diskriminierung am Arbeitsplatz, in der Gesundheitsversorgung und in sozialen Beziehungen konfrontiert sind.

Sara hat in ihren öffentlichen Auftritten oft die Bedeutung von Empathie und Verständnis betont, um Vorurteile abzubauen. Sie nutzt ihre Plattform, um Geschichten von Trans-Personen zu erzählen und deren Erfahrungen sichtbar zu machen. Diese Narrative sind entscheidend, um das Bewusstsein in der breiten Öffentlichkeit zu schärfen und die Akzeptanz zu fördern.

Chancen durch intersektionalen Aktivismus

Trotz der Herausforderungen gibt es auch zahlreiche Chancen für Sara und andere Aktivisten. Eine der vielversprechendsten Entwicklungen ist der wachsende intersektionale Ansatz im Aktivismus. Dieser Ansatz erkennt an, dass die Erfahrungen von Trans-Personen nicht isoliert betrachtet werden können, sondern im Kontext von Rasse, Klasse, Geschlecht und anderen sozialen Kategorien stehen.

Sara hat in ihrer Arbeit betont, wie wichtig es ist, verschiedene Stimmen innerhalb der LGBTQ-Community zu integrieren, insbesondere die von BIPOC (Black, Indigenous, People of Color). Durch die Zusammenarbeit mit anderen Gruppen und das Teilen von Ressourcen können Aktivisten ihre Reichweite und Wirkung erheblich erhöhen. Ein Beispiel hierfür ist die Organisation von gemeinsamen Veranstaltungen, die verschiedene Themen des Aktivismus ansprechen und eine breitere Öffentlichkeit ansprechen.

Zukunftsperspektiven

Die Zukunft des Aktivismus in Kanada und weltweit bietet sowohl Herausforderungen als auch Chancen. Der Aufstieg populistischer Bewegungen könnte potenziell zu weiteren Rückschlägen führen, gleichzeitig gibt es jedoch ein wachsendes Bewusstsein für die Notwendigkeit, die Rechte von marginalisierten Gruppen zu schützen. Sara sieht die Notwendigkeit, sich auf Bildung zu konzentrieren und junge Menschen in den Aktivismus einzubeziehen, um eine neue Generation von Befürwortern zu schaffen.

Zusammenfassend lässt sich sagen, dass Sara Bingham vor neuen Herausforderungen steht, die sowohl technologischer als auch gesellschaftlicher und politischer Natur sind. Dennoch sieht sie auch Chancen, insbesondere durch den intersektionalen Aktivismus, der es ermöglicht, unterschiedliche Perspektiven zu integrieren und eine breitere Basis für den Kampf um die Rechte von Trans-Personen zu schaffen. Ihre Vision für die Zukunft bleibt optimistisch, da sie an die Kraft der Gemeinschaft und die Möglichkeit glaubt, positive Veränderungen zu bewirken.

Die Bedeutung von intersektionalem Aktivismus

Intersektionalität ist ein Begriff, der ursprünglich von der Juristin Kimberlé Crenshaw in den späten 1980er Jahren geprägt wurde. Er beschreibt, wie verschiedene soziale Kategorien wie Geschlecht, Rasse, sexuelle Orientierung, Klasse und andere Identitätsmerkmale sich überschneiden und miteinander interagieren, um einzigartige Erfahrungen von Diskriminierung oder Privilegien zu schaffen. Im Kontext des LGBTQ-Aktivismus ist intersektionaler Aktivismus von entscheidender Bedeutung, da er die Komplexität der Identitäten und die unterschiedlichen Herausforderungen, denen Menschen gegenüberstehen, anerkennt.

Theoretische Grundlagen der Intersektionalität

Intersektionalität geht davon aus, dass Individuen nicht nur durch eine einzige Identität definiert werden können. Stattdessen sind sie das Produkt mehrerer Identitäten, die in unterschiedlichen Kontexten unterschiedliche Auswirkungen haben können. Diese Theorie hebt hervor, dass Diskriminierung nicht isoliert betrachtet werden kann, sondern als ein vielschichtiges Phänomen, das die Erfahrungen von Menschen beeinflusst.

Die grundlegende Gleichung der Intersektionalität könnte vereinfacht wie folgt dargestellt werden:

$$D = f(I_1, I_2, I_3, \ldots, I_n)$$

wobei D die Diskriminierung darstellt und I_i verschiedene Identitätsmerkmale sind, die die individuelle Erfahrung prägen. Diese Gleichung verdeutlicht, dass Diskriminierung nicht linear oder monolithisch ist, sondern aus der Wechselwirkung mehrerer Faktoren resultiert.

Probleme und Herausforderungen

Die Implementierung intersektionalen Aktivismus bringt jedoch auch Herausforderungen mit sich. Oft wird der Aktivismus in der LGBTQ-Community von bestimmten dominanten Narrativen geprägt, die vor allem auf die Erfahrungen cisgender, heterosexueller weißen Personen fokussiert sind. Dies kann dazu führen, dass die Stimmen von marginalisierten Gruppen, wie People of Color, trans* und nicht-binären Personen, sowie von Menschen mit Behinderungen, übersehen oder nicht ausreichend repräsentiert werden.

Ein weiteres Problem ist die Fragmentierung innerhalb der Bewegung. Verschiedene Gruppen können unterschiedliche Prioritäten und Ziele haben, was zu Spannungen und Konflikten führen kann. Diese Fragmentierung kann den intersektionalen Aktivismus schwächen, da er auf Zusammenarbeit und Solidarität angewiesen ist, um wirksam zu sein.

AKTUELLE PROJEKTE UND INITIATIVEN 173

Beispiele für intersektionalen Aktivismus

Ein herausragendes Beispiel für intersektionalen Aktivismus ist die „Black Lives Matter"-Bewegung, die nicht nur rassistische Gewalt anprangert, sondern auch die spezifischen Herausforderungen, denen sich schwarze LGBTQ-Personen gegenübersehen. Diese Bewegung hat es geschafft, eine breite Koalition von Unterstützern zu mobilisieren, die sich für soziale Gerechtigkeit einsetzen, und hat gleichzeitig die Notwendigkeit betont, dass die Stimmen marginalisierter Gruppen gehört werden.

Ein weiteres Beispiel ist die Arbeit von Organisationen wie „Transgender Europe" (TGEU), die sich für die Rechte von trans* Personen in Europa und darüber hinaus einsetzen. Diese Organisation erkennt die Vielfalt innerhalb der trans* Gemeinschaft an und arbeitet daran, die spezifischen Bedürfnisse von verschiedenen Gruppen innerhalb dieser Gemeinschaft zu adressieren, einschließlich ethnischer Minderheiten und Menschen mit Behinderungen.

Die Rolle von Sara Bingham

Sara Bingham hat in ihrer Arbeit die Bedeutung des intersektionalen Aktivismus betont. Sie hat oft darauf hingewiesen, dass Trans-Gesundheit nicht isoliert betrachtet werden kann, sondern im Kontext von Rassismus, Sexismus und anderen Formen der Diskriminierung. Ihre Initiativen zielen darauf ab, die Sichtbarkeit von marginalisierten Stimmen innerhalb der LGBTQ-Community zu erhöhen und eine inklusive Agenda zu fördern, die alle Identitäten berücksichtigt.

Sara hat auch Workshops und Schulungen geleitet, die sich mit intersektionalen Themen befassen, um das Bewusstsein für die Komplexität der Identität und die Notwendigkeit einer umfassenden Herangehensweise an den Aktivismus zu schärfen. Durch ihre Arbeit hat sie nicht nur das Verständnis für intersektionalen Aktivismus gefördert, sondern auch konkrete Schritte unternommen, um sicherzustellen, dass alle Stimmen innerhalb der Bewegung gehört werden.

Schlussfolgerung

Die Bedeutung des intersektionalen Aktivismus kann nicht genug betont werden. Er ist entscheidend, um die Vielfalt der Erfahrungen innerhalb der LGBTQ-Community zu verstehen und um sicherzustellen, dass alle Menschen, unabhängig von ihren Identitäten, Zugang zu den Ressourcen und dem Schutz haben, den sie benötigen. Intersektionalität fordert uns heraus, über unsere eigenen Erfahrungen hinauszublicken und die Komplexität der Realität zu akzeptieren, in der wir leben. Nur durch einen intersektionalen Ansatz können wir eine gerechtere und inklusivere Gesellschaft schaffen.

Saras Engagement für globale LGBTQ-Rechte

Sara Bingham hat sich nicht nur auf die trans-spezifische Gesundheitsversorgung in Kanada konzentriert, sondern auch aktiv für globale LGBTQ-Rechte gekämpft. Ihr Engagement ist ein eindrucksvolles Beispiel dafür, wie lokale Aktivisten eine internationale Bewegung unterstützen können, die sich für die Rechte von LGBTQ-Personen weltweit einsetzt. In dieser Sektion werden wir die Herausforderungen, Strategien und Erfolge von Saras Engagement für globale LGBTQ-Rechte näher beleuchten.

Die globale Perspektive

Die LGBTQ-Community sieht sich weltweit mit einer Vielzahl von Herausforderungen konfrontiert. In vielen Ländern sind homosexuelle Handlungen illegal, und die Rechte von Trans-Personen werden oft nicht anerkannt. Laut einem Bericht von [?] sind in über 70 Ländern Homosexualität und in mindestens 10 Ländern Geschlechtsidentität strafbar. Diese rechtlichen Rahmenbedingungen führen zu Diskriminierung, Gewalt und einem Mangel an Zugang zu grundlegenden Dienstleistungen, einschließlich Gesundheitsversorgung.

Saras Ansatz

Sara hat erkannt, dass der Kampf für LGBTQ-Rechte nicht auf nationale Grenzen beschränkt werden kann. Sie hat sich mit internationalen Organisationen wie *OutRight Action International* und *ILGA World* zusammengetan, um globale Kampagnen zu unterstützen, die sich gegen Diskriminierung und Gewalt richten. Diese Partnerschaften ermöglichen es Sara, ihre Erfahrungen und Kenntnisse über trans-spezifische Gesundheitsprobleme auf ein globales Publikum auszuweiten.

Bildung und Aufklärung

Ein zentraler Bestandteil von Saras Engagement ist die Bildung. Sie hat zahlreiche Workshops und Seminare organisiert, um das Bewusstsein für LGBTQ-Rechte und die spezifischen Herausforderungen, mit denen Trans-Personen konfrontiert sind, zu schärfen. In diesen Veranstaltungen hat sie oft auf die Bedeutung von

AKTUELLE PROJEKTE UND INITIATIVEN 175

intersektionalem Aktivismus hingewiesen, der die unterschiedlichen Identitäten und Erfahrungen innerhalb der LGBTQ-Community berücksichtigt. Die Theorie des intersektionalen Aktivismus, die von [?] geprägt wurde, besagt, dass verschiedene Formen der Diskriminierung, wie Rassismus, Sexismus und Homophobie, sich überschneiden und gemeinsam wirken. Sara hat diese Theorie in ihrer Arbeit angewendet, um sicherzustellen, dass die Stimmen von marginalisierten Gruppen innerhalb der LGBTQ-Community gehört werden.

Herausforderungen und Widerstände

Trotz ihrer Erfolge ist Saras Engagement für globale LGBTQ-Rechte nicht ohne Herausforderungen. In vielen Ländern gibt es starke soziale und politische Widerstände gegen LGBTQ-Rechte. Sara hat von ihren Erfahrungen in Ländern berichtet, in denen sie aufgrund ihrer Aktivität bedroht wurde. Diese Bedrohungen reichen von öffentlichem Shaming bis hin zu physischer Gewalt.

Ein Beispiel dafür ist ihre Teilnahme an einer Konferenz in einem Land, in dem LGBTQ-Rechte stark eingeschränkt sind. Dort wurde sie von regierungsnahen Gruppen angegriffen, die ihre Botschaft der Toleranz und Akzeptanz nicht dulden konnten. Diese Erfahrungen haben sie jedoch nicht entmutigt; im Gegenteil, sie haben ihren Einsatz für globale LGBTQ-Rechte nur verstärkt.

Erfolge und positive Veränderungen

Sara hat im Laufe ihrer Karriere zahlreiche Erfolge erzielt, die einen positiven Einfluss auf die globale LGBTQ-Community hatten. Eines ihrer bedeutendsten Projekte war die Mitorganisation einer internationalen Kampagne zur Unterstützung von LGBTQ-Rechten in afrikanischen Ländern, in denen Homosexualität strafbar ist. Diese Kampagne führte zu einer erhöhten Sichtbarkeit der Probleme, mit denen LGBTQ-Personen in diesen Regionen konfrontiert sind, und zu einem besseren Verständnis der Notwendigkeit internationaler Unterstützung.

Zusätzlich hat Sara an mehreren Berichten mitgewirkt, die von internationalen Organisationen veröffentlicht wurden, um die Situation von LGBTQ-Personen weltweit zu dokumentieren. Diese Berichte sind entscheidend für die politische Lobbyarbeit und haben dazu beigetragen, dass viele Regierungen und Nichtregierungsorganisationen (NGOs) LGBTQ-Rechte in ihre Agenda aufnehmen.

Zukunftsperspektiven

Sara glaubt fest an die Kraft des globalen Aktivismus. Sie hat sich zum Ziel gesetzt, die nächsten Generationen von Aktivisten zu inspirieren, sich für die Rechte von LGBTQ-Personen einzusetzen. In ihren Vorträgen betont sie oft, dass jeder Einzelne einen Unterschied machen kann, unabhängig von seinem geografischen Standort.

Sie plant, weiterhin mit internationalen Organisationen zusammenzuarbeiten und neue Partnerschaften zu bilden, um das Bewusstsein für die Herausforderungen zu schärfen, mit denen LGBTQ-Personen weltweit konfrontiert sind. Sara ist überzeugt, dass durch Bildung, Aufklärung und internationale Zusammenarbeit positive Veränderungen möglich sind.

Fazit

Saras Engagement für globale LGBTQ-Rechte ist ein leuchtendes Beispiel für die Macht des Aktivismus, der über nationale Grenzen hinausgeht. Ihre Fähigkeit, lokale Probleme in einen globalen Kontext zu setzen, hat nicht nur das Bewusstsein für die Herausforderungen der LGBTQ-Community geschärft, sondern auch konkrete Veränderungen bewirkt. Ihr Einsatz inspiriert viele, sich ebenfalls für eine gerechtere und inklusivere Welt einzusetzen. Die Zukunft des globalen LGBTQ-Aktivismus hängt von solchen engagierten Stimmen ab, die bereit sind, für die Rechte aller zu kämpfen.

Die Rolle der Bildung im Aktivismus

Bildung spielt eine entscheidende Rolle im Aktivismus, insbesondere im Kontext der LGBTQ-Rechte und der Trans-Gesundheit. Sie ist nicht nur ein Werkzeug zur Aufklärung, sondern auch ein Mittel zur Mobilisierung und zur Schaffung eines informierten Bewusstseins in der Gesellschaft. In diesem Abschnitt werden wir die verschiedenen Dimensionen der Bildung im Aktivismus beleuchten, einschließlich der theoretischen Grundlagen, der Herausforderungen und konkreter Beispiele.

Theoretische Grundlagen

Bildung im Aktivismus basiert auf verschiedenen theoretischen Ansätzen, darunter die kritische Theorie, die soziale Gerechtigkeitstheorie und die Bildungstheorie. Die kritische Theorie, die von Denkern wie Theodor Adorno und Max Horkheimer entwickelt wurde, betont die Notwendigkeit, bestehende Machtstrukturen zu hinterfragen und zu dekonstruieren. Diese Theorie ist

AKTUELLE PROJEKTE UND INITIATIVEN 177

besonders relevant für den LGBTQ-Aktivismus, da sie dazu anregt, die Normen und Werte, die Diskriminierung und Ungerechtigkeit fördern, zu hinterfragen. Ein weiterer wichtiger theoretischer Ansatz ist die soziale Gerechtigkeitstheorie, die die Gleichheit und Fairness in der Bildung und darüber hinaus betont. Diese Theorie fordert, dass Bildung nicht nur den individuellen Erfolg fördern sollte, sondern auch zur Schaffung einer gerechteren Gesellschaft beitragen muss. In Bezug auf LGBTQ-Rechte bedeutet dies, dass Bildung dazu beitragen sollte, Vorurteile abzubauen und das Verständnis für die Herausforderungen, mit denen LGBTQ-Personen konfrontiert sind, zu fördern.

Herausforderungen in der Bildung

Trotz der Bedeutung von Bildung im Aktivismus gibt es zahlreiche Herausforderungen, die es zu überwinden gilt. Eine der größten Herausforderungen ist der Zugang zu Bildung. Viele LGBTQ-Personen, insbesondere Trans-Personen, erleben Diskriminierung in Bildungseinrichtungen, was zu einem Gefühl der Isolation und einem Mangel an Unterstützung führen kann. Statistiken zeigen, dass LGBTQ-Jugendliche in Schulen häufiger Opfer von Mobbing sind, was sich negativ auf ihre Bildungserfahrungen auswirkt.

Ein weiteres Problem ist die Qualität der Bildung, die LGBTQ-Themen behandelt. Oft fehlen Lehrpläne, die die Vielfalt der Geschlechtsidentitäten und sexuellen Orientierungen angemessen berücksichtigen. Dies kann zu einem Mangel an Verständnis und Empathie in der breiten Bevölkerung führen und die Stigmatisierung von LGBTQ-Personen verstärken.

Beispiele für Bildung im Aktivismus

Sara Bingham hat in ihrer Rolle als Aktivistin zahlreiche Bildungsinitiativen ins Leben gerufen, die darauf abzielen, das Bewusstsein für Trans-Gesundheit zu schärfen und Vorurteile abzubauen. Ein bemerkenswertes Beispiel ist die Gründung von Workshops und Schulungsprogrammen, die sich an medizinisches Fachpersonal richten. Diese Programme zielen darauf ab, das Wissen über die spezifischen gesundheitlichen Bedürfnisse von Trans-Personen zu verbessern und sicherzustellen, dass sie respektvoll und kompetent behandelt werden.

Ein weiteres Beispiel ist die Zusammenarbeit mit Schulen, um Aufklärungsprogramme über Geschlechtsidentität und sexuelle Orientierung zu entwickeln. Diese Programme fördern ein inklusives Schulumfeld und helfen, Mobbing und Diskriminierung zu reduzieren. Durch die Einbeziehung von

LGBTQ-Geschichten und -Erfahrungen in den Lehrplan können Schüler*innen ein besseres Verständnis für die Vielfalt menschlicher Identitäten entwickeln.

Die Bedeutung von Selbstbildung

Neben formeller Bildung spielt auch die Selbstbildung eine zentrale Rolle im Aktivismus. Sara Bingham hat betont, wie wichtig es ist, dass Individuen sich selbst informieren und sich mit den Themen, die sie betreffen, auseinandersetzen. Die Verbreitung von Informationen über soziale Medien, Blogs und Podcasts hat es Aktivisten ermöglicht, Wissen zu teilen und Gemeinschaften zu mobilisieren.

Selbstbildung fördert auch die persönliche Entwicklung und das Empowerment. Indem Menschen lernen, ihre eigenen Geschichten zu erzählen und ihre Erfahrungen zu teilen, können sie andere inspirieren und ermutigen, sich ebenfalls zu engagieren. Dies schafft eine Kultur des Teilens und der Unterstützung innerhalb der LGBTQ-Community.

Fazit

Zusammenfassend lässt sich sagen, dass Bildung eine fundamentale Rolle im Aktivismus spielt. Sie ist nicht nur ein Mittel zur Aufklärung, sondern auch ein Werkzeug zur Mobilisierung und zur Schaffung eines informierten Bewusstseins. Trotz der Herausforderungen, die mit dem Zugang zu und der Qualität von Bildung verbunden sind, ist es entscheidend, dass Aktivisten wie Sara Bingham weiterhin Bildungsinitiativen fördern, um das Verständnis für LGBTQ-Themen zu verbessern und eine gerechtere Gesellschaft zu schaffen. Bildung ist der Schlüssel zu Veränderung, und durch die Förderung von Wissen und Verständnis können wir einen bedeutenden Einfluss auf die LGBTQ-Community und darüber hinaus ausüben.

Saras Vision für die Zukunft

Sara Bingham hat eine klare und inspirierende Vision für die Zukunft der Trans-Gesundheit und den LGBTQ-Aktivismus insgesamt. Ihre Perspektive ist nicht nur von persönlichen Erfahrungen geprägt, sondern auch von einem tiefen Verständnis der strukturellen Herausforderungen, denen Trans-Personen gegenüberstehen. In diesem Abschnitt werden wir Saras Vision für die Zukunft untersuchen, die auf den Prinzipien von Inklusion, Bildung und intersektionalem Aktivismus basiert.

AKTUELLE PROJEKTE UND INITIATIVEN

Inklusion und Gleichheit

Sara glaubt fest daran, dass die Zukunft der Trans-Gesundheit nur dann hell sein kann, wenn Inklusion und Gleichheit in allen Bereichen der Gesellschaft gefördert werden. Sie setzt sich dafür ein, dass Trans-Personen nicht nur in der Gesundheitsversorgung, sondern auch in Bildung, Beschäftigung und sozialen Diensten gleich behandelt werden. Dies bedeutet, dass politische Entscheidungsträger und Gesundheitsdienstleister die Bedürfnisse von Trans-Personen anerkennen und entsprechende Maßnahmen ergreifen müssen.

Ein Beispiel für Saras Engagement in diesem Bereich ist ihre Arbeit mit verschiedenen Organisationen, die sich für die Rechte von Trans-Personen einsetzen. Sie hat an Initiativen teilgenommen, die darauf abzielen, diskriminierende Gesetze abzuschaffen und die Sichtbarkeit von Trans-Personen in der Gesellschaft zu erhöhen. Durch solche Maßnahmen hofft sie, ein Umfeld zu schaffen, in dem Trans-Personen nicht nur akzeptiert, sondern auch gefeiert werden.

Bildung als Schlüssel

Ein weiterer zentraler Bestandteil von Saras Vision ist die Bedeutung von Bildung. Sie ist überzeugt, dass Aufklärung der Schlüssel zur Veränderung ist. Sara hat zahlreiche Workshops und Seminare geleitet, um das Bewusstsein für Trans-Gesundheit zu schärfen und Vorurteile abzubauen. Ihre Vision umfasst die Einführung von Bildungsprogrammen in Schulen, die sich mit Geschlechtsidentität und LGBTQ-Themen befassen.

Sara argumentiert, dass eine frühzeitige Aufklärung über Geschlechtsidentität und sexuelle Orientierung nicht nur das Verständnis und die Akzeptanz in der Gesellschaft fördert, sondern auch dazu beiträgt, dass junge Menschen sich sicherer fühlen, ihre Identität auszudrücken. Sie zitiert oft die Theorie der sozialen Identität, die besagt, dass Menschen ihr Selbstwertgefühl aus der Zugehörigkeit zu sozialen Gruppen ableiten. Indem Schulen eine inklusive Umgebung schaffen, können sie das Selbstwertgefühl von Trans-Jugendlichen stärken und Mobbing sowie Diskriminierung reduzieren.

Intersektionalität im Aktivismus

Sara betont die Notwendigkeit eines intersektionalen Ansatzes im Aktivismus. Sie erkennt an, dass Trans-Personen nicht monolithisch sind und dass ihre Erfahrungen stark von anderen Identitäten wie Rasse, Klasse und Behinderung beeinflusst werden. In ihrer Vision für die Zukunft sieht sie die Notwendigkeit, diese unterschiedlichen Identitäten in den Aktivismus einzubeziehen.

Ein Beispiel für intersektionalen Aktivismus ist Saras Zusammenarbeit mit Organisationen, die sich für die Rechte von BIPOC (Black, Indigenous, People of Color) einsetzen. Sie glaubt, dass die Stimmen und Erfahrungen von marginalisierten Gruppen innerhalb der LGBTQ-Community besonders gehört werden müssen. Durch die Förderung eines inklusiven Dialogs und die Unterstützung von BIPOC-Trans-Personen möchte Sara sicherstellen, dass alle Perspektiven in den Aktivismus einfließen.

Politische Veränderungen und Lobbyarbeit

Sara ist sich auch der politischen Dimension des Aktivismus bewusst. Sie hat sich aktiv an Lobbyarbeit beteiligt, um Gesetzesänderungen zu fördern, die Trans-Personen schützen und unterstützen. Ihre Vision für die Zukunft umfasst die Schaffung eines rechtlichen Rahmens, der die Rechte von Trans-Personen in Kanada und darüber hinaus schützt.

Eine ihrer Hauptforderungen ist die Einführung von Gesetzen, die Diskriminierung aufgrund der Geschlechtsidentität in allen Lebensbereichen verbieten. Sie argumentiert, dass solche Gesetze nicht nur rechtliche Sicherheit bieten, sondern auch eine gesellschaftliche Norm schaffen, die Vielfalt und Inklusion fördert. Sara hat an mehreren Kampagnen teilgenommen, um politische Entscheidungsträger zu mobilisieren und die Öffentlichkeit über die Notwendigkeit solcher Veränderungen aufzuklären.

Technologie und soziale Medien

In einer zunehmend digitalen Welt sieht Sara auch die Rolle von Technologie und sozialen Medien als entscheidend für die Zukunft des Aktivismus. Sie nutzt Plattformen wie Twitter, Instagram und TikTok, um ihre Botschaft zu verbreiten und eine jüngere Generation von Aktivisten zu inspirieren. Sara glaubt, dass soziale Medien eine mächtige Waffe im Kampf gegen Diskriminierung sind, da sie es den Menschen ermöglichen, ihre Geschichten zu teilen und eine Gemeinschaft aufzubauen.

Sara hat auch betont, wie wichtig es ist, digitale Räume zu schaffen, die sicher und inklusiv sind. Sie hat an Initiativen gearbeitet, die darauf abzielen, Cyberbullying zu bekämpfen und Online-Ressourcen für Trans-Personen bereitzustellen. Ihre Vision umfasst die Schaffung von Plattformen, die nicht nur

Informationen bereitstellen, sondern auch Unterstützung und Gemeinschaft bieten.

Ein Aufruf zum Handeln

Abschließend lässt sich sagen, dass Saras Vision für die Zukunft eine Kombination aus Inklusion, Bildung, intersektionalem Aktivismus, politischer Veränderung und digitaler Präsenz ist. Sie ermutigt jeden, sich aktiv für die Rechte von Trans-Personen und die LGBTQ-Community einzusetzen. Ihr Aufruf zum Handeln ist klar: Jeder kann einen Unterschied machen, und gemeinsam können wir eine gerechtere und inklusivere Gesellschaft schaffen.

Sara schließt oft mit den Worten: „Die Zukunft ist nicht etwas, das wir erwarten, sondern etwas, das wir gemeinsam gestalten." Diese Philosophie treibt sie an und inspiriert viele, sich der Herausforderung des Aktivismus zu stellen und für eine bessere Zukunft zu kämpfen.

Zusammenarbeit mit neuen Generationen von Aktivisten

Die Zusammenarbeit mit neuen Generationen von Aktivisten ist ein entscheidender Aspekt von Saras Engagement im Bereich des LGBTQ-Aktivismus. Diese Partnerschaften sind nicht nur für den Wissensaustausch von Bedeutung, sondern auch für die Stärkung der Bewegung insgesamt. In diesem Abschnitt werden wir die verschiedenen Dimensionen dieser Zusammenarbeit betrachten, einschließlich der Herausforderungen, der theoretischen Grundlagen und konkreter Beispiele.

Theoretische Grundlagen

Die Zusammenarbeit zwischen verschiedenen Generationen von Aktivisten kann durch verschiedene theoretische Rahmenbedingungen verstanden werden. Eine wichtige Theorie ist die *Intergenerationale Solidarität*, die sich mit der gegenseitigen Unterstützung und dem Austausch von Ressourcen zwischen Generationen beschäftigt. Diese Theorie betont, dass ältere Aktivisten, wie Sara Bingham, von ihren Erfahrungen und ihrem Wissen profitieren können, während jüngere Aktivisten frische Perspektiven und innovative Ansätze einbringen.

Ein weiterer relevanter theoretischer Ansatz ist das Konzept der *kollektiven Identität*. Dieser Begriff beschreibt, wie Gruppen von Menschen, die eine gemeinsame Identität teilen, zusammenarbeiten, um ihre Ziele zu erreichen. In der LGBTQ-Bewegung ist die kollektive Identität oft durch gemeinsame

Erfahrungen von Diskriminierung und Marginalisierung geprägt, was die Zusammenarbeit zwischen verschiedenen Generationen erleichtert.

Herausforderungen der Zusammenarbeit

Trotz der Vorteile gibt es auch Herausforderungen bei der Zusammenarbeit zwischen verschiedenen Generationen von Aktivisten. Eine der größten Herausforderungen ist die *Kluft der Erfahrungen*. Jüngere Aktivisten haben oft andere Prioritäten und Strategien, die auf den aktuellen sozialen Medien und digitalen Plattformen basieren, während ältere Aktivisten möglicherweise an traditionellen Formen des Aktivismus festhalten. Diese Unterschiede können zu Missverständnissen und Spannungen führen.

Ein weiteres Problem ist die *Ressourcenverteilung*. Ältere Aktivisten haben oft Zugang zu Netzwerken und Ressourcen, die für jüngere Aktivisten von unschätzbarem Wert sein können. Gleichzeitig kann es jedoch zu einem Gefühl der Ungleichheit kommen, wenn jüngere Aktivisten das Gefühl haben, dass ihre Stimmen nicht ausreichend gehört werden.

Beispiele für erfolgreiche Zusammenarbeit

Trotz der Herausforderungen gibt es zahlreiche Beispiele für erfolgreiche Zusammenarbeit zwischen Sara Bingham und neuen Generationen von Aktivisten. Ein bemerkenswertes Beispiel ist die Gründung von *Youth for Trans Rights*, einer Initiative, die von jungen LGBTQ-Aktivisten ins Leben gerufen wurde, um auf die spezifischen Bedürfnisse von Trans-Jugendlichen aufmerksam zu machen. Sara wurde eingeladen, als Mentorin zu fungieren und ihre Erfahrungen zu teilen, was zu einem fruchtbaren Austausch führte.

Ein weiteres Beispiel ist die Veranstaltung *Pride in the Digital Age*, die von einer Gruppe junger Aktivisten organisiert wurde, um die Rolle der sozialen Medien im Aktivismus zu diskutieren. Sara hielt einen Vortrag über die Bedeutung von Sichtbarkeit und Repräsentation und teilte ihre Strategien zur Nutzung von sozialen Medien, um das Bewusstsein für Trans-Gesundheit zu schärfen. Diese Zusammenarbeit führte nicht nur zu einer stärkeren Vernetzung, sondern auch zu innovativen Kampagnen, die auf die Bedürfnisse der jüngeren Generation zugeschnitten sind.

Die Rolle der Bildung

Bildung spielt eine entscheidende Rolle bei der Zusammenarbeit zwischen verschiedenen Generationen. Sara hat Workshops und Schulungen für junge

Aktivisten organisiert, um ihnen die Fähigkeiten und das Wissen zu vermitteln, die sie benötigen, um effektiv zu arbeiten. Diese Bildungsinitiativen fördern nicht nur den Austausch von Wissen, sondern stärken auch das Vertrauen und die Beziehungen zwischen den Generationen.

Zusätzlich hat Sara die Bedeutung von *Peer-to-Peer-Lernen* hervorgehoben, bei dem junge Aktivisten von ihren Altersgenossen lernen können. Dies schafft eine Atmosphäre des gegenseitigen Respekts und der Unterstützung, die für die Entwicklung einer starken und resilienten Bewegung unerlässlich ist.

Fazit

Die Zusammenarbeit mit neuen Generationen von Aktivisten ist für Sara Bingham und die LGBTQ-Bewegung von zentraler Bedeutung. Trotz der Herausforderungen, die sich aus unterschiedlichen Erfahrungen und Ressourcen ergeben können, bieten intergenerationale Partnerschaften die Möglichkeit, innovative Ansätze zu entwickeln und die Bewegung zu stärken. Durch Bildung, Mentoring und den Austausch von Ideen können ältere und jüngere Aktivisten gemeinsam an einer gerechteren und inklusiveren Gesellschaft arbeiten. Saras Engagement in dieser Zusammenarbeit ist ein inspirierendes Beispiel dafür, wie der Aktivismus in der heutigen Zeit weiterentwickelt werden kann, um den Bedürfnissen aller Mitglieder der LGBTQ-Community gerecht zu werden.

Die Bedeutung von Selbstpflege und Balance

In der heutigen hektischen Welt, in der Aktivismus oft mit emotionalen und physischen Belastungen verbunden ist, wird die Bedeutung von Selbstpflege und Balance für Aktivisten wie Sara Bingham immer deutlicher. Selbstpflege ist nicht nur eine persönliche Notwendigkeit, sondern auch eine grundlegende Voraussetzung für nachhaltigen Aktivismus. Aktivisten stehen häufig unter immensem Druck, sowohl von außen als auch von innen, was zu Burnout und Erschöpfung führen kann.

Theoretische Grundlagen der Selbstpflege

Selbstpflege kann als eine bewusste Praxis definiert werden, die darauf abzielt, das körperliche, emotionale und geistige Wohlbefinden zu fördern. Laut der *Self-Care Theory* von Dorothea Orem ist Selbstpflege eine essentielle Fähigkeit, die Individuen benötigen, um ihre Gesundheit zu erhalten und zu fördern. Diese Theorie legt nahe, dass das Versäumnis, sich um sich selbst zu kümmern, zu einer

Reihe von gesundheitlichen Problemen führen kann, die sich negativ auf die Fähigkeit auswirken, effektiv zu handeln und zu kämpfen.

Herausforderungen für Aktivisten

Aktivisten wie Sara Bingham sehen sich oft mit spezifischen Herausforderungen konfrontiert, die die Selbstpflege erschweren. Dazu gehören:

- **Emotionale Erschöpfung:** Das ständige Engagement für die Rechte anderer kann zu emotionaler Müdigkeit führen, die oft als *Compassion Fatigue* bezeichnet wird.

- **Körperliche Belastungen:** Längere Arbeitszeiten und unregelmäßige Essens- und Schlafgewohnheiten können die körperliche Gesundheit beeinträchtigen.

- **Gesellschaftlicher Druck:** Die Erwartung, ständig sichtbar und aktiv zu sein, kann die Selbstpflege in den Hintergrund drängen.

Praktiken der Selbstpflege

Sara Bingham hat in ihrer Karriere verschiedene Strategien zur Selbstpflege entwickelt, um ein Gleichgewicht zwischen Aktivismus und persönlichem Wohlbefinden zu finden. Zu diesen Praktiken gehören:

- **Regelmäßige Pausen:** Sara betont die Wichtigkeit von Pausen, um sich von emotional belastenden Situationen zu erholen. Sie plant feste Zeiten für Entspannung und Reflexion ein.

- **Körperliche Aktivität:** Sportliche Betätigung, sei es Yoga, Laufen oder Tanzen, ist für Sara ein wesentlicher Bestandteil ihrer Selbstpflege-Routine. Diese Aktivitäten helfen nicht nur, Stress abzubauen, sondern fördern auch die körperliche Gesundheit.

- **Soziale Unterstützung:** Sara sucht aktiv den Kontakt zu Gleichgesinnten und Freunden. Der Austausch mit anderen Aktivisten bietet nicht nur emotionale Unterstützung, sondern auch eine Plattform für das Teilen von Erfahrungen und Strategien.

- **Kreative Ausdrucksformen:** Kunst und Kreativität spielen eine wichtige Rolle in Saras Leben. Sie nutzt Malerei und Schreiben als Mittel zur Selbstreflexion und zur Verarbeitung ihrer Erfahrungen.

Beispiele aus Saras Leben

Ein prägnantes Beispiel für Saras Engagement in der Selbstpflege war ihre Teilnahme an einem Retreat für LGBTQ-Aktivisten. Während dieses Retreats hatte sie die Möglichkeit, sich mit anderen Aktivisten auszutauschen und neue Techniken zur Stressbewältigung zu erlernen. Diese Erfahrung half ihr, die Wichtigkeit von Gemeinschaft und Unterstützung zu erkennen und wie sie diese in ihren Alltag integrieren kann.

Ein weiteres Beispiel ist Saras Initiative, regelmäßige „Self-Care Days" in ihrer Community zu fördern. Diese Tage bieten Raum für Workshops über Selbstpflege-Techniken, Meditation und kreative Aktivitäten, die den Teilnehmern helfen, ihre eigene Balance zu finden und zu bewahren.

Fazit

Die Bedeutung von Selbstpflege und Balance kann nicht genug betont werden. Für Aktivisten wie Sara Bingham ist es entscheidend, sich um das eigene Wohlbefinden zu kümmern, um langfristig effektiv für die Rechte anderer eintreten zu können. Indem sie Selbstpflegepraktiken in ihren Alltag integriert, setzt Sara ein Beispiel für andere und zeigt, dass Aktivismus und Selbstfürsorge Hand in Hand gehen können. Die Herausforderung besteht darin, diese Praktiken in einem oft fordernden Umfeld zu verankern, was jedoch durch bewusste Entscheidungen und die Schaffung unterstützender Gemeinschaften möglich ist.

Die Erkenntnis, dass Selbstpflege nicht egoistisch ist, sondern eine Notwendigkeit für nachhaltigen Aktivismus, ist ein wichtiger Schritt in der Entwicklung einer gesunden, resilienten Aktivistengemeinschaft. Sara Bingham lehrt uns, dass wir nicht nur für andere kämpfen können, sondern auch für uns selbst – und dass wir beides mit Anmut und Humor tun können.

Saras persönliche Entwicklung und Wachstum

Sara Bingham ist nicht nur eine Aktivistin, sondern auch ein Beispiel für persönliche Entwicklung und Wachstum im Angesicht von Herausforderungen. Ihre Reise ist geprägt von einer ständigen Auseinandersetzung mit ihrer Identität, ihren Werten und den gesellschaftlichen Normen, die oft im Widerspruch zu ihrem eigenen Leben stehen. In diesem Abschnitt betrachten wir, wie Sara durch verschiedene Phasen ihrer Entwicklung nicht nur als Individuum gewachsen ist, sondern auch als Führungspersönlichkeit in der LGBTQ-Community.

Selbstreflexion und Identitätsfindung

Ein zentrales Element von Saras persönlicher Entwicklung ist die Fähigkeit zur Selbstreflexion. In ihren frühen Jahren war Sara oft mit Fragen konfrontiert, die ihre Geschlechtsidentität und ihre Rolle in der Gesellschaft betrafen. Diese Fragen führten zu einer tiefen inneren Auseinandersetzung, die sie in ihrer Jugend durch verschiedene kreative Ausdrucksformen, wie Kunst und Schreiben, verarbeitete.

Die Theorie der *Identitätsentwicklung* nach Erik Erikson kann hier hilfreich sein, um Saras Erfahrungen zu verstehen. Erikson postuliert, dass Individuen in verschiedenen Lebensphasen spezifische psychosoziale Herausforderungen meistern müssen. In Saras Fall stellte die Phase der *Identitätskrise* (Adoleszenz) eine entscheidende Zeit dar, in der sie ihre Geschlechtsidentität erkundete und sich von den Erwartungen ihrer Umgebung zu lösen versuchte. Diese Phase führte zu einer stärkeren Selbstakzeptanz und einem klareren Verständnis ihrer Werte und Ziele.

Herausforderungen und Resilienz

Saras Weg war jedoch nicht ohne Herausforderungen. Diskriminierung, Mobbing und die ständige Suche nach Akzeptanz prägten ihre Jugend. Diese Erfahrungen führten oft zu Gefühlen der Isolation und des Zweifels. Doch anstatt sich von diesen Rückschlägen entmutigen zu lassen, entwickelte Sara eine bemerkenswerte Resilienz.

Resilienz, definiert als die Fähigkeit, sich von schwierigen Lebensereignissen zu erholen, ist ein wichtiger Aspekt von Saras persönlichem Wachstum. Ein Beispiel für diese Resilienz ist ihre Entscheidung, aktiv in der LGBTQ-Community zu werden. Durch die Gründung von Unterstützungsgruppen und die Teilnahme an Community-Events fand Sara nicht nur eine Plattform, um ihre Stimme zu erheben, sondern auch eine Gemeinschaft, die ihre Erfahrungen teilte und unterstützte.

Mentorship und Vorbilder

Ein weiterer wichtiger Faktor in Saras Entwicklung war die Rolle von Mentoren und Vorbildern. Während ihrer Universitätszeit traf Sara auf erfahrene Aktivisten, die sie inspirierten und unterstützten. Diese Beziehungen halfen ihr nicht nur, ihre eigenen Fähigkeiten zu entwickeln, sondern auch, ein Gefühl der Zugehörigkeit zu finden.

Die Theorie des *sozialen Lernens* nach Albert Bandura legt nahe, dass Menschen durch Beobachtung und Nachahmung lernen. Saras Mentoren fungierten als Modelle, deren Verhalten und Engagement sie nachahmte. Dieses Lernen durch Vorbilder war entscheidend für Saras Entwicklung als Aktivistin und Führungspersönlichkeit.

Intersektionalität und persönliche Werte

Ein wichtiger Aspekt von Saras persönlichem Wachstum ist ihr Verständnis für Intersektionalität. Sie erkannte, dass ihre Erfahrungen nicht isoliert sind, sondern von verschiedenen Faktoren wie Geschlecht, Rasse, Klasse und Sexualität beeinflusst werden. Diese Erkenntnis führte dazu, dass sie ihre eigenen Werte und Überzeugungen hinterfragte und ein breiteres Verständnis für die Herausforderungen anderer in der LGBTQ-Community entwickelte.

Sara begann, sich aktiv für intersektionale Themen einzusetzen, indem sie die Stimmen marginalisierter Gruppen innerhalb der Community hörbar machte. Dies führte nicht nur zu einem persönlichen Wachstum, sondern auch zu einer stärkeren Gemeinschaft, die Vielfalt und Inklusion fördert.

Die Rolle der Bildung

Bildung spielte eine entscheidende Rolle in Saras persönlichem Wachstum. Durch ihre akademische Laufbahn erwarb sie nicht nur Wissen über Gender-Studien und soziale Gerechtigkeit, sondern entwickelte auch kritisches Denken und analytische Fähigkeiten. Diese Kenntnisse ermöglichten es ihr, die komplexen Herausforderungen im Bereich der Trans-Gesundheit besser zu verstehen und effektive Lösungen zu entwickeln.

Saras Engagement in Bildungsinitiativen zeigt, wie wichtig es ist, Wissen zu teilen und andere zu ermutigen, sich ebenfalls weiterzubilden. Sie organisierte Workshops und Schulungen, um das Bewusstsein für LGBTQ-Themen zu schärfen und die nächste Generation von Aktivisten zu inspirieren.

Selbstfürsorge und Balance

Inmitten all ihrer Aktivitäten erkannte Sara die Bedeutung von Selbstfürsorge. Der Druck des Aktivismus kann überwältigend sein, und es ist leicht, die eigene Gesundheit und das Wohlbefinden zu vernachlässigen. Durch verschiedene Strategien, wie Meditation, Sport und kreative Hobbys, fand Sara Wege, sich zu regenerieren und ihre Energie aufzuladen.

Die Theorie der *Selbstfürsorge* betont, dass Individuen aktiv für ihr eigenes Wohlbefinden sorgen müssen, um effektiv für andere eintreten zu können. Saras Fähigkeit, Selbstfürsorge zu praktizieren, ermöglichte es ihr, ihre Rolle als

Aktivistin langfristig aufrechtzuerhalten und gleichzeitig ihre persönliche Integrität zu bewahren.

Reflexion und Ausblick

Saras persönliche Entwicklung ist ein fortlaufender Prozess. Sie reflektiert regelmäßig über ihre Erfahrungen, um aus ihnen zu lernen und sich weiterzuentwickeln. Diese Reflexion ist nicht nur für ihr eigenes Wachstum wichtig, sondern auch für die Community, die sie vertritt.

In ihren zukünftigen Projekten plant Sara, ihre Erfahrungen zu nutzen, um andere zu ermutigen, ihre eigenen Wege zu finden und in ihrem Aktivismus authentisch zu bleiben. Sie versteht, dass der Weg des Aktivismus oft steinig ist, aber die persönliche Entwicklung, die daraus resultiert, ist von unschätzbarem Wert.

Zusammenfassend lässt sich sagen, dass Saras persönliche Entwicklung und Wachstum ein inspirierendes Beispiel für viele ist. Ihre Fähigkeit, aus Herausforderungen zu lernen, ihre Identität zu akzeptieren und sich für andere einzusetzen, zeigt, wie wichtig es ist, authentisch zu bleiben und sich kontinuierlich weiterzuentwickeln.

Reflexion über die eigene Reise

Die Reise von Sara Bingham ist nicht nur eine persönliche, sondern auch eine kollektive Erfahrung, die die Herausforderungen und Triumphe der LGBTQ-Community widerspiegelt. In dieser Reflexion über ihre eigene Reise betrachtet Sara die verschiedenen Phasen, die sie durchlaufen hat, und die Lektionen, die sie dabei gelernt hat.

Die Anfänge: Selbstfindung und Identität

Zu Beginn ihrer Reise war Sara mit der komplexen Frage ihrer Identität konfrontiert. Die Entdeckung der eigenen Geschlechtsidentität ist für viele Trans-Personen ein herausfordernder Prozess. Sara erinnert sich an die Unsicherheiten ihrer Kindheit, als sie versuchte, sich in einer Welt zurechtzufinden, die oft intolerant und unverständlich war. Sie beschreibt, wie wichtig es war, sich selbst zu akzeptieren, und wie diese Selbstakzeptanz der erste Schritt auf dem Weg zum Aktivismus war.

„Die größte Herausforderung war nicht die Welt um mich herum, sondern die Stimme in meinem Kopf, die mir sagte, dass ich nicht genug sei. Erst als ich gelernt habe, diese Stimme zum Schweigen zu bringen, konnte ich wirklich ich selbst sein."

Der Einfluss von Gemeinschaft und Unterstützung

Ein zentraler Aspekt von Saras Reise war die Unterstützung durch die LGBTQ-Community. Die Bedeutung von Gemeinschaft kann nicht hoch genug eingeschätzt werden. Sara hebt hervor, wie wichtig es war, Gleichgesinnte zu finden, die ähnliche Erfahrungen gemacht hatten. Diese Verbindungen boten nicht nur emotionale Unterstützung, sondern auch praktische Ratschläge und Inspiration.

Die Rolle von Mentoren und Vorbildern war entscheidend. Sara erinnert sich an die Figuren, die ihr den Weg geebnet haben, und wie deren Geschichten sie motiviert haben, aktiv zu werden. Sie sagt:

„Es war die Sichtbarkeit anderer, die mir half, meine eigene Stimme zu finden. Wenn du jemanden siehst, der es geschafft hat, fühlst du dich weniger allein."

Herausforderungen: Rückschläge und Resilienz

Trotz der positiven Aspekte ihrer Reise gab es auch viele Rückschläge. Sara reflektiert über die Diskriminierung, die sie und viele andere in der Community erfahren haben. Diese Erfahrungen waren schmerzhaft, aber sie lehrten sie auch Resilienz.

Ein Beispiel, das sie anführt, ist ein Vorfall während einer öffentlichen Rede, bei dem sie mit Vorurteilen und aggressiven Kommentaren konfrontiert wurde. Anstatt sich zurückzuziehen, nutzte sie diese Gelegenheit, um auf die Herausforderungen hinzuweisen, mit denen Trans-Personen konfrontiert sind.

„Jeder Rückschlag hat mich stärker gemacht. Es ist wichtig, die Stimme zu erheben, auch wenn es unbequem ist."

Die Rolle von Humor und Kreativität

Ein weiterer wichtiger Aspekt von Saras Reise ist die Rolle von Humor und Kreativität im Aktivismus. Sie betont, dass Humor ein mächtiges Werkzeug ist, um Barrieren abzubauen und Gespräche zu fördern. Durch ihre Kunst und ihren Humor konnte sie schwierige Themen ansprechen und gleichzeitig eine Verbindung zu ihrem Publikum herstellen.

Sara erklärt:

„Humor hat die Fähigkeit, Menschen zusammenzubringen. Wenn wir lachen können, können wir auch lernen und wachsen."

Zukunftsvisionen: Lernen aus der Vergangenheit

In ihrer Reflexion über die eigene Reise denkt Sara auch an die Zukunft. Sie erkennt, dass der Aktivismus ein fortlaufender Prozess ist, der ständige Anpassungen und Lernbereitschaft erfordert. Die Herausforderungen, die sie erlebt hat, haben sie gelehrt, dass es wichtig ist, aus der Vergangenheit zu lernen und diese Erfahrungen in zukünftige Initiativen einzubringen.

Sara schließt ihre Reflexion mit einem Ausblick auf die kommenden Generationen von Aktivisten. Sie ermutigt junge Menschen, ihre eigenen Wege zu finden und sich nicht von den Herausforderungen entmutigen zu lassen.

„Jede Stimme zählt. Wenn wir zusammenarbeiten, können wir die Welt verändern. Lasst uns die Hoffnung nicht verlieren."

Zusammenfassung

Zusammenfassend lässt sich sagen, dass Saras Reise eine kraftvolle Erzählung über Selbstakzeptanz, Gemeinschaft, Resilienz und die transformative Kraft des Humors ist. Ihre Reflexion bietet nicht nur Einblicke in ihre persönlichen Herausforderungen und Erfolge, sondern auch eine Botschaft der Hoffnung und des Wandels für die Zukunft der LGBTQ-Community.

Ausblick und Vermächtnis

Was kommt als Nächstes für Sara Bingham?

Die Zukunft des Aktivismus in Kanada

Die Zukunft des Aktivismus in Kanada steht vor einer Vielzahl von Herausforderungen und Chancen, die sowohl durch soziale als auch durch politische Veränderungen geprägt sind. In einer Zeit, in der die Stimmen der LGBTQ-Community immer lauter werden, ist es entscheidend, die Richtung zu betrachten, die dieser Aktivismus in den kommenden Jahren einschlagen könnte.

Theoretische Grundlagen

Aktivismus kann als eine Form des sozialen Wandels betrachtet werden, die auf Theorien wie dem sozialen Konstruktivismus basiert. Diese Theorie postuliert, dass gesellschaftliche Normen und Werte nicht fest, sondern veränderbar sind und durch kollektives Handeln beeinflusst werden können. Ein Beispiel für diese Dynamik ist die Bewegung für die Legalisierung der gleichgeschlechtlichen Ehe, die in Kanada 2005 erfolgreich war und die rechtlichen Rahmenbedingungen für LGBTQ-Personen erheblich verändert hat.

Ein weiterer relevanter theoretischer Rahmen ist die Intersektionalität, die die Überlappung verschiedener Identitätskategorien und die damit verbundenen Diskriminierungen betrachtet. In Kanada könnte der intersektionale Ansatz dazu beitragen, die spezifischen Bedürfnisse von LGBTQ-Personen aus verschiedenen ethnischen, sozialen und wirtschaftlichen Hintergründen zu adressieren und sicherzustellen, dass der Aktivismus inklusiv bleibt.

Herausforderungen für den Aktivismus

Trotz der Fortschritte gibt es bedeutende Herausforderungen, die den zukünftigen Aktivismus in Kanada beeinflussen könnten. Eine der größten Herausforderungen ist die anhaltende Diskriminierung und Stigmatisierung von LGBTQ-Personen, insbesondere von Transgender- und nicht-binären Individuen. Statistiken zeigen, dass diese Gruppen überproportional von Gewalt und Diskriminierung betroffen sind. Laut einer Studie von 2021 berichteten 47% der Trans-Personen in Kanada von Diskriminierung im Gesundheitswesen, was die Notwendigkeit für verstärkten Aktivismus in diesem Bereich unterstreicht.

Ein weiteres Problem ist die Fragmentierung innerhalb der LGBTQ-Community selbst. Unterschiedliche Gruppen innerhalb der Community haben oft unterschiedliche Prioritäten und Ziele, was zu Spannungen führen kann. Der Aktivismus könnte in Zukunft stärker auf die Schaffung von Allianzen und die Förderung des Dialogs zwischen diesen Gruppen angewiesen sein, um eine einheitliche Stimme zu entwickeln.

Chancen für den Aktivismus

Trotz dieser Herausforderungen gibt es auch zahlreiche Chancen für den Aktivismus. Die zunehmende Sichtbarkeit von LGBTQ-Themen in den Medien und der Popkultur hat das Bewusstsein für die Bedürfnisse dieser Gemeinschaft geschärft. Diese Sichtbarkeit kann genutzt werden, um politische Veränderungen zu fördern und mehr Menschen in den Aktivismus einzubeziehen. Soziale Medien spielen eine entscheidende Rolle, indem sie Plattformen bieten, auf denen Aktivisten ihre Botschaften verbreiten und Mobilisierungen organisieren können.

Ein Beispiel für eine erfolgreiche Mobilisierung ist die #BlackLivesMatter-Bewegung, die auch in Kanada Wellen geschlagen hat und LGBTQ-Aktivisten dazu inspiriert hat, intersektionale Ansätze zu verfolgen. Diese Bewegung hat gezeigt, wie wichtig es ist, die Kämpfe gegen Rassismus und Diskriminierung in den LGBTQ-Aktivismus zu integrieren, um eine breitere Unterstützung und Solidarität zu erreichen.

Fazit und Ausblick

Die Zukunft des Aktivismus in Kanada hängt von der Fähigkeit ab, sich an veränderte gesellschaftliche Bedingungen anzupassen und neue Allianzen zu bilden. Der intersektionale Aktivismus wird zunehmend als Schlüssel angesehen, um die Vielfalt innerhalb der LGBTQ-Community zu berücksichtigen und die Stimmen aller Mitglieder zu stärken.

Zusammenfassend lässt sich sagen, dass der Aktivismus in Kanada vor einer spannenden, wenn auch herausfordernden Zukunft steht. Die Kombination aus theoretischem Verständnis, der Auseinandersetzung mit bestehenden Herausforderungen und der Nutzung neuer Chancen wird entscheidend sein, um positive Veränderungen für die LGBTQ-Community zu erreichen. Die kommenden Jahre könnten entscheidend dafür sein, wie effektiv diese Gemeinschaft ihre Ziele erreicht und welche gesellschaftlichen Normen sich weiterentwickeln werden.

$$\text{Zukunft des Aktivismus} = \text{Theorie} + \text{Herausforderungen} + \text{Chancen} \quad (21)$$

Diese Gleichung verdeutlicht, dass die Zukunft des Aktivismus in Kanada ein dynamisches Zusammenspiel dieser Faktoren darstellt. Der Weg nach vorne erfordert sowohl Reflexion als auch Engagement, um die Vielfalt und die Bedürfnisse aller Mitglieder der LGBTQ-Community zu vertreten und zu fördern.

Saras Einfluss auf zukünftige Generationen

Sara Bingham hat nicht nur die gegenwärtige LGBTQ-Community in Kanada beeinflusst, sondern auch einen bedeutenden Einfluss auf zukünftige Generationen von Aktivisten und Aktivistinnen ausgeübt. Ihr Engagement für Trans-Gesundheit und ihre unermüdliche Arbeit zur Verbesserung der Lebensqualität von LGBTQ-Personen sind wegweisend und inspirierend.

Theoretische Grundlagen

Um Saras Einfluss zu verstehen, ist es wichtig, die Theorie des intersektionalen Aktivismus zu betrachten. Diese Theorie, die von Kimberlé Crenshaw in den späten 1980er Jahren geprägt wurde, betont, dass verschiedene Identitäten—wie Geschlecht, Rasse, Sexualität und Klasse—sich überschneiden und somit individuelle Erfahrungen von Diskriminierung und Privilegien formen. Sara hat diese Theorie in ihrer Arbeit verkörpert, indem sie die Komplexität der Trans-Gesundheit und die Bedürfnisse verschiedener Gemeinschaften innerhalb der LGBTQ-Bewegung anerkannt hat.

Probleme und Herausforderungen

Trotz ihrer Erfolge steht die LGBTQ-Community, insbesondere die Trans-Community, weiterhin vor erheblichen Herausforderungen.

Diskriminierung, Gewalt und fehlender Zugang zu Gesundheitsdiensten sind nach wie vor drängende Probleme. Saras Arbeit hat jedoch dazu beigetragen, diese Themen ins öffentliche Bewusstsein zu rücken. Ihre Initiativen zur Aufklärung über Trans-Gesundheit haben nicht nur das Wissen innerhalb der Community erhöht, sondern auch das Verständnis in der breiteren Gesellschaft gefördert.

Beispiele für Einfluss

Ein konkretes Beispiel für Saras Einfluss auf zukünftige Generationen ist die Gründung von Mentorship-Programmen für junge LGBTQ-Aktivisten. Diese Programme bieten nicht nur Schulungen und Ressourcen, sondern auch eine Plattform für den Austausch von Erfahrungen und Strategien. Viele der Teilnehmer berichten, dass Saras Geschichten und ihre Sichtweise auf Aktivismus sie dazu inspiriert haben, ihre eigenen Stimmen zu finden und zu erheben.

Darüber hinaus hat Sara aktiv an der Entwicklung von Lehrplänen mitgewirkt, die LGBTQ-Geschichte und -Themen in Schulen integrieren. Diese Bildungsinitiativen sind entscheidend, um das Bewusstsein und die Akzeptanz in der nächsten Generation zu fördern. Indem junge Menschen über die Herausforderungen und Errungenschaften der LGBTQ-Community informiert werden, können sie ein tieferes Verständnis und eine größere Empathie für die Vielfalt menschlicher Erfahrungen entwickeln.

Langfristige Auswirkungen

Die langfristigen Auswirkungen von Saras Arbeit sind bereits spürbar. Viele ihrer ehemaligen Mentoren und Schützlinge sind heute selbst aktiv in der LGBTQ-Bewegung und setzen sich für Veränderungen auf lokaler und nationaler Ebene ein. Diese Kettenreaktion des Engagements zeigt, wie wichtig es ist, Vorbilder zu haben, die nicht nur inspirieren, sondern auch praktische Unterstützung bieten.

Zusammenfassend lässt sich sagen, dass Saras Einfluss auf zukünftige Generationen weitreichend ist. Ihre Arbeit hat nicht nur die Lebensrealitäten von LGBTQ-Personen verbessert, sondern auch eine neue Welle von Aktivisten und Aktivistinnen hervorgebracht, die bereit sind, für Gleichheit und Gerechtigkeit zu kämpfen. Die Herausforderungen, die noch bestehen, sind groß, aber Saras Vermächtnis wird zweifellos als Leitfaden für künftige Kämpfe dienen.

Die Rolle der LGBTQ-Community in der Gesellschaft

Die LGBTQ-Community spielt eine entscheidende Rolle in der heutigen Gesellschaft, indem sie nicht nur für die Rechte und die Sichtbarkeit ihrer Mitglieder kämpft, sondern auch eine bedeutende kulturelle und soziale Kraft darstellt. Der Einfluss dieser Gemeinschaft erstreckt sich über verschiedene Bereiche, einschließlich Politik, Bildung, Kunst und Medien. In diesem Abschnitt werden wir die verschiedenen Facetten der Rolle der LGBTQ-Community in der Gesellschaft beleuchten, die Herausforderungen, mit denen sie konfrontiert ist, und die positiven Veränderungen, die sie bewirken kann.

Kulturelle Relevanz und Sichtbarkeit

Die Sichtbarkeit der LGBTQ-Community hat in den letzten Jahrzehnten erheblich zugenommen. Diese Sichtbarkeit ist nicht nur wichtig für die Akzeptanz und Integration von LGBTQ-Personen in die Gesellschaft, sondern auch für das Verständnis und die Bildung der breiten Öffentlichkeit über Geschlechtsidentität und sexuelle Orientierung. Kulturelle Produktionen, wie Filme, Musik und Literatur, die LGBTQ-Themen behandeln, haben dazu beigetragen, Vorurteile abzubauen und ein breiteres Bewusstsein zu schaffen.

Ein Beispiel für diese kulturelle Relevanz ist die Serie *Pose*, die sich mit der Ballroom-Kultur und den Herausforderungen von Transgender-Personen in den USA beschäftigt. Die Darstellung von LGBTQ-Geschichten in den Medien fördert nicht nur die Akzeptanz, sondern inspiriert auch junge Menschen, ihre Identität zu akzeptieren und zu feiern.

Politische Mobilisierung und Aktivismus

Die LGBTQ-Community hat eine lange Geschichte des Aktivismus, die sich in verschiedenen politischen Bewegungen manifestiert. Von den Stonewall-Unruhen in den 1960er Jahren bis zu den heutigen Kämpfen für Gleichstellung und Anti-Diskriminierungsgesetze hat die Community immer wieder bewiesen, dass sie eine kraftvolle Stimme im politischen Diskurs ist.

Ein zentrales Element des LGBTQ-Aktivismus ist die Forderung nach rechtlicher Gleichstellung. In vielen Ländern, einschließlich Kanada, wurden bedeutende Fortschritte erzielt, wie die Legalisierung der gleichgeschlechtlichen Ehe. Diese Errungenschaften sind jedoch nicht ohne Herausforderungen. In vielen Teilen der Welt sind LGBTQ-Personen nach wie vor mit Diskriminierung, Gewalt und rechtlicher Verfolgung konfrontiert. Der Kampf um Rechte und Akzeptanz bleibt daher ein zentrales Anliegen der Community.

Intersektionalität und Diversität

Ein weiterer wichtiger Aspekt der LGBTQ-Community ist die Anerkennung von Intersektionalität. Diese Theorie, die von Kimberlé Crenshaw geprägt wurde, besagt, dass verschiedene Formen von Diskriminierung und Ungleichheit miteinander verbunden sind und sich gegenseitig beeinflussen. LGBTQ-Personen sind nicht nur aufgrund ihrer sexuellen Orientierung oder Geschlechtsidentität Diskriminierung ausgesetzt, sondern auch aufgrund von Rasse, Klasse, Behinderung und anderen sozialen Identitäten.

Die LGBTQ-Community ist vielfältig und umfasst Menschen aus verschiedenen ethnischen, kulturellen und sozialen Hintergründen. Diese Diversität bringt sowohl Herausforderungen als auch Chancen mit sich. Während einige Gruppen innerhalb der Community mehr Sichtbarkeit und Unterstützung erhalten als andere, ist es wichtig, dass alle Stimmen gehört werden. Initiativen, die sich auf intersektionale Ansätze konzentrieren, sind entscheidend für die Schaffung einer inklusiven und gerechten Gesellschaft.

Herausforderungen und Widerstände

Trotz der Fortschritte, die die LGBTQ-Community erzielt hat, gibt es nach wie vor erhebliche Herausforderungen. Diskriminierung, Stigmatisierung und Gewalt sind nach wie vor weit verbreitet. Studien zeigen, dass LGBTQ-Personen, insbesondere Transgender-Personen und People of Color, ein höheres Risiko für Gewalt und Belästigung haben.

Zusätzlich gibt es in vielen Ländern politische Rückschritte, die die Rechte der LGBTQ-Community bedrohen. Gesetze, die die Rechte von LGBTQ-Personen einschränken oder die Diskriminierung legitimieren, sind nach wie vor ein ernstes Problem. Diese Herausforderungen erfordern eine kontinuierliche Mobilisierung und Zusammenarbeit innerhalb der Community sowie mit solidarischen Alliierten in der Gesellschaft.

Positive Veränderungen und Ausblick

Trotz der Herausforderungen gibt es auch viele positive Entwicklungen. Die LGBTQ-Community hat bedeutende Fortschritte in der Gesellschaft erzielt, darunter die Anerkennung von LGBTQ-Rechten als Menschenrechte. Diese Veränderungen sind oft das Ergebnis von hartnäckigem Aktivismus und der Zusammenarbeit zwischen verschiedenen Gemeinschaften.

Die Zukunft der LGBTQ-Community in der Gesellschaft hängt von der Fähigkeit ab, sich weiterhin für Gleichheit und Akzeptanz einzusetzen. Die Rolle von Bildung, sowohl in Schulen als auch in der breiteren Gesellschaft, ist entscheidend, um Vorurteile abzubauen und ein besseres Verständnis für die Vielfalt menschlicher Identität zu fördern.

Zusammenfassend lässt sich sagen, dass die LGBTQ-Community eine bedeutende Rolle in der Gesellschaft spielt, indem sie für die Rechte ihrer Mitglieder kämpft, kulturelle Relevanz schafft und sich für intersektionale Ansätze einsetzt. Der Weg zur Gleichstellung ist zwar noch lang, aber die Fortschritte, die bereits erzielt wurden, zeigen, dass Veränderung möglich ist. Die LGBTQ-Community bleibt eine unverzichtbare Kraft für sozialen Wandel und Gerechtigkeit.

Langfristige Ziele und Visionen

Sara Bingham hat sich im Laufe ihrer Karriere nicht nur als Aktivistin, sondern auch als Visionärin der Trans-Gesundheit etabliert. Ihre langfristigen Ziele und Visionen sind tief in ihrer persönlichen Erfahrung und ihrem Engagement für die LGBTQ-Community verwurzelt. Diese Ziele sind nicht nur auf kurzfristige Erfolge ausgerichtet, sondern zielen darauf ab, eine nachhaltige und inklusive Veränderung in der Gesellschaft zu bewirken.

Integration von Trans-Gesundheit in die Gesundheitsversorgung

Ein zentrales Ziel von Sara ist die vollständige Integration von Trans-Gesundheit in die allgemeine Gesundheitsversorgung. Dies umfasst die Entwicklung von Richtlinien, die sicherstellen, dass Trans-Personen Zugang zu qualitativ hochwertiger medizinischer Versorgung haben, ohne Diskriminierung oder Vorurteile zu erfahren. Sara argumentiert, dass *„Trans-Gesundheit kein Nischenproblem ist, sondern ein grundlegendes Menschenrecht, das in die Gesundheitsversorgung aller integriert werden muss"*.

Ein Beispiel für diese Vision ist die Zusammenarbeit mit Gesundheitsorganisationen, um Schulungsprogramme für medizinisches Personal zu entwickeln. Diese Programme sollen sicherstellen, dass Fachkräfte die spezifischen Bedürfnisse von Trans-Personen verstehen und respektieren. Sara plant, eine Reihe von Workshops und Seminaren zu organisieren, die sich auf die Sensibilisierung für Trans-Themen konzentrieren und die Bedeutung von kultureller Kompetenz im Gesundheitswesen hervorheben.

Politische Einflussnahme und Gesetzesreformen

Ein weiterer wichtiger Aspekt von Saras langfristigen Zielen ist die politische Einflussnahme. Sie strebt an, Gesetze zu fördern, die die Rechte von Trans-Personen schützen und Diskriminierung in allen Lebensbereichen bekämpfen. Dies beinhaltet die Unterstützung von Initiativen, die darauf abzielen, rechtliche Anerkennung für Trans-Personen zu schaffen, einschließlich der Möglichkeit, ihren Geschlechtseintrag in offiziellen Dokumenten ohne unnötige Hürden zu ändern.

Sara hat bereits an mehreren Kampagnen mitgewirkt, die sich für Gesetzesänderungen einsetzen, die Diskriminierung aufgrund der Geschlechtsidentität verbieten. Ihre Vision ist es, ein rechtliches Umfeld zu schaffen, in dem Trans-Personen nicht nur akzeptiert, sondern auch gefeiert werden. Sie sagt dazu: *"Gesetze sind nicht nur Worte auf Papier; sie sind das Fundament, auf dem eine gerechte Gesellschaft aufgebaut ist"*.

Bildung und Aufklärung

Sara sieht Bildung als einen entscheidenden Faktor für den Wandel. Sie plant, Programme zu initiieren, die auf Schulen und Universitäten abzielen, um Aufklärung über Geschlechtsidentität und Trans-Themen zu fördern. Das Ziel ist es, Vorurteile abzubauen und eine inklusive Umgebung zu schaffen, in der alle Geschlechtsidentitäten respektiert werden.

Ein konkretes Beispiel für Saras Bildungsinitiativen ist die Entwicklung eines Lehrplans, der LGBTQ-Geschichte und -Themen in den regulären Unterricht integriert. Dies könnte nicht nur das Verständnis für Trans-Personen fördern, sondern auch dazu beitragen, Mobbing und Diskriminierung in Schulen zu verringern. Sara glaubt, dass *"Bildung der Schlüssel zur Veränderung ist und dass wir die nächste Generation darauf vorbereiten müssen, eine gerechtere Welt zu schaffen"*.

Globale Perspektiven und Zusammenarbeit

Sara hat auch eine globale Vision für den Aktivismus. Sie plant, internationale Partnerschaften mit anderen Aktivisten und Organisationen aufzubauen, um die Rechte von Trans-Personen weltweit zu fördern. Dies ist besonders wichtig in Ländern, in denen Trans-Personen mit extremer Gewalt und Diskriminierung konfrontiert sind.

Durch den Austausch von Ressourcen und Best Practices will Sara dazu beitragen, ein Netzwerk zu schaffen, das den globalen Aktivismus stärkt. Ihre

Überzeugung ist, dass *„wir nicht nur für unsere eigene Community kämpfen, sondern auch für die, die in anderen Teilen der Welt leiden".*

Langfristige Vision: Eine inklusive Gesellschaft

Letztlich ist Saras langfristige Vision eine inklusive Gesellschaft, in der alle Menschen, unabhängig von ihrer Geschlechtsidentität, die gleichen Rechte und Chancen haben. Sie träumt von einer Welt, in der Trans-Personen nicht mehr als „anders" oder „außergewöhnlich" betrachtet werden, sondern als gleichwertige Mitglieder der Gesellschaft.

Diese Vision erfordert nicht nur rechtliche und soziale Veränderungen, sondern auch einen tiefgreifenden Wandel in der Denkweise der Menschen. Sara ermutigt jeden, sich aktiv an diesem Prozess zu beteiligen, indem sie sich über Trans-Themen informieren und sich für die Rechte von Trans-Personen einsetzen. *„Jeder von uns kann ein Teil dieser Veränderung sein. Es beginnt mit einem Gespräch, einer Frage, einem offenen Herzen"*, sagt sie oft.

Abschließend lässt sich sagen, dass Saras langfristige Ziele und Visionen nicht nur eine Antwort auf die Herausforderungen der Trans-Gesundheit sind, sondern auch eine Aufforderung an die Gesellschaft, sich gemeinsam für eine gerechtere und inklusivere Zukunft einzusetzen.

Reflexion über das eigene Vermächtnis

Die Reflexion über das eigene Vermächtnis ist ein zentraler Aspekt im Leben eines Aktivisten, insbesondere für jemanden wie Sara Bingham, die sich unermüdlich für die Rechte von Trans-Personen und die Verbesserung der Trans-Gesundheit eingesetzt hat. In diesem Abschnitt werden wir untersuchen, wie Sara ihr Vermächtnis definiert, welche Werte sie hinterlässt und welche Herausforderungen und Erfolge sie in ihrem Aktivismus erlebt hat.

Ein Vermächtnis kann als die Summe der Einflüsse, die eine Person auf ihr Umfeld hinterlässt, betrachtet werden. Es ist das, was nach ihrem Tod oder nach ihrem Rückzug aus dem aktiven Aktivismus weiterlebt. In Saras Fall ist ihr Vermächtnis eng mit der Sichtbarkeit und dem Verständnis von Trans-Gesundheit verknüpft. Sie hat nicht nur die Diskussion über Trans-Rechte angestoßen, sondern auch konkrete Veränderungen im Gesundheitssystem gefordert und erreicht.

Werte und Prinzipien

Sara Bingham hat stets betont, dass ihr Aktivismus auf den Werten von Empathie, Solidarität und Gerechtigkeit basiert. Diese Prinzipien sind nicht nur in ihrer Arbeit, sondern auch in ihrem persönlichen Leben verankert. Sie glaubt, dass jeder Mensch das Recht auf Zugang zu qualitativ hochwertiger Gesundheitsversorgung hat, unabhängig von Geschlechtsidentität oder -ausdruck. Diese Überzeugung spiegelt sich in ihren Initiativen wider, die darauf abzielen, Barrieren abzubauen und die Lebensqualität von Trans-Personen zu verbessern.

Ein Beispiel für Saras Prinzipien in Aktion ist ihre Arbeit an der Kampagne zur Sensibilisierung für die medizinischen Bedürfnisse von Trans-Personen. Sie hat Workshops und Informationsveranstaltungen organisiert, um medizinisches Fachpersonal über die spezifischen Bedürfnisse und Herausforderungen von Trans-Personen aufzuklären. Dies hat nicht nur das Bewusstsein geschärft, sondern auch zu einer besseren Ausbildung von Fachkräften geführt, die in der Gesundheitsversorgung tätig sind.

Herausforderungen und Rückschläge

Die Reflexion über das eigene Vermächtnis ist jedoch nicht ohne Herausforderungen. Sara hat in ihrer Karriere viele Rückschläge erlebt, darunter Diskriminierung, persönliche Verluste und die ständige Bedrohung durch Mobbing und Cyberbullying. Diese Erfahrungen haben sie jedoch nicht davon abgehalten, für ihre Überzeugungen einzutreten. Vielmehr hat sie diese Herausforderungen als Chancen zur Reflexion und zum Wachstum genutzt.

Ein Beispiel für eine solche Herausforderung war ein öffentlicher Angriff auf ihre Glaubwürdigkeit während einer wichtigen Kampagne. Sara wurde mit Falschinformationen konfrontiert, die ihre Arbeit diskreditierten. Anstatt sich zurückzuziehen, nutzte sie diese Gelegenheit, um ihre Community zu mobilisieren und die Wahrheit zu verbreiten. Dies führte nicht nur zu einem stärkeren Zusammenhalt innerhalb der LGBTQ-Community, sondern auch zu einer erhöhten Sichtbarkeit ihrer Anliegen.

Der Einfluss auf zukünftige Generationen

Ein bedeutender Aspekt von Saras Vermächtnis ist der Einfluss, den sie auf zukünftige Generationen von Aktivisten hat. Durch ihre Arbeit hat sie eine Plattform geschaffen, die es jungen Menschen ermöglicht, sich zu engagieren und ihre Stimmen zu erheben. Sara hat Mentorenprogramme ins Leben gerufen, die darauf abzielen, junge LGBTQ-Personen zu unterstützen und ihnen die

Werkzeuge zu geben, die sie benötigen, um ihre eigenen Aktivismus-Karrieren zu starten.

Die Bedeutung von Sichtbarkeit kann nicht genug betont werden. Sara hat immer wieder betont, dass das Sichtbarmachen von Trans-Personen in der Gesellschaft entscheidend ist, um Vorurteile abzubauen und ein besseres Verständnis zu fördern. Ihr Vermächtnis ist daher nicht nur in den Gesetzen und Initiativen verankert, die sie beeinflusst hat, sondern auch in den Herzen und Köpfen der Menschen, die sie inspiriert hat.

Schlussfolgerung

Zusammenfassend lässt sich sagen, dass die Reflexion über das eigene Vermächtnis für Sara Bingham eine ständige Reise ist. Sie hat nicht nur bedeutende Fortschritte im Bereich der Trans-Gesundheit erzielt, sondern auch eine Community geschaffen, die in der Lage ist, sich selbst zu unterstützen und für ihre Rechte einzutreten. Ihr Vermächtnis wird durch die Werte, die sie verkörpert, die Herausforderungen, die sie überwunden hat, und den Einfluss, den sie auf zukünftige Generationen hat, weiterleben.

Saras Botschaft an die Welt ist klar: Jeder Mensch hat das Recht auf ein erfülltes Leben, und es liegt an uns allen, für diese Rechte einzutreten. Ihr Vermächtnis wird weiterhin als Leuchtturm für diejenigen dienen, die sich für Gerechtigkeit und Gleichheit einsetzen, und als Erinnerung daran, dass der Aktivismus nie wirklich endet, sondern sich ständig weiterentwickelt.

Die Bedeutung von Hoffnung und Zusammenhalt

In der Welt des Aktivismus, insbesondere im Kontext der LGBTQ-Community, ist Hoffnung ein unverzichtbares Gut. Hoffnung ist nicht nur ein emotionaler Zustand; sie ist eine treibende Kraft, die Menschen motiviert, für Veränderungen zu kämpfen. Sara Bingham, als prominente Verfechterin der Trans-Gesundheit, hat in ihrer Arbeit immer wieder betont, wie wichtig es ist, Hoffnung zu verbreiten.

Theoretischer Rahmen

Die Theorie der sozialen Identität (*Social Identity Theory*) von Henri Tajfel und John Turner legt nahe, dass Menschen ihre Identität stark aus der Zugehörigkeit zu sozialen Gruppen ableiten. Diese Zugehörigkeit kann sowohl eine Quelle der Stärke als auch der Verletzlichkeit sein. Wenn Mitglieder einer marginalisierten

Gruppe, wie der LGBTQ-Community, sich zusammenschließen, entsteht ein Gefühl des Zusammenhalts, das Hoffnung fördert.

Die *Positive Psychology* von Martin Seligman hebt hervor, dass Hoffnung, als Teil des Wohlbefindens, entscheidend für die Resilienz ist. Resilienz ist die Fähigkeit, sich von Rückschlägen zu erholen und trotz widriger Umstände weiterzumachen. Dies ist besonders relevant für Aktivisten, die oft mit Diskriminierung und Vorurteilen konfrontiert sind.

Herausforderungen und Probleme

Die Herausforderungen, vor denen die LGBTQ-Community steht, sind vielfältig und komplex. Diskriminierung, Gewalt und soziale Isolation sind allgegenwärtige Probleme, die das psychische Wohlbefinden beeinträchtigen können. Diese negativen Erfahrungen können dazu führen, dass die Hoffnung schwindet und der Zusammenhalt brüchig wird.

Ein Beispiel hierfür ist die hohe Rate an Suizidversuchen unter Trans-Personen, die laut einer Studie von *The Trevor Project* bei 40% liegt. Diese alarmierenden Zahlen verdeutlichen die Notwendigkeit, Hoffnung zu schaffen und die Gemeinschaft zu stärken.

Beispiele für Hoffnung und Zusammenhalt

Sara Bingham hat zahlreiche Initiativen ins Leben gerufen, die den Zusammenhalt innerhalb der LGBTQ-Community fördern. Ein bemerkenswertes Beispiel ist die Gründung von Unterstützungsgruppen, in denen Trans-Personen ihre Erfahrungen teilen und sich gegenseitig ermutigen können. Diese Gruppen bieten einen sicheren Raum, in dem Hoffnung gedeihen kann.

Ein weiteres Beispiel ist die Organisation von Community-Events, die nicht nur der Aufklärung dienen, sondern auch der Feier der Identität. Diese Veranstaltungen stärken das Gemeinschaftsgefühl und fördern die Sichtbarkeit. Wenn Menschen zusammenkommen, um ihre Identität zu feiern, entsteht eine Atmosphäre der Hoffnung.

Die Rolle von Hoffnung im Aktivismus

Hoffnung ist ein Katalysator für Veränderungen. Sie inspiriert Menschen, aktiv zu werden und sich für ihre Rechte einzusetzen. Sara Bingham hat durch ihre Arbeit zahlreiche Menschen ermutigt, sich für die Trans-Gesundheit einzusetzen. Ihre Botschaft ist klar: Veränderung ist möglich, und jeder Einzelne kann einen Unterschied machen.

Die *Hope Theory* von C.R. Snyder beschreibt, dass Hoffnung aus zwei Hauptkomponenten besteht: dem Glauben an die Fähigkeit, Ziele zu erreichen, und der Vorstellung von Wegen, diese Ziele zu erreichen. In diesem Sinne ist Hoffnung nicht nur ein Gefühl, sondern auch eine strategische Ressource für Aktivisten.

Zusammenhalt als Schlüssel zur Hoffnung

Der Zusammenhalt innerhalb der Community ist entscheidend für die Förderung von Hoffnung. Wenn Menschen sich gegenseitig unterstützen, entsteht ein starkes Netzwerk, das in schwierigen Zeiten Halt bietet. Sara Bingham hat immer wieder betont, dass die Kraft der Gemeinschaft unermesslich ist.

Ein Beispiel für diesen Zusammenhalt ist die #TransRightsAreHumanRights-Bewegung, die weltweit Unterstützung gefunden hat. Diese Bewegung hat nicht nur das Bewusstsein für Trans-Rechte geschärft, sondern auch Menschen ermutigt, sich aktiv für Veränderungen einzusetzen.

Schlussfolgerung

In der heutigen Zeit, in der Herausforderungen für die LGBTQ-Community weiterhin bestehen, ist die Bedeutung von Hoffnung und Zusammenhalt nicht zu unterschätzen. Sara Bingham verkörpert diesen Geist des Zusammenhalts und der Hoffnung. Ihre Arbeit inspiriert nicht nur die gegenwärtige Generation von Aktivisten, sondern auch zukünftige Generationen, die für Gleichheit und Gerechtigkeit kämpfen werden.

Die Botschaft ist klar: Hoffnung und Zusammenhalt sind die Eckpfeiler eines erfolgreichen Aktivismus. Sie sind die Kräfte, die uns antreiben, trotz aller Widrigkeiten weiterzumachen und für eine bessere Zukunft zu kämpfen. In einer Welt, die oft von Negativität geprägt ist, ist die Schaffung von Hoffnung ein Akt des Widerstands und ein Schritt in Richtung einer gerechteren Gesellschaft.

Saras Botschaft an die Welt

Sara Bingham hat im Laufe ihrer Karriere als Aktivistin und Verfechterin der Trans-Gesundheit eine klare und kraftvolle Botschaft formuliert, die nicht nur die LGBTQ-Community, sondern die gesamte Gesellschaft anspricht. Ihre Botschaft ist geprägt von Hoffnung, Solidarität und dem unermüdlichen Streben nach Gleichheit. In diesem Abschnitt werden wir die Kernpunkte ihrer Botschaft analysieren und die zugrunde liegenden Theorien sowie die Herausforderungen, mit denen sie konfrontiert ist, beleuchten.

Die Bedeutung von Sichtbarkeit

Ein zentraler Aspekt von Saras Botschaft ist die Bedeutung von Sichtbarkeit für marginalisierte Gruppen. Sara betont, dass Sichtbarkeit nicht nur das Bewusstsein für die Herausforderungen und Kämpfe von Trans-Personen schärft, sondern auch eine Quelle der Inspiration und des Empowerments sein kann. Sie zitiert oft das Sprichwort: „Wenn du nicht sichtbar bist, bist du nicht existent." Diese Sichtbarkeit ist besonders wichtig in einer Gesellschaft, in der Vorurteile und Diskriminierung weit verbreitet sind.

Die Theorie der sozialen Identität, die von Henri Tajfel und John Turner entwickelt wurde, unterstützt Saras Argumentation. Sie besagt, dass das Zugehörigkeitsgefühl zu einer bestimmten Gruppe (in diesem Fall der LGBTQ-Community) das Selbstwertgefühl und das Wohlbefinden einer Person beeinflussen kann. Sara nutzt diese Theorie, um zu argumentieren, dass die Sichtbarkeit von Trans-Personen nicht nur deren Identität validiert, sondern auch das gesellschaftliche Bewusstsein verändert.

Solidarität und Gemeinschaft

Sara hebt auch die Bedeutung von Solidarität innerhalb und außerhalb der LGBTQ-Community hervor. Sie glaubt, dass der Aktivismus nicht isoliert sein kann; er muss inklusiv und intersektional sein. In ihren Reden betont sie häufig, dass der Kampf für Trans-Rechte untrennbar mit anderen sozialen Gerechtigkeitsbewegungen verbunden ist, sei es der Feminismus, der Antirassismus oder der Umweltschutz.

Ein Beispiel für diese intersektionale Perspektive ist die Zusammenarbeit mit anderen Aktivisten, um gemeinsame Ziele zu erreichen. Sara hat an zahlreichen Veranstaltungen teilgenommen, die sich mit Themen wie Rassismus und Geschlechtergerechtigkeit befassen, und hat sich dafür eingesetzt, dass die Stimmen von People of Color innerhalb der LGBTQ-Community gehört werden. Diese Herangehensweise spiegelt die Theorie des intersektionalen Feminismus wider, die von Kimberlé Crenshaw geprägt wurde und die Komplexität der Identität und der Diskriminierung anerkennt.

Die Kraft des Geschichtenerzählens

Ein weiteres zentrales Element von Saras Botschaft ist die Kraft des Geschichtenerzählens. Sara ist der Überzeugung, dass persönliche Geschichten eine transformative Wirkung haben können. Sie ermutigt Menschen, ihre

Erfahrungen zu teilen, um Empathie und Verständnis zu fördern. „Geschichten sind der Schlüssel, um Brücken zu bauen", sagt sie oft in ihren Vorträgen.

Die Narrative-Identitätstheorie von Paul Ricoeur legt nahe, dass Menschen ihre Identität durch Geschichten konstruieren und verstehen. Sara nutzt diese Theorie, um zu argumentieren, dass das Teilen von Geschichten nicht nur für die Erzähler selbst heilend ist, sondern auch das Publikum dazu anregt, über ihre eigenen Vorurteile und Annahmen nachzudenken.

Herausforderungen und Widerstände

Trotz der positiven Botschaften, die Sara verbreitet, gibt es erhebliche Herausforderungen, mit denen sie und die LGBTQ-Community konfrontiert sind. Diskriminierung, Vorurteile und Gewalt sind nach wie vor weit verbreitet. Sara spricht offen über die Schwierigkeiten, mit denen sie konfrontiert ist, und wie diese Erfahrungen ihre Botschaft prägen. Sie erkennt an, dass der Weg zur Gleichheit lang und steinig ist, aber sie bleibt optimistisch und motiviert.

Ein Beispiel für diese Widerstände ist die anhaltende Debatte über Trans-Rechte in vielen Ländern, einschließlich Kanada. Sara hat sich gegen Gesetze ausgesprochen, die Trans-Personen diskriminieren, und hat sich für eine umfassende Reform des Gesundheitssystems eingesetzt, um sicherzustellen, dass Trans-Personen die notwendige medizinische Versorgung erhalten. Diese Herausforderungen verdeutlichen die Notwendigkeit eines fortwährenden Engagements und einer kollektiven Anstrengung, um die gesellschaftlichen Strukturen zu verändern.

Ein Aufruf zum Handeln

Abschließend lässt sich sagen, dass Saras Botschaft an die Welt ein kraftvoller Aufruf zum Handeln ist. Sie fordert die Menschen auf, aktiv zu werden, sich für die Rechte der Trans-Personen einzusetzen und sich mit den Kämpfen anderer marginalisierter Gruppen zu solidarisieren. „Wir müssen uns gegenseitig unterstützen", sagt sie. „Der Kampf für Gerechtigkeit ist ein gemeinsamer Kampf."

In einer Zeit, in der viele Menschen sich machtlos fühlen, ermutigt Sara die Menschen, ihre Stimmen zu erheben und sich für Veränderungen einzusetzen. Ihre Botschaft ist klar: Jeder Einzelne kann einen Unterschied machen, und gemeinsam können wir eine gerechtere und inklusivere Gesellschaft schaffen.

Diese Botschaft ist nicht nur für die LGBTQ-Community von Bedeutung, sondern für alle, die an einer besseren Welt arbeiten möchten. Saras Worte erinnern uns daran, dass wir alle Teil eines größeren Ganzen sind und dass unser

Engagement für soziale Gerechtigkeit eine Verantwortung ist, die wir ernst nehmen müssen.

Herausforderungen, die noch bestehen

Trotz der bedeutenden Fortschritte, die Sara Bingham und viele andere LGBTQ-Aktivisten in den letzten Jahren erzielt haben, bleiben zahlreiche Herausforderungen bestehen, die sowohl die Trans-Gemeinschaft als auch den breiteren LGBTQ-Aktivismus betreffen. Diese Herausforderungen sind oft tief verwurzelt in gesellschaftlichen, politischen und wirtschaftlichen Strukturen, die es zu überwinden gilt.

Gesundheitliche Diskriminierung

Ein zentrales Problem ist die anhaltende Diskriminierung im Gesundheitswesen. Trans-Personen sehen sich häufig Vorurteilen und Unverständnis von medizinischem Personal gegenüber, was zu einer unzureichenden Gesundheitsversorgung führt. Laut einer Studie der *Trans PULSE Canada* Initiative berichten über 50% der Trans-Personen von Diskriminierung im Gesundheitswesen. Diese Diskriminierung kann sich in verschiedenen Formen äußern, von der Weigerung, bestimmte Behandlungen anzubieten, bis hin zu respektlosem Verhalten gegenüber der Geschlechtsidentität der Patient:innen.

Rechtliche Hürden

Obwohl einige Fortschritte in der Gesetzgebung erzielt wurden, existieren nach wie vor erhebliche rechtliche Hürden. In vielen Provinzen Kanadas gibt es keine klaren gesetzlichen Bestimmungen, die Trans-Personen den Zugang zu geschlechtsangleichenden Behandlungen garantieren. Dies führt dazu, dass viele Trans-Personen gezwungen sind, langwierige und oft demütigende Prozesse durchlaufen, um ihre Geschlechtsidentität rechtlich anerkennen zu lassen. Ein Beispiel dafür ist die Notwendigkeit, medizinische Gutachten vorzulegen, um den Geschlechtseintrag in offiziellen Dokumenten zu ändern, was nicht nur zeitaufwendig ist, sondern auch eine zusätzliche Belastung darstellt.

Öffentliche Wahrnehmung und Stigmatisierung

Die öffentliche Wahrnehmung von Trans-Personen ist ein weiterer Bereich, der verbessert werden muss. Trotz der Bemühungen um Aufklärung und Sensibilisierung gibt es immer noch weit verbreitete Stigmatisierung. Diese

Stigmatisierung kann zu sozialer Isolation, psychischen Gesundheitsproblemen und einem erhöhten Risiko für Gewalt führen. Laut dem *2019 National Survey on LGBTQ+ Youth* gaben 70% der befragten Trans-Jugendlichen an, dass sie aufgrund ihrer Identität diskriminiert wurden. Solche Erfahrungen können langfristige Auswirkungen auf das Selbstwertgefühl und die psychische Gesundheit haben.

Intersektionale Diskriminierung

Ein weiteres wichtiges Thema ist die intersektionale Diskriminierung, die viele Trans-Personen erleben. Besonders Frauen und Personen of Color innerhalb der Trans-Gemeinschaft sind oft mehrfach diskriminiert, was ihre Herausforderungen verstärkt. Die Kombination aus Geschlechtsidentität, ethnischer Zugehörigkeit und oft auch sozialer Klasse führt zu einer komplexen Realität, die nicht ignoriert werden kann. Diese intersektionalen Erfahrungen erfordern spezifische Ansätze im Aktivismus, die die Vielfalt innerhalb der Gemeinschaft anerkennen und adressieren.

Zugang zu Ressourcen und Unterstützung

Der Zugang zu Ressourcen und Unterstützung bleibt ein zentrales Problem. Viele Trans-Personen haben Schwierigkeiten, finanzielle Unterstützung für notwendige medizinische Behandlungen oder psychologische Hilfe zu finden. Dies ist besonders in ländlichen oder weniger wohlhabenden Regionen der Fall, wo die Infrastruktur für LGBTQ+-Ressourcen oft begrenzt ist. Initiativen wie *Trans Lifeline* versuchen, diese Lücken zu schließen, jedoch bleibt die Finanzierung solcher Programme oft unzureichend.

Politische Rückschritte

In den letzten Jahren gab es auch politische Rückschritte in Bezug auf die Rechte von LGBTQ-Personen. In einigen Ländern wurden Gesetze erlassen, die die Rechte von Trans-Personen einschränken oder den Zugang zu geschlechtsspezifischen Gesundheitsdiensten erschweren. Diese Entwicklungen haben nicht nur direkte Auswirkungen auf die betroffenen Personen, sondern senden auch eine besorgniserregende Botschaft an die Gesellschaft, dass Diskriminierung und Vorurteile toleriert werden.

Die Rolle von Bildung

Die Bildung spielt eine entscheidende Rolle bei der Bekämpfung von Vorurteilen und Diskriminierung. Dennoch bleibt die Ausbildung von Fachkräften im Gesundheitswesen und in der Bildung oft unzureichend. Viele Lehrpläne integrieren nicht die notwendigen Informationen über Geschlechtsidentität und -ausdruck, was zu einem Mangel an Verständnis und Empathie führt. Programme zur Sensibilisierung und Schulung müssen dringend entwickelt und implementiert werden, um zukünftige Generationen besser auf die Herausforderungen der LGBTQ-Gemeinschaft vorzubereiten.

Insgesamt ist es unerlässlich, dass die LGBTQ-Community, einschließlich ihrer Verbündeten, weiterhin für die Rechte von Trans-Personen kämpft und sich den bestehenden Herausforderungen stellt. Nur durch kollektives Handeln und Engagement kann eine gerechtere und inklusivere Gesellschaft geschaffen werden, in der alle Menschen, unabhängig von ihrer Geschlechtsidentität, die gleichen Rechte und Möglichkeiten genießen.

Die Kraft des Geschichtenerzählens

Geschichtenerzählen ist ein zentrales Element des menschlichen Daseins und spielt eine entscheidende Rolle im Aktivismus, insbesondere im LGBTQ-Kontext. Es ist nicht nur ein Werkzeug zur Übermittlung von Informationen, sondern auch ein Mittel zur Schaffung von Empathie, Verständnis und Gemeinschaft. In dieser Sektion untersuchen wir die Kraft des Geschichtenerzählens, seine theoretischen Grundlagen, die Herausforderungen, die es mit sich bringt, und einige prägnante Beispiele, die die transformative Wirkung von Geschichten verdeutlichen.

Theoretische Grundlagen

Die Theorie des Geschichtenerzählens ist tief in der menschlichen Psychologie verwurzelt. Psychologen wie Jerome Bruner argumentieren, dass Menschen Informationen nicht nur durch Fakten und Daten aufnehmen, sondern auch durch narrative Strukturen, die Emotionen ansprechen und Erinnerungen wecken. Bruner (1991) stellte fest, dass Geschichten eine Art „kulturelles Gedächtnis" bilden, das es Individuen ermöglicht, sich mit ihrer Gemeinschaft zu identifizieren und ihre Erfahrungen zu teilen.

$$\text{Erinnerung} = f(\text{Erfahrung, Emotion, Erzählung}) \qquad (22)$$

Hierbei ist f eine Funktion, die zeigt, dass die Erinnerung an eine Erfahrung nicht nur von der Erfahrung selbst, sondern auch von den Emotionen und der Art und Weise, wie diese Erfahrung erzählt wird, abhängt.

Herausforderungen im Geschichtenerzählen

Trotz seiner Macht ist das Geschichtenerzählen im Aktivismus nicht ohne Herausforderungen. Eine der größten Schwierigkeiten besteht darin, die richtigen Geschichten auszuwählen und zu erzählen, die sowohl repräsentativ als auch inklusiv sind. Oftmals werden Stimmen marginalisierter Gruppen übersehen oder verzerrt dargestellt. Dies kann zu einer weiteren Marginalisierung führen und die Botschaft des Aktivismus schwächen.

Ein weiteres Problem ist die Gefahr der Vereinfachung komplexer Themen. Geschichten können dazu neigen, die Realität zu glätten und die Nuancen der Erfahrungen von LGBTQ-Personen zu ignorieren. Dies kann zu Stereotypen führen, die den Fortschritt behindern und das Verständnis der Öffentlichkeit einschränken.

Beispiele für effektives Geschichtenerzählen

Ein hervorragendes Beispiel für die Kraft des Geschichtenerzählens im LGBTQ-Aktivismus ist die „It Gets Better"-Kampagne, die 2010 ins Leben gerufen wurde. Diese Initiative ermutigte Menschen, ihre persönlichen Geschichten über Herausforderungen und Überwindungen im Zusammenhang mit ihrer sexuellen Identität zu teilen. Durch Videos und soziale Medien verbreiteten sich diese Geschichten viral und schufen eine Welle der Unterstützung für junge LGBTQ-Personen, die mit Mobbing und Diskriminierung konfrontiert waren.

Ein weiteres Beispiel ist die Autobiografie von Sara Bingham selbst. In ihrem Buch beschreibt sie nicht nur ihre persönlichen Kämpfe und Triumphe, sondern auch die Geschichten anderer, die sie auf ihrem Weg getroffen hat. Diese Erzählungen schaffen eine Verbindung zwischen Leserinnen und Lesern und ermöglichen es ihnen, Empathie für die Herausforderungen und Erfolge von LGBTQ-Personen zu entwickeln.

Die transformative Wirkung von Geschichten

Die transformative Wirkung von Geschichten kann nicht genug betont werden. Geschichten haben die Macht, Vorurteile abzubauen, Verständnis zu fördern und Gemeinschaften zu vereinen. Sie können als Katalysatoren für Veränderungen fungieren, indem sie Menschen dazu inspirieren, aktiv zu werden und sich für die Rechte von LGBTQ-Personen einzusetzen.

Ein Beispiel aus der Forschung zeigt, dass das Lesen von Geschichten über LGBTQ-Erfahrungen bei heterosexuellen Personen zu einer signifikanten Zunahme von Empathie und Unterstützung für LGBTQ-Rechte führt (Norton & Herek, 2013). Diese Ergebnisse legen nahe, dass Geschichten nicht nur informativ sind, sondern auch einen direkten Einfluss auf das Verhalten und die Einstellungen von Menschen haben können.

Fazit

Zusammenfassend lässt sich sagen, dass die Kraft des Geschichtenerzählens im LGBTQ-Aktivismus von entscheidender Bedeutung ist. Es ist ein Werkzeug, das nicht nur Informationen überträgt, sondern auch Emotionen weckt und Gemeinschaften bildet. Während es Herausforderungen gibt, die es zu bewältigen gilt, bleibt die transformative Wirkung von Geschichten unbestritten. In einer Welt, die oft von Vorurteilen und Missverständnissen geprägt ist, können gut erzählte Geschichten Brücken bauen und einen Raum für Dialog und Verständnis schaffen.

Bibliography

[1] Bruner, J. (1991). *The Narrative Construction of Reality.* Journal of Narrative and Life History, 1(1), 1-21.

[2] Norton, A. T., & Herek, G. M. (2013). *Heterosexuals' Attitudes Toward Bisexuality: A Study of the Effects of Storytelling.* Journal of Bisexuality, 13(2), 233-255.

Ein Aufruf zum Handeln

In einer Welt, die oft von Vorurteilen und Diskriminierung geprägt ist, ist es unerlässlich, dass wir uns aktiv für die Rechte und das Wohlbefinden aller Menschen einsetzen, insbesondere für die LGBTQ-Community. Sara Bingham hat uns durch ihr Engagement und ihre unermüdliche Arbeit gezeigt, dass jeder von uns die Fähigkeit hat, einen Unterschied zu machen. Dies ist nicht nur eine persönliche Reise, sondern ein kollektiver Aufruf zum Handeln, der uns alle betrifft.

Die Dringlichkeit des Handelns

Die Herausforderungen, mit denen Trans-Personen konfrontiert sind, sind zahlreich und oft überwältigend. Statistiken zeigen, dass Trans-Personen ein höheres Risiko für psychische Erkrankungen und Gewalt erleben. Laut einer Studie von [?] haben 40% der Trans-Personen in Kanada ernsthafte psychische Probleme, die oft auf Diskriminierung und Marginalisierung zurückzuführen sind. Diese Zahlen sind nicht nur Zahlen; sie repräsentieren Menschen, die Unterstützung und Verständnis benötigen.

Theoretische Grundlagen

Aktivismus ist nicht nur eine individuelle Verantwortung, sondern auch ein gesellschaftlicher Imperativ. Die Theorie des sozialen Wandels, wie sie von [?] beschrieben wird, legt nahe, dass kollektives Handeln notwendig ist, um tief verwurzelte soziale Ungerechtigkeiten zu bekämpfen. Diese Theorie betont die Bedeutung von Gemeinschaft und Solidarität, um Veränderungen zu bewirken. Wenn wir uns zusammenschließen und gemeinsam für die Rechte der Trans-Personen eintreten, können wir die gesellschaftlichen Strukturen herausfordern, die Diskriminierung und Ungerechtigkeit aufrechterhalten.

Praktische Schritte für den Aktivismus

Es gibt viele Wege, wie Einzelpersonen und Gemeinschaften aktiv werden können. Hier sind einige praktische Schritte, die inspiriert von Saras Arbeit und den Prinzipien des sozialen Wandels sind:

- **Bildung und Sensibilisierung:** Informieren Sie sich über die Herausforderungen, mit denen Trans-Personen konfrontiert sind. Workshops und Informationsveranstaltungen können helfen, Vorurteile abzubauen und Empathie zu fördern.

- **Unterstützung von LGBTQ-Organisationen:** Unterstützen Sie lokale und nationale Organisationen, die sich für die Rechte von Trans-Personen einsetzen, sei es durch Spenden, Freiwilligenarbeit oder die Teilnahme an Veranstaltungen.

- **Politisches Engagement:** Setzen Sie sich für politische Maßnahmen ein, die die Rechte von Trans-Personen schützen. Dies kann das Schreiben von Briefen an Abgeordnete oder die Teilnahme an Protesten umfassen.

- **Mentoring und Unterstützung:** Bieten Sie Unterstützung und Mentoring für junge Trans-Personen an. Dies kann einen erheblichen Einfluss auf ihr Selbstwertgefühl und ihre Lebensqualität haben.

- **Sichtbarkeit schaffen:** Teilen Sie Geschichten und Erfahrungen von Trans-Personen in sozialen Medien und anderen Plattformen, um das Bewusstsein zu schärfen und Vorurteile abzubauen.

Beispiele für erfolgreichen Aktivismus

Ein Beispiel für erfolgreichen Aktivismus ist die *Transgender Day of Remembrance*, der jährlich stattfindet, um die Gewalt gegen Trans-Personen zu gedenken. Diese Veranstaltung hat nicht nur das Bewusstsein für die Herausforderungen von Trans-Personen geschärft, sondern auch Gemeinschaften zusammengebracht, um Solidarität zu zeigen. Auch die *Pride*-Bewegung hat durch ihre Feierlichkeiten und politischen Forderungen dazu beigetragen, das Bewusstsein für LGBTQ-Rechte zu erhöhen und gesellschaftliche Normen zu hinterfragen.

Ein weiteres Beispiel ist die Initiative *Trans Health Matters*, die sich für die Verbesserung der Gesundheitsversorgung für Trans-Personen einsetzt. Diese Initiative hat durch Aufklärungskampagnen und die Zusammenarbeit mit Gesundheitsorganisationen bedeutende Fortschritte erzielt.

Die Rolle von Humor und Kreativität

Wie Sara Bingham oft betont, kann Humor eine kraftvolle Waffe im Aktivismus sein. Humor kann helfen, Barrieren abzubauen, Menschen zu verbinden und schwierige Themen zugänglicher zu machen. Kreative Ausdrucksformen, sei es durch Kunst, Theater oder soziale Medien, können dazu beitragen, das Bewusstsein zu schärfen und die Botschaft des Aktivismus zu verbreiten.

Ein Aufruf zur Solidarität

Letztlich ist es entscheidend, dass wir uns als Gemeinschaft zusammenschließen, um die Rechte und das Wohlbefinden von Trans-Personen zu fördern. Jeder von uns hat die Möglichkeit, eine Stimme zu sein, die für Gerechtigkeit und Gleichheit spricht. Lassen Sie uns Saras Beispiel folgen und uns für eine Welt einsetzen, in der alle Menschen, unabhängig von ihrer Geschlechtsidentität, respektiert und akzeptiert werden.

$$\text{Gemeinschaft} + \text{Bildung} + \text{Engagement} = \text{Veränderung} \qquad (23)$$

Indem wir uns diesen Prinzipien widmen, können wir eine nachhaltige Veränderung bewirken und eine bessere Zukunft für alle schaffen. Es ist an der Zeit, dass wir nicht nur Zuschauer sind, sondern aktiv handeln. Lassen Sie uns gemeinsam für eine Welt kämpfen, in der Vielfalt gefeiert und jeder Mensch in seiner Identität respektiert wird.

[?] hat es treffend formuliert: "Der Wandel beginnt nicht mit großen Taten, sondern mit kleinen Schritten, die wir gemeinsam gehen."

Gemeinsam können wir den Unterschied machen.

Schlussfolgerung

Zusammenfassung der wichtigsten Punkte

Die Reise von Sara Bingham

Sara Bingham ist nicht nur eine Aktivistin, sondern ein Symbol für den unermüdlichen Kampf um Trans-Rechte und die Verbesserung der Gesundheitsversorgung für Trans-Personen in Kanada. Ihre Reise beginnt in der beschaulichen Stadt Toronto, wo sie in einer von kultureller Vielfalt geprägten Umgebung aufwuchs. Schon früh erkannte Sara, dass ihre Identität und ihr Körper nicht immer im Einklang standen. Diese Diskrepanz führte zu einer Reihe von Herausforderungen, die sie jedoch nicht davon abhielten, ihren Platz in der Welt zu finden.

Die entscheidende Phase in Saras Leben war ihre Jugend, die geprägt war von Fragen der Identität und des Selbstverständnisses. Wie viele andere Trans-Personen erlebte sie Momente der Isolation und des Zweifels. In der Schule sah sie sich oft mit Vorurteilen konfrontiert, die durch Mobbing und Diskriminierung verstärkt wurden. Diese Erfahrungen sind nicht nur Teil ihrer persönlichen Geschichte, sondern spiegeln auch die Realität wider, mit der viele LGBTQ-Jugendliche konfrontiert sind.

Ein zentraler Aspekt ihrer Reise war die Entdeckung des Aktivismus. Nachdem sie an einer LGBTQ-Veranstaltung teilgenommen hatte, fühlte sie sich zum ersten Mal in ihrem Leben wirklich akzeptiert. Diese Erfahrung gab ihr den Mut, sich für andere einzusetzen, die ähnliche Kämpfe durchlebten. Sie begann, sich in verschiedenen Organisationen zu engagieren, die sich für die Rechte von Trans-Personen starkmachten. Hierbei stieß sie auf die Herausforderungen, die mit dem Aktivismus verbunden sind: das ständige Gefühl der Überforderung, der Druck, immer sichtbar zu sein, und die emotionale Belastung, die mit dem Einsatz für eine oft marginalisierte Gemeinschaft einhergeht.

Saras Engagement führte sie an die Universität, wo sie nicht nur ihre Bildung vorantrieb, sondern auch ein Netzwerk von Gleichgesinnten aufbaute. Hier entdeckte sie die Macht der Gemeinschaft und die Bedeutung von Solidarität. Die Gründung von Unterstützungsgruppen für Trans-Studenten wurde zu einem ihrer ersten Erfolge. Diese Gruppen boten einen Raum für Austausch und Unterstützung, der in der akademischen Welt oft fehlt.

Ein weiterer Meilenstein in Saras Reise war ihre Entscheidung, sich auf das Thema Trans-Gesundheit zu konzentrieren. Sie erkannte die gravierenden Lücken im Gesundheitswesen, die Trans-Personen oft daran hinderten, die notwendige medizinische Versorgung zu erhalten. Ihre persönlichen Erfahrungen mit dem Gesundheitssystem – von der Suche nach kompetenten Fachärzten bis hin zu diskriminierenden Praktiken – motivierten sie, Aufklärungsarbeit zu leisten. Sie begann, Kampagnen zu initiieren, die darauf abzielten, das Bewusstsein für die spezifischen Bedürfnisse von Trans-Personen zu schärfen.

Saras Reise ist auch eine Geschichte des Wandels. Sie hat nicht nur ihre eigene Identität akzeptiert, sondern auch die der Menschen um sie herum. Durch ihre Arbeit hat sie dazu beigetragen, das Bewusstsein für die Herausforderungen zu schärfen, mit denen Trans-Personen konfrontiert sind, und hat damit die Grundlage für eine breitere gesellschaftliche Akzeptanz gelegt. Ihre Erfolge sind nicht nur persönliche Triumphe, sondern Teil eines größeren Wandels in der kanadischen Gesellschaft.

Zusammenfassend lässt sich sagen, dass die Reise von Sara Bingham eine inspirierende Erzählung über Resilienz, Engagement und die Kraft der Gemeinschaft ist. Sie zeigt, dass der Weg zur Selbstakzeptanz und zur Verbesserung der Lebensbedingungen für andere oft mit Schwierigkeiten und Rückschlägen gepflastert ist. Doch Saras unerschütterlicher Glaube an die Notwendigkeit des Wandels und ihre Fähigkeit, Humor und Menschlichkeit in ihren Aktivismus einzubringen, machen sie zu einer herausragenden Figur in der LGBTQ-Bewegung. Ihre Geschichte lehrt uns, dass jede Reise, so herausfordernd sie auch sein mag, einen bedeutenden Einfluss auf die Gesellschaft haben kann.

Der Einfluss auf die LGBTQ-Gemeinschaft

Sara Bingham hat durch ihr Engagement und ihre unermüdliche Arbeit einen tiefgreifenden Einfluss auf die LGBTQ-Gemeinschaft in Kanada und darüber hinaus ausgeübt. Ihre Bemühungen, insbesondere im Bereich der Trans-Gesundheit, haben nicht nur das Bewusstsein für die Bedürfnisse und Herausforderungen von Trans-Personen geschärft, sondern auch das gesellschaftliche Klima für LGBTQ-Individuen insgesamt verbessert.

ZUSAMMENFASSUNG DER WICHTIGSTEN PUNKTE

Theoretischer Hintergrund

Um den Einfluss von Sara Bingham auf die LGBTQ-Gemeinschaft zu verstehen, ist es wichtig, einige grundlegende Theorien des Aktivismus und der sozialen Bewegungen zu betrachten. Der soziale Wandel wird oft durch die Mobilisierung von Gemeinschaften und die Schaffung von Netzwerken unterstützt. Theorien wie die *Resource Mobilization Theory* und die *Framing Theory* helfen uns, Saras Ansatz zu analysieren.

Resource Mobilization Theory besagt, dass der Erfolg sozialer Bewegungen von der Fähigkeit abhängt, Ressourcen wie Geld, Zeit und Menschen zu mobilisieren. Sara hat erfolgreich Unterstützungsgruppen gegründet und Netzwerke aufgebaut, die es Trans-Personen ermöglichen, Zugang zu notwendigen Ressourcen zu erhalten.

Framing Theory hingegen konzentriert sich darauf, wie soziale Bewegungen ihre Anliegen kommunizieren. Sara hat es geschafft, die Herausforderungen der Trans-Gesundheit in einen breiteren gesellschaftlichen Kontext zu setzen, was dazu beiträgt, Vorurteile abzubauen und Empathie zu fördern.

Probleme und Herausforderungen

Trotz ihrer Erfolge sieht sich die LGBTQ-Gemeinschaft weiterhin zahlreichen Herausforderungen gegenüber. Diskriminierung, Vorurteile und ein oft unzureichendes Gesundheitssystem sind nur einige der Probleme, mit denen Trans-Personen konfrontiert sind. Sara Bingham hat diese Themen in den Vordergrund ihrer Arbeit gerückt und sich unermüdlich für Veränderungen eingesetzt.

Ein Beispiel für die Herausforderungen, mit denen die LGBTQ-Gemeinschaft konfrontiert ist, ist die ungleiche Gesundheitsversorgung. Studien zeigen, dass Trans-Personen häufig Diskriminierung im Gesundheitswesen erfahren, was zu einer geringeren Inanspruchnahme von medizinischen Dienstleistungen führt. Sara hat sich dafür eingesetzt, dass medizinisches Personal sensibilisiert wird und dass Gesundheitsdienste inklusiver gestaltet werden.

Praktische Beispiele für Saras Einfluss

Ein herausragendes Beispiel für Saras Einfluss ist die Gründung von Initiativen, die sich speziell auf die Bedürfnisse von Trans-Personen konzentrieren. Durch ihre Arbeit hat sie Programme ins Leben gerufen, die Aufklärung über Trans-Gesundheit bieten und gleichzeitig Ressourcen für Trans-Personen bereitstellen. Diese Programme haben nicht nur das Bewusstsein für Trans-Themen geschärft, sondern auch konkrete Unterstützung geboten.

Ein weiteres Beispiel ist Saras Engagement in politischen Kampagnen, die darauf abzielen, gesetzliche Änderungen zu bewirken. Ihre Mitwirkung an der Einführung von Gesetzen, die Diskriminierung aufgrund der Geschlechtsidentität verbieten, hat weitreichende Auswirkungen auf die Rechte von LGBTQ-Individuen in Kanada gehabt. Diese Gesetzesänderungen sind nicht nur rechtlich bedeutsam, sondern senden auch eine starke Botschaft an die Gesellschaft, dass Diskriminierung nicht toleriert wird.

Sichtbarkeit und Repräsentation

Ein zentraler Aspekt von Saras Einfluss ist die Förderung von Sichtbarkeit und Repräsentation in den Medien. Durch ihre öffentlichen Auftritte und Interviews hat sie es geschafft, die Stimmen von Trans-Personen zu stärken und ihre Geschichten in den Vordergrund zu rücken. Diese Sichtbarkeit ist entscheidend, um Stereotypen abzubauen und ein besseres Verständnis für die Vielfalt innerhalb der LGBTQ-Gemeinschaft zu fördern.

Sara nutzt soziale Medien als Plattform, um ihre Botschaften zu verbreiten und eine breitere Öffentlichkeit zu erreichen. Ihre Fähigkeit, komplexe Themen auf verständliche Weise zu kommunizieren, hat dazu beigetragen, dass mehr Menschen sich mit den Herausforderungen der LGBTQ-Gemeinschaft identifizieren und solidarisch zeigen.

Langfristige Auswirkungen

Die langfristigen Auswirkungen von Saras Einfluss sind bereits spürbar. Die LGBTQ-Gemeinschaft in Kanada hat durch ihre Arbeit an Sichtbarkeit und Akzeptanz gewonnen. Die gesellschaftliche Wahrnehmung von Trans-Personen hat sich verbessert, was sich in einer zunehmenden Unterstützung durch die breite Öffentlichkeit und politische Entscheidungsträger zeigt.

Darüber hinaus hat Sara Bingham als Vorbild für viele junge Aktivisten gedient. Ihre Geschichte und ihr Engagement inspirieren die nächste Generation, sich für Gleichheit und Gerechtigkeit einzusetzen. Die Bedeutung von Vorbildern in der LGBTQ-Gemeinschaft kann nicht hoch genug eingeschätzt werden, da sie Hoffnung und Motivation bieten.

Zusammenfassung

Zusammenfassend lässt sich sagen, dass Sara Bingham einen bedeutenden Einfluss auf die LGBTQ-Gemeinschaft ausgeübt hat. Durch ihre unermüdliche Arbeit im Bereich der Trans-Gesundheit, ihre Fähigkeit zur Mobilisierung von Ressourcen und ihre Rolle als Sprachrohr für die Anliegen der Gemeinschaft hat sie nicht nur das Bewusstsein geschärft, sondern auch konkrete Veränderungen bewirkt. Ihre Geschichte ist ein Beispiel dafür, wie individueller Aktivismus einen kollektiven Wandel herbeiführen kann. In einer Welt, die oft von Vorurteilen geprägt ist, bleibt ihr Einfluss ein Leuchtturm der Hoffnung und des Wandels.

Die Bedeutung von Aktivismus für die Gesellschaft

Aktivismus spielt eine entscheidende Rolle in der Gesellschaft, insbesondere wenn es darum geht, die Rechte und Bedürfnisse marginalisierter Gruppen zu vertreten. Er ist nicht nur ein Werkzeug zur Förderung von Veränderungen, sondern auch ein Mittel zur Schaffung von Bewusstsein und zur Mobilisierung von Gemeinschaften. In diesem Abschnitt werden wir die verschiedenen Dimensionen des Aktivismus beleuchten und seine Bedeutung für die Gesellschaft im Allgemeinen und für die LGBTQ-Community im Besonderen herausstellen.

Theoretische Grundlagen des Aktivismus

Aktivismus kann in verschiedenen theoretischen Rahmen betrachtet werden. Eine der bekanntesten Theorien ist die **Ressourcentheorie**, die besagt, dass soziale Bewegungen in der Lage sind, Veränderungen herbeizuführen, wenn sie über ausreichende Ressourcen verfügen, um ihre Ziele zu erreichen. Diese Ressourcen können finanzieller, menschlicher oder materieller Natur sein. Die Mobilisierung von Ressourcen ist entscheidend, um Kampagnen zu starten und politische Veränderungen zu bewirken.

Ein weiteres wichtiges Konzept ist die **Identitätspolitik**, die die Interessen und Anliegen spezifischer Gruppen in den Vordergrund stellt. Identitätspolitik hat es der LGBTQ-Community ermöglicht, ihre spezifischen Bedürfnisse und Herausforderungen zu artikulieren, was zu einem besseren Verständnis und einer stärkeren Unterstützung in der Gesellschaft geführt hat.

Gesellschaftliche Probleme und Herausforderungen

Trotz der Fortschritte, die durch aktivistische Bewegungen erzielt wurden, gibt es nach wie vor zahlreiche Herausforderungen. Diskriminierung, Vorurteile und soziale Ungerechtigkeiten sind nach wie vor weit verbreitet. Ein Beispiel dafür ist die anhaltende Stigmatisierung von Trans-Personen im Gesundheitswesen. Viele Trans-Personen berichten von Diskriminierung und unzureichender medizinischer Versorgung, was ihre Gesundheit und ihr Wohlbefinden erheblich beeinträchtigt.

Die **Gesundheitsdisparitäten** sind ein weiteres ernstes Problem. Studien zeigen, dass LGBTQ-Personen, insbesondere Trans-Personen, ein höheres Risiko für psychische Erkrankungen und andere gesundheitliche Probleme haben. Aktivismus spielt eine Schlüsselrolle bei der Sensibilisierung für diese Themen und der Forderung nach besseren Gesundheitsdiensten.

Beispiele für erfolgreichen Aktivismus

Ein herausragendes Beispiel für erfolgreichen Aktivismus ist die **Stonewall-Rebellion** von 1969, die als Wendepunkt in der LGBTQ-Bewegung gilt. Diese Ereignisse führten zur Gründung von Organisationen wie der *Human Rights Campaign* und der *Gay Liberation Front*, die sich für die Rechte von LGBTQ-Personen einsetzen. Diese Organisationen haben nicht nur Gesetze geändert, sondern auch das gesellschaftliche Bewusstsein für LGBTQ-Anliegen geschärft.

Ein weiteres Beispiel ist die **Kampagne für die Ehe für alle** in Kanada, die 2005 zur Legalisierung der gleichgeschlechtlichen Ehe führte. Aktivisten mobilisierten eine breite Unterstützung durch Aufklärung, Öffentlichkeitsarbeit und Lobbyarbeit, was schließlich zu einem historischen Sieg für die LGBTQ-Community führte.

Die Rolle von Humor im Aktivismus

In der Tradition von Aktivisten wie Sara Bingham spielt Humor eine wichtige Rolle im Aktivismus. Humor kann als ein Werkzeug zur Entwaffnung von Vorurteilen und zur Förderung von Empathie eingesetzt werden. Er ermöglicht es Aktivisten, ernste Themen auf eine zugängliche Weise zu präsentieren und eine breitere Öffentlichkeit anzusprechen.

Beispielsweise nutzen viele LGBTQ-Aktivisten soziale Medien, um humorvolle Inhalte zu erstellen, die gleichzeitig auf Diskriminierung und Ungerechtigkeiten hinweisen. Diese Strategie hat dazu beigetragen, das Bewusstsein für LGBTQ-Anliegen zu schärfen und eine positive Identität innerhalb der Community zu fördern.

Schlussfolgerung

Zusammenfassend lässt sich sagen, dass Aktivismus eine wesentliche Komponente der gesellschaftlichen Veränderung ist. Er schafft Räume für Dialog, fördert das Bewusstsein für soziale Gerechtigkeit und mobilisiert Gemeinschaften, um für ihre Rechte einzutreten. Die Herausforderungen, mit denen Aktivisten konfrontiert sind, sind vielfältig, aber die Erfolge, die erzielt werden, zeigen die Kraft des kollektiven Handelns. Aktivismus ist nicht nur ein Mittel zur Veränderung von Gesetzen und Politiken, sondern auch ein Weg, um das gesellschaftliche Bewusstsein zu schärfen und die menschliche Verbindung zu stärken.

Was wir von Sara lernen können

Sara Bingham ist nicht nur eine bemerkenswerte Aktivistin, sondern auch ein leuchtendes Beispiel für die Kraft des individuellen Engagements und der Gemeinschaft. Ihre Reise lehrt uns wichtige Lektionen über den Aktivismus, die Selbstakzeptanz und die Bedeutung von Sichtbarkeit in der LGBTQ-Community.

Die Kraft der Selbstakzeptanz

Eines der zentralen Themen in Saras Leben ist die Selbstakzeptanz. Sie hat gelernt, dass die Akzeptanz der eigenen Identität der erste Schritt zu einem erfüllten Leben ist. Diese Erkenntnis ist nicht nur für Trans-Personen, sondern für alle Menschen von Bedeutung. Selbstakzeptanz kann als ein Prozess beschrieben werden, der oft von inneren Konflikten und gesellschaftlichem Druck begleitet wird. In ihrem Buch beschreibt Sara, wie sie in ihrer Jugend mit den Erwartungen ihrer Familie und der Gesellschaft kämpfte.

$$\text{Selbstakzeptanz} = \text{Identität} + \text{Selbstbewusstsein} + \text{Widerstandsfähigkeit} \quad (24)$$

Diese Gleichung verdeutlicht, dass Selbstakzeptanz nicht nur die Anerkennung der eigenen Identität beinhaltet, sondern auch das Bewusstsein für die eigenen Stärken und Schwächen sowie die Fähigkeit, Herausforderungen zu überwinden.

Die Bedeutung von Sichtbarkeit

Ein weiterer wichtiger Aspekt von Saras Aktivismus ist die Bedeutung von Sichtbarkeit. Sara hat oft betont, dass Sichtbarkeit für marginalisierte Gruppen entscheidend ist, um Vorurteile abzubauen und Akzeptanz zu fördern. Durch ihre öffentliche Präsenz hat sie dazu beigetragen, das Bewusstsein für Trans-Gesundheit und die Herausforderungen, mit denen Trans-Personen konfrontiert sind, zu schärfen.

$$\text{Sichtbarkeit} = \text{Repräsentation} + \text{Bewusstsein} + \text{Akzeptanz} \qquad (25)$$

Diese Gleichung zeigt, dass Sichtbarkeit nicht nur die physische Präsenz in der Öffentlichkeit bedeutet, sondern auch die Fähigkeit, Geschichten zu erzählen und Erfahrungen zu teilen, um das Bewusstsein und die Akzeptanz in der Gesellschaft zu fördern.

Gemeinschaft und Unterstützung

Sara hat auch die Bedeutung von Gemeinschaft und Unterstützung hervorgehoben. In ihrem Leben hat sie erfahren, dass Aktivismus nicht isoliert betrieben werden kann. Die Unterstützung durch Gleichgesinnte und die Gemeinschaft ist unerlässlich, um Veränderungen zu bewirken. Sie hat zahlreiche Unterstützungsgruppen gegründet und an Community-Events teilgenommen, um anderen zu helfen, ihre Stimme zu finden.

$$\text{Gemeinschaft} = \text{Unterstützung} + \text{Solidarität} + \text{Zusammenarbeit} \qquad (26)$$

Diese Gleichung verdeutlicht, dass Gemeinschaft nicht nur eine Ansammlung von Individuen ist, sondern eine dynamische Einheit, die durch Unterstützung, Solidarität und Zusammenarbeit geprägt ist.

Humor als Werkzeug

Ein weiteres wichtiges Element in Saras Aktivismus ist der Einsatz von Humor. Sie hat oft betont, wie Humor helfen kann, schwierige Themen anzusprechen und Barrieren abzubauen. Humor kann als eine Form der Bewältigung angesehen werden, die es Menschen ermöglicht, ernsthafte Themen in einem weniger bedrohlichen Rahmen zu diskutieren.

$$\text{Humor} = \text{Bewältigungsmechanismus} + \text{Verbindung} + \text{Aufklärung} \qquad (27)$$

Diese Gleichung zeigt, dass Humor nicht nur eine Möglichkeit ist, mit Stress umzugehen, sondern auch eine Brücke bauen kann, um Menschen zusammenzubringen und Aufklärung zu fördern.

Der Wert des Durchhaltens

Sara hat auch die Bedeutung des Durchhaltens betont. Der Aktivismus ist oft mit Rückschlägen und Herausforderungen verbunden. Ihre eigene Reise zeigt, dass es wichtig ist, auch in schwierigen Zeiten nicht aufzugeben.

$$\text{Durchhalten} = \text{Entschlossenheit} + \text{Anpassungsfähigkeit} + \text{Zielorientierung} \qquad (28)$$

Diese Gleichung verdeutlicht, dass Durchhalten eine Kombination aus Entschlossenheit, der Fähigkeit zur Anpassung an Veränderungen und einer klaren Zielorientierung erfordert.

Bildung und Aufklärung

Schließlich lehrt uns Sara, dass Bildung und Aufklärung entscheidend für den Erfolg des Aktivismus sind. Sie hat sich für die Verbesserung der Bildung über Trans-Gesundheit eingesetzt und betont, dass Wissen Macht ist.

$$\text{Bildung} = \text{Wissen} + \text{Verständnis} + \text{Empowerment} \qquad (29)$$

Diese Gleichung zeigt, dass Bildung nicht nur das Ansammeln von Wissen ist, sondern auch das Verständnis, wie man dieses Wissen nutzen kann, um sich selbst und andere zu ermächtigen.

Insgesamt lehrt uns die Reise von Sara Bingham, dass Aktivismus eine Kombination aus persönlicher Stärke, Gemeinschaft, Sichtbarkeit, Humor, Durchhaltevermögen und Bildung ist. Ihre Geschichte inspiriert uns, unsere eigenen Stimmen zu erheben und für eine gerechtere und inklusivere Gesellschaft zu kämpfen. Indem wir von Saras Erfahrungen lernen, können wir dazu beitragen, eine Welt zu schaffen, in der jeder Mensch, unabhängig von Geschlechtsidentität oder sexueller Orientierung, akzeptiert und respektiert wird.

Ein Dank an die Unterstützer und Mitstreiter

In der Welt des Aktivismus ist die Bedeutung von Unterstützung und Solidarität nicht zu unterschätzen. Sara Bingham hat im Laufe ihrer bemerkenswerten Reise unzählige Unterstützer und Mitstreiter gefunden, die nicht nur ihre Vision für Trans-Gesundheit teilen, sondern auch aktiv daran arbeiten, diese Vision in die Realität umzusetzen. Diese Menschen, seien es Freunde, Familienmitglieder, Kollegen oder andere Aktivisten, haben eine entscheidende Rolle in Saras Leben gespielt und sie dazu inspiriert, weiterzumachen, selbst in den schwierigsten Zeiten.

Die Unterstützung durch die Gemeinschaft kann in verschiedenen Formen auftreten. Zum Beispiel kann emotionale Unterstützung in Form von Ermutigung und Verständnis kommen, während praktische Unterstützung oft die Bereitstellung von Ressourcen oder die Teilnahme an Veranstaltungen umfasst. Diese verschiedenen Dimensionen der Unterstützung tragen dazu bei, dass Aktivisten wie Sara sich weniger allein fühlen und die Kraft finden, ihre Stimme zu erheben.

Ein Beispiel für solch eine Unterstützung ist die Gründung von Unterstützungsgruppen, die Sara während ihrer Studienzeit ins Leben rief. Diese Gruppen boten nicht nur einen Raum für trans Personen, um ihre Erfahrungen zu teilen, sondern auch eine Plattform, um sich gegenseitig zu stärken und zu ermutigen. Die Bedeutung solcher Gemeinschaften kann nicht genug betont werden; sie fördern nicht nur das individuelle Wachstum, sondern auch die kollektive Stärke der LGBTQ-Community.

Zusätzlich zu den persönlichen Unterstützern hat Sara auch von vielen Organisationen profitiert, die sich für die Rechte von LGBTQ-Personen einsetzen. Diese Organisationen bieten nicht nur finanzielle Unterstützung, sondern auch Zugang zu Netzwerken, die es Aktivisten ermöglichen, sich mit Gleichgesinnten zu verbinden und ihre Botschaften weiter zu verbreiten. Ein Beispiel hierfür ist die Zusammenarbeit mit Gesundheitsorganisationen, die es Sara ermöglicht hat, ihre Initiativen zur Verbesserung der Trans-Gesundheit zu fördern und gleichzeitig wichtige Daten und Forschungsergebnisse zu sammeln, die für ihre Arbeit von entscheidender Bedeutung sind.

Ein weiteres bemerkenswertes Beispiel für Unterstützung ist die Rolle von Mentoren in Saras Leben. Diese erfahrenen Aktivisten und Fachleute haben nicht nur Wissen und Ressourcen bereitgestellt, sondern auch als Vorbilder fungiert, die Saras Engagement und Leidenschaft für den Aktivismus weiter angeheizt haben. Die Bedeutung von Mentoren kann nicht genug gewürdigt werden; sie helfen dabei, den Weg für die nächste Generation von Aktivisten zu ebnen und gleichzeitig eine Kultur der Unterstützung und des Teilens zu fördern.

Die Herausforderungen, denen sich Aktivisten gegenübersehen, können oft überwältigend sein. Diskriminierung, Vorurteile und persönliche Rückschläge sind nur einige der Hürden, die Sara und viele andere überwinden müssen. In solchen Zeiten ist die Unterstützung von Mitstreitern von unschätzbarem Wert. Sie bieten nicht nur emotionale Unterstützung, sondern helfen auch dabei, Strategien zu entwickeln, um mit diesen Herausforderungen umzugehen. Die Fähigkeit, in schwierigen Zeiten auf ein starkes Netzwerk von Unterstützern zurückzugreifen, kann den Unterschied zwischen Erfolg und Misserfolg ausmachen.

Sara hat auch betont, wie wichtig es ist, die Unterstützung, die sie erhalten hat, nicht als selbstverständlich anzusehen. Sie erinnert sich oft daran, wie ihre Unterstützer in kritischen Momenten für sie da waren, sei es durch einfache Worte der Ermutigung oder durch aktive Teilnahme an ihren Kampagnen. Diese Dankbarkeit ist nicht nur eine Reflexion über ihre eigene Reise, sondern auch ein Aufruf an andere Aktivisten, die Bedeutung von Gemeinschaft und Zusammenhalt zu erkennen.

Darüber hinaus ist es wichtig, die Rolle der Medien in diesem Zusammenhang zu erwähnen. Die Sichtbarkeit, die Sara durch Interviews und Artikel erhielt, wurde nicht nur durch ihre eigene Anstrengung ermöglicht, sondern auch durch die Unterstützung von Journalisten und Medienvertretern, die bereit waren, ihre Geschichte zu erzählen. Diese Zusammenarbeit hat dazu beigetragen, Saras Botschaft weiter zu verbreiten und das Bewusstsein für die Herausforderungen, mit denen Trans-Personen konfrontiert sind, zu schärfen.

In Anbetracht all dieser Aspekte ist es klar, dass der Dank an Unterstützer und Mitstreiter nicht nur eine Formalität ist, sondern ein wesentlicher Bestandteil des Aktivismus. Sara Bingham ist sich bewusst, dass ihr Erfolg nicht nur auf ihren eigenen Bemühungen beruht, sondern auch auf der kollektiven Kraft derjenigen, die sich für eine gerechtere und inklusivere Gesellschaft einsetzen.

Abschließend lässt sich sagen, dass die Anerkennung der Unterstützung, die Sara erhalten hat, nicht nur eine Hommage an ihre Reise ist, sondern auch eine Einladung an andere, sich zu engagieren und Teil dieser wichtigen Bewegung zu werden. Aktivismus ist eine Teamleistung, und jeder Einzelne, der sich für die Rechte von LGBTQ-Personen einsetzt, trägt dazu bei, eine bessere Zukunft zu schaffen. Sara Bingham und ihre Unterstützer sind lebende Beweise dafür, dass, wenn Menschen zusammenkommen, sie Berge versetzen können – und das ist eine Botschaft, die immer weitergetragen werden sollte.

Der Wert von Sichtbarkeit und Repräsentation

Die Sichtbarkeit und Repräsentation von LGBTQ-Personen in der Gesellschaft sind von entscheidender Bedeutung für den Fortschritt und die Akzeptanz der Gemeinschaft. Sichtbarkeit bedeutet nicht nur, dass LGBTQ-Personen in den Medien und in der Öffentlichkeit gesehen werden, sondern auch, dass ihre Stimmen gehört werden und ihre Erfahrungen anerkannt werden. In diesem Abschnitt werden wir die theoretischen Grundlagen der Sichtbarkeit und Repräsentation untersuchen, die Herausforderungen, denen sich die

LGBTQ-Community gegenübersieht, und einige Beispiele für positive Veränderungen, die durch erhöhte Sichtbarkeit erzielt wurden.

Theoretische Grundlagen

Die Theorie der Sichtbarkeit ist eng mit dem Konzept der Repräsentation verbunden. Judith Butler, eine prominente Theoretikerin der Geschlechtertheorie, argumentiert, dass Geschlecht und Sexualität nicht nur soziale Konstrukte sind, sondern auch durch wiederholte Performanz und Sichtbarkeit geformt werden. In ihrem Werk *Gender Trouble* beschreibt Butler, wie die Normen von Geschlecht und Sexualität durch gesellschaftliche Praktiken und Darstellungen aufrechterhalten werden. Wenn LGBTQ-Personen sichtbar sind, wird die Heteronormativität in Frage gestellt und es entsteht Raum für alternative Identitäten und Lebensweisen.

Ein weiteres wichtiges Konzept ist das der *Repräsentationspolitik*, das besagt, dass die Art und Weise, wie Gruppen in den Medien dargestellt werden, direkte Auswirkungen auf ihre gesellschaftliche Akzeptanz und die Rechte hat, die sie genießen. Edward Said beschreibt in *Orientalism*, wie die Repräsentation des Ostens im Westen nicht nur eine kulturelle, sondern auch eine politische Dimension hat. Ähnlich verhält es sich mit der LGBTQ-Community: Die Art, wie sie in den Medien dargestellt wird, beeinflusst die öffentliche Wahrnehmung und die politischen Entscheidungen, die ihre Rechte betreffen.

Herausforderungen der Sichtbarkeit

Trotz der Fortschritte in der Sichtbarkeit von LGBTQ-Personen gibt es weiterhin erhebliche Herausforderungen. Diskriminierung und Vorurteile sind nach wie vor weit verbreitet und können dazu führen, dass sich viele Menschen in der Community unsichtbar machen oder sich nicht sicher fühlen, ihre Identität offen zu leben. Diese Unsichtbarkeit kann sich negativ auf das psychische Wohlbefinden und die allgemeine Lebensqualität auswirken.

Ein Beispiel für die negativen Auswirkungen mangelnder Sichtbarkeit ist die Erfahrung von Trans-Personen, die oft mit einem Mangel an Verständnis und Unterstützung durch das Gesundheitssystem konfrontiert sind. Laut einer Studie von *The Williams Institute* aus dem Jahr 2016 berichteten 33% der Trans-Personen, dass sie aufgrund ihrer Identität diskriminiert wurden, was zu einem höheren Risiko für psychische Erkrankungen und Selbstmordgedanken führt.

ZUSAMMENFASSUNG DER WICHTIGSTEN PUNKTE

Positive Beispiele für Sichtbarkeit

Trotz dieser Herausforderungen gibt es zahlreiche positive Beispiele für die Auswirkungen von Sichtbarkeit und Repräsentation. Eine bemerkenswerte Entwicklung ist die zunehmende Präsenz von LGBTQ-Personen in den Mainstream-Medien. Serien wie *Pose* und *Schitt's Creek* haben nicht nur LGBTQ-Geschichten erzählt, sondern auch LGBTQ-Schauspieler und -Schöpfer ins Rampenlicht gerückt. Diese Serien haben dazu beigetragen, das Bewusstsein für LGBTQ-Themen zu schärfen und Stereotypen abzubauen.

Ein weiteres Beispiel ist die politische Repräsentation. In Kanada gibt es mittlerweile mehrere prominente LGBTQ-Politiker, darunter Justin Trudeau, der erste kanadische Premierminister, der offen für LGBTQ-Rechte eintritt. Diese Sichtbarkeit in der Politik hat dazu beigetragen, dass LGBTQ-Themen auf die politische Agenda gesetzt werden und wichtige gesetzliche Änderungen, wie die Legalisierung der gleichgeschlechtlichen Ehe, vorangetrieben werden.

Schlussfolgerung

Zusammenfassend lässt sich sagen, dass die Sichtbarkeit und Repräsentation von LGBTQ-Personen in der Gesellschaft von entscheidender Bedeutung sind, um Vorurteile abzubauen und die Rechte der Community zu fördern. Während es Herausforderungen gibt, die es zu überwinden gilt, zeigen die positiven Beispiele, dass Sichtbarkeit zu Veränderungen führen kann. Der Aktivismus von Personen wie Sara Bingham ist ein wichtiger Schritt in diese Richtung, da er die Stimmen derjenigen stärkt, die oft übersehen werden. Indem wir die Vielfalt der LGBTQ-Erfahrungen anerkennen und feiern, können wir eine inklusivere und gerechtere Gesellschaft schaffen.

Die Rolle von Humor im Aktivismus

Humor ist ein kraftvolles Werkzeug im Aktivismus, das oft übersehen wird. In einer Welt, die von ernsten Herausforderungen geprägt ist, kann Humor helfen, Botschaften auf eine zugängliche und ansprechende Weise zu vermitteln. Für Aktivisten wie Sara Bingham ist Humor nicht nur ein Mittel zur Unterhaltung, sondern auch ein strategisches Element, um Aufmerksamkeit zu erregen und Barrieren abzubauen.

Theoretische Grundlagen

Die Verwendung von Humor im Aktivismus kann durch verschiedene Theorien erklärt werden, darunter die **Incongruity Theory**, die besagt, dass Humor entsteht, wenn es eine Diskrepanz zwischen dem Erwarteten und dem tatsächlich Erlebten gibt. Diese Diskrepanz kann genutzt werden, um kritische gesellschaftliche Themen zu beleuchten und zum Nachdenken anzuregen. Ein Beispiel hierfür ist der Einsatz von Satire, um auf die Absurditäten von Diskriminierung und Ungerechtigkeit hinzuweisen.

Ein weiteres theoretisches Konzept ist die **Relief Theory**, die besagt, dass Humor als eine Art emotionaler Entlastung fungiert. In stressreichen Situationen kann Humor helfen, Spannungen abzubauen und ein Gefühl der Gemeinschaft zu schaffen. Dies ist besonders wichtig in der LGBTQ-Community, wo viele Menschen mit Diskriminierung und Vorurteilen konfrontiert sind.

Praktische Anwendung

Sara Bingham hat Humor in ihrer Arbeit auf vielfältige Weise eingesetzt. Bei öffentlichen Auftritten und in sozialen Medien nutzt sie oft witzige Anekdoten oder ironische Kommentare, um komplexe Themen wie Trans-Gesundheit zu erklären. Ein Beispiel ist ihre berühmte Aussage: „Wenn ich einen Dollar für jede Person hätte, die mich nach meinem Geschlecht fragt, könnte ich mir eine eigene Gesundheitsversorgung leisten!" Diese Art von Humor bricht das Eis und regt gleichzeitig zu einer ernsthaften Diskussion über die Herausforderungen im Gesundheitswesen an.

Ein weiteres Beispiel ist die Verwendung von Memes und humorvollen Videos in sozialen Medien, um jüngere Zielgruppen anzusprechen. Diese Form des Aktivismus erreicht nicht nur ein breiteres Publikum, sondern fördert auch das Engagement und die Teilnahme an wichtigen Themen.

Herausforderungen und Probleme

Trotz der positiven Aspekte des Humors im Aktivismus gibt es auch Herausforderungen. Humor kann missverstanden werden, und was für den einen lustig ist, kann für den anderen beleidigend sein. Dies ist besonders relevant in der LGBTQ-Community, wo Sensibilität gegenüber Themen wie Geschlechtsidentität und Sexualität von größter Bedeutung ist. Aktivisten müssen daher sorgfältig abwägen, wie sie Humor einsetzen, um sicherzustellen, dass er nicht ausgrenzend oder verletzend wirkt.

Ein weiteres Problem ist, dass Humor in manchen Kontexten die Ernsthaftigkeit eines Themas mindern kann. Kritiker argumentieren, dass der Einsatz von Humor in der politischen Kommunikation dazu führen kann, dass wichtige Anliegen nicht ernst genommen werden. Sara Bingham hat jedoch gezeigt, dass Humor und Ernsthaftigkeit Hand in Hand gehen können, indem sie humorvolle Ansätze wählt, die dennoch die Dringlichkeit und Bedeutung ihrer Botschaften unterstreichen.

Fazit

Die Rolle von Humor im Aktivismus ist vielschichtig und komplex. Er kann als Werkzeug zur Sensibilisierung, zur Förderung des Engagements und zur Schaffung von Gemeinschaft dienen. Gleichzeitig müssen Aktivisten wie Sara Bingham die Risiken und Herausforderungen des Humors im Auge behalten. Letztlich ist Humor ein wertvolles Element, das, wenn es richtig eingesetzt wird, die Kraft hat, Barrieren abzubauen und den Weg für positive Veränderungen zu ebnen.

In einer Zeit, in der Aktivisten oft mit schweren Themen konfrontiert sind, erinnert uns der Humor daran, dass es auch Raum für Lachen und Freude gibt. Wie Sara oft sagt: „Wenn wir nicht lachen können, während wir kämpfen, kämpfen wir vielleicht nicht hart genug!" Dies ist ein Aufruf, Humor als integralen Bestandteil des Aktivismus zu betrachten und ihn als Mittel zur Stärkung und Mobilisierung der Gemeinschaft zu nutzen.

Ein Aufruf zur Solidarität

In einer Welt, die oft von Spaltung und Missverständnis geprägt ist, ist Solidarität nicht nur ein Wort, sondern eine Notwendigkeit. Sara Bingham hat durch ihr Engagement für die Trans-Gesundheit und die LGBTQ-Community eindrucksvoll demonstriert, wie wichtig es ist, sich für andere einzusetzen und gemeinsam für Veränderungen zu kämpfen. Solidarität bedeutet, über die eigenen Erfahrungen hinauszuschauen und sich mit den Kämpfen anderer zu identifizieren. Dies ist besonders relevant in der LGBTQ-Bewegung, die sich nicht nur mit Fragen der Geschlechtsidentität, sondern auch mit Rassismus, Klassismus und anderen Formen der Diskriminierung auseinandersetzt.

Theoretische Grundlagen der Solidarität

Die Theorie der Solidarität ist tief in den sozialen Bewegungen verwurzelt. Der Sozialwissenschaftler Émile Durkheim definierte Solidarität als die „sozialen

Bindungen", die Individuen in einer Gesellschaft zusammenhalten. In der heutigen Zeit wird Solidarität oft als eine Form des sozialen Kapitals betrachtet, das Gemeinschaften stärkt und soziale Gerechtigkeit fördert. In diesem Kontext ist Solidarität nicht nur ein Gefühl, sondern auch eine aktive Praxis, die durch Engagement und Unterstützung anderer zum Ausdruck kommt.

Probleme der fehlenden Solidarität

Die Abwesenheit von Solidarität kann zu einer Vielzahl von Problemen führen. Diskriminierung und Vorurteile gedeihen in einer Umgebung, in der Menschen nicht bereit sind, sich für die Rechte anderer einzusetzen. In der LGBTQ-Community erleben viele Menschen Isolation und Stigmatisierung, was zu psychischen Gesundheitsproblemen führen kann. Laut einer Studie der *Canadian Mental Health Association* sind LGBTQ-Jugendliche dreimal häufiger von Depressionen betroffen als ihre heterosexuellen Altersgenossen. Diese Statistiken verdeutlichen die Notwendigkeit eines solidarischen Ansatzes, um die Lebensqualität aller Mitglieder der Gemeinschaft zu verbessern.

Beispiele für Solidarität in der Praxis

Ein herausragendes Beispiel für Solidarität in der LGBTQ-Community ist die *Stonewall-Rebellion* von 1969, die als Wendepunkt im Kampf für die Rechte von LGBTQ-Personen gilt. Diese Bewegung wurde von einer Vielzahl von Menschen getragen, die sich gegen die Diskriminierung und Gewalt, die sie erlitten hatten, zusammenschlossen. Die Solidarität zwischen verschiedenen Identitäten innerhalb der Bewegung war entscheidend für ihren Erfolg.

Ein weiteres Beispiel ist die *Transgender Day of Remembrance*, der jährlich gefeiert wird, um die Leben derjenigen zu ehren, die aufgrund ihrer Geschlechtsidentität Gewalt erlitten haben. Dieser Tag ist nicht nur ein Gedenken, sondern auch ein Aufruf zur Solidarität und zu einem gemeinsamen Kampf gegen Gewalt und Diskriminierung.

Der Weg zur Solidarität

Um Solidarität zu fördern, ist es wichtig, Räume für Dialog und Verständnis zu schaffen. Bildung spielt eine entscheidende Rolle dabei, Vorurteile abzubauen und Empathie zu fördern. Workshops, Schulungen und Gemeinschaftsveranstaltungen können helfen, das Bewusstsein zu schärfen und Menschen zusammenzubringen. Sara Bingham hat durch ihre Arbeit in Schulen und Gemeinden das Bewusstsein für Trans-Gesundheit und die Herausforderungen, mit denen Trans-Personen konfrontiert sind, geschärft. Ihre Initiativen zeigen, wie wichtig es ist, dass Menschen aus verschiedenen Hintergründen zusammenarbeiten, um eine inklusive und unterstützende Umgebung zu schaffen.

Ein Aufruf zur aktiven Teilnahme

In Anlehnung an Saras Engagement sollten wir alle aufgefordert werden, aktiv an der Schaffung von Solidarität teilzunehmen. Dies kann durch einfache Handlungen geschehen, wie die Unterstützung lokaler LGBTQ-Organisationen, die Teilnahme an Pride-Veranstaltungen oder das Teilen von Ressourcen und Informationen über soziale Medien. Jeder von uns kann einen Unterschied machen, indem wir unsere Stimmen erheben und uns für die Rechte derjenigen einsetzen, die oft übersehen werden.

Fazit

Solidarität ist eine mächtige Kraft, die uns dazu befähigt, gemeinsam für eine gerechtere und inklusivere Gesellschaft zu kämpfen. Sara Bingham ist ein leuchtendes Beispiel dafür, wie individuelle Anstrengungen in kollektive Veränderungen münden können. Indem wir uns zusammenschließen und uns für die Rechte aller einsetzen, können wir eine Welt schaffen, in der jeder Mensch, unabhängig von Geschlechtsidentität oder sexueller Orientierung, in Würde und Respekt leben kann. Lassen Sie uns also gemeinsam für Solidarität eintreten und die Stimme derer stärken, die gehört werden müssen.

Die Hoffnung auf eine bessere Zukunft

In der heutigen Welt, in der sich die gesellschaftlichen Normen und Werte ständig weiterentwickeln, bleibt die Hoffnung auf eine bessere Zukunft für die LGBTQ-Community ein zentrales Thema. Sara Bingham hat in ihrem Aktivismus stets betont, dass der Weg zu einer inklusiveren und gerechteren Gesellschaft durch Bildung, Empathie und Solidarität geebnet werden kann. Diese Prinzipien sind nicht nur theoretische Konzepte, sondern praktische Ansätze, die in der Realität umgesetzt werden müssen.

Die Rolle der Bildung

Bildung ist ein Schlüssel zur Veränderung. Durch Aufklärung und Sensibilisierung können Vorurteile und Diskriminierung abgebaut werden. Sara hat zahlreiche Workshops und Seminare geleitet, um sowohl Trans-Gesundheit als auch die Herausforderungen, mit denen LGBTQ-Personen konfrontiert sind, zu thematisieren. Ein Beispiel hierfür ist die Initiative „Trans in Schools", die darauf abzielt, Schulen mit Ressourcen auszustatten, um ein sicheres und unterstützendes Umfeld für alle Schüler zu schaffen.

Die Theorie der sozialen Identität, die von Henri Tajfel und John Turner entwickelt wurde, spielt hierbei eine wichtige Rolle. Sie besagt, dass die Zugehörigkeit zu einer bestimmten Gruppe das Selbstbild und die Interaktionen mit anderen beeinflusst. Indem wir die Vielfalt innerhalb der LGBTQ-Community anerkennen und feiern, können wir ein Gefühl der Zugehörigkeit und Akzeptanz fördern, das über die Grenzen von Geschlecht, Sexualität und Ethnizität hinausgeht.

Empathie und Solidarität

Ein weiterer entscheidender Aspekt, den Sara in ihrer Arbeit hervorhebt, ist die Bedeutung von Empathie. Empathie ermöglicht es uns, die Erfahrungen und Herausforderungen anderer nachzuvollziehen und zu verstehen. In ihrem Buch „Unmasked" beschreibt Sara, wie persönliche Geschichten und Erfahrungen eine transformative Kraft besitzen, die das Bewusstsein schärfen und das Verständnis fördern können.

Solidarität ist ebenfalls ein zentraler Bestandteil des Aktivismus. Durch die Bildung von Allianzen zwischen verschiedenen Gruppen und Bewegungen können wir eine stärkere Stimme für Veränderungen schaffen. Ein Beispiel ist die Zusammenarbeit zwischen LGBTQ-Organisationen und feministischen Gruppen, um gemeinsam gegen Gender-basierte Gewalt zu kämpfen. Diese kollektiven Anstrengungen sind entscheidend, um systemische Ungerechtigkeiten zu bekämpfen.

Herausforderungen und Chancen

Trotz der Fortschritte, die in den letzten Jahren erzielt wurden, bestehen weiterhin erhebliche Herausforderungen. Diskriminierung, Gewalt und Ungerechtigkeit sind nach wie vor Realität für viele in der LGBTQ-Community. Die COVID-19-Pandemie hat diese Probleme noch verschärft, indem sie bestehende Ungleichheiten verstärkt hat.

Jedoch bieten diese Herausforderungen auch Chancen für Veränderung. Die Pandemie hat beispielsweise gezeigt, wie wichtig digitale Plattformen für den Aktivismus sind. Sara hat soziale Medien genutzt, um Aufklärungskampagnen zu starten und Menschen zu mobilisieren. Diese digitale Revolution hat es ermöglicht, eine breitere Öffentlichkeit zu erreichen und die Stimmen von marginalisierten Gruppen zu stärken.

Der Einfluss zukünftiger Generationen

Die Hoffnung auf eine bessere Zukunft liegt auch in den Händen der kommenden Generationen. Junge Aktivisten, die Saras Arbeit und Philosophie in ihren eigenen Kontexten weitertragen, sind entscheidend für den fortwährenden Kampf um Gleichheit und Akzeptanz. Die intersektionale Perspektive, die die unterschiedlichen Identitäten und Erfahrungen innerhalb der LGBTQ-Community berücksichtigt, wird in Zukunft eine noch größere Rolle spielen.

Die Theorie der intersektionalen Identität, die von Kimberlé Crenshaw geprägt wurde, ist hierbei von Bedeutung. Sie betont, dass Menschen mehrere Identitäten gleichzeitig haben und dass diese Identitäten sich gegenseitig beeinflussen. Ein Beispiel hierfür ist die Erfahrung einer schwarzen Transfrau, die sowohl Rassismus als auch Transphobie ausgesetzt ist. Das Verständnis dieser komplexen Dynamiken ist entscheidend für die Entwicklung von Strategien, die alle Mitglieder der LGBTQ-Community einbeziehen.

Ein Aufruf zur Aktion

Abschließend lässt sich sagen, dass die Hoffnung auf eine bessere Zukunft nicht nur ein passives Warten auf Veränderungen ist, sondern ein aktives Engagement erfordert. Jeder Einzelne kann einen Beitrag leisten, sei es durch Bildung, Unterstützung von Initiativen oder einfach durch das Teilen von Geschichten. Sara Bingham ermutigt uns, unsere Stimmen zu erheben und für die Rechte aller zu kämpfen.

Die Botschaft ist klar: Gemeinsam können wir eine Welt schaffen, in der Vielfalt gefeiert und jeder Mensch in seiner Identität respektiert wird. Die Hoffnung auf eine bessere Zukunft ist nicht nur eine Vision, sondern ein erreichbares Ziel, das durch kollektives Handeln und unermüdlichen Aktivismus verwirklicht werden kann.

$$H_{Zukunft} = Bildung + Empathie + Solidarität + Aktivismus \qquad (30)$$

Abschlussgedanken und Ausblick

In der Betrachtung von Sara Binghams bemerkenswerter Reise als LGBTQ-Aktivistin und Verfechterin der Trans-Gesundheit wird deutlich, dass ihr Einfluss weit über individuelle Erfolge hinausgeht. Ihre Geschichte ist nicht nur eine Erzählung über persönliche Herausforderungen und Triumphe, sondern auch eine Reflexion über die kollektiven Kämpfe und Errungenschaften der LGBTQ-Community.

Ein zentrales Thema, das sich durch die gesamte Biografie zieht, ist die Bedeutung von Sichtbarkeit und Repräsentation. In einer Welt, in der LGBTQ-Personen oft marginalisiert oder unsichtbar gemacht werden, verkörpert Sara das Potenzial, das in der Sichtbarkeit liegt. Ihre Fähigkeit, ihre Erfahrungen und Kämpfe öffentlich zu teilen, hat nicht nur ihre eigene Stimme gestärkt, sondern auch anderen Mut gemacht, ihre Geschichten zu erzählen. Dies ist besonders wichtig, da Studien zeigen, dass Sichtbarkeit einen direkten Einfluss auf die gesellschaftliche Akzeptanz und das Wohlbefinden von LGBTQ-Personen hat.

Ein Beispiel für die Kraft der Sichtbarkeit ist die zunehmende Anerkennung von Trans-Rechten in den letzten Jahren. Laut einer Umfrage des *Canadian Institute of Health Information* (CIHI) aus 2020 haben 70% der Befragten angegeben, dass sie sich durch die mediale Präsenz von Aktivisten wie Sara besser über Trans-Themen informiert fühlen. Diese Aufklärung ist entscheidend, um Vorurteile abzubauen und ein unterstützendes Umfeld zu schaffen.

Doch trotz dieser Fortschritte bleibt die Realität für viele LGBTQ-Personen herausfordernd. Diskriminierung, Vorurteile und Gewalt sind nach wie vor weit verbreitet. Sara hat in ihrer Arbeit oft betont, dass Aktivismus nicht nur aus Erfolgen besteht, sondern auch aus der ständigen Auseinandersetzung mit diesen tief verwurzelten Problemen. In diesem Zusammenhang ist es wichtig, die Rolle von Humor im Aktivismus zu betrachten. Humor kann als Werkzeug dienen, um schwierige Themen zugänglicher zu machen und eine breitere Öffentlichkeit zu erreichen.

Ein Beispiel für den Einsatz von Humor im Aktivismus ist die Online-Kampagne *#TransJoy*, die darauf abzielt, positive Geschichten und Erfahrungen von Trans-Personen zu teilen. Diese Kampagne hat nicht nur dazu beigetragen, das Bewusstsein für Trans-Anliegen zu schärfen, sondern auch eine Gemeinschaft zu bilden, die sich gegenseitig unterstützt. Sara hat oft betont, dass Humor eine Form der Resilienz ist, die es Menschen ermöglicht, mit den Herausforderungen des Aktivismus umzugehen.

Der Blick in die Zukunft ist sowohl hoffnungsvoll als auch herausfordernd. Sara hat sich verpflichtet, ihre Arbeit fortzusetzen und sich für intersektionalen Aktivismus einzusetzen. Dies bedeutet, dass sie die unterschiedlichen Identitäten und Erfahrungen innerhalb der LGBTQ-Community anerkennt und berücksichtigt. In einer Zeit, in der die Gesellschaft zunehmend polarisiert ist, ist es entscheidend, dass Aktivisten Brücken bauen und Allianzen schaffen.

Ein zentraler Aspekt von Saras Vision für die Zukunft ist die Bildung. Sie glaubt, dass Bildung der Schlüssel zur Schaffung eines inklusiven und gerechten Umfelds ist. In ihren aktuellen Projekten setzt sie sich dafür ein, Bildungsressourcen für Schulen und Gemeinschaften zu entwickeln, die sich mit LGBTQ-Themen befassen. Dies wird nicht nur das Verständnis fördern, sondern auch junge Menschen dazu ermutigen, sich aktiv für Gleichheit und Gerechtigkeit einzusetzen.

Zusammenfassend lässt sich sagen, dass die Reise von Sara Bingham ein inspirierendes Beispiel für den Einfluss und die Kraft des Aktivismus ist. Ihr Engagement für die Trans-Gesundheit und die LGBTQ-Community zeigt, dass Veränderungen möglich sind, wenn Menschen bereit sind, für ihre Überzeugungen einzustehen. Die Herausforderungen sind groß, aber die Hoffnung auf eine bessere Zukunft bleibt lebendig. Saras Botschaft an die Welt ist klar: Jeder Einzelne kann einen Unterschied machen, und es liegt an uns allen, für eine gerechtere Gesellschaft zu kämpfen.

In der Reflexion über das eigene Vermächtnis ist es wichtig, nicht nur auf die Erfolge zurückzublicken, sondern auch die Lektionen, die aus Rückschlägen und Herausforderungen gelernt wurden, zu würdigen. Die Kraft des Geschichtenerzählens, wie sie in Saras Leben und Werk verkörpert ist, wird weiterhin eine zentrale Rolle im Aktivismus spielen. Es ist ein Aufruf zum Handeln, der uns alle dazu ermutigt, unsere Stimmen zu erheben und für das einzutreten, was richtig ist.

Die Zukunft des Aktivismus in Kanada und weltweit hängt von der Fähigkeit ab, die Herausforderungen, die noch bestehen, zu erkennen und anzugehen. Sara Bingham hat uns gezeigt, dass der Weg zum Wandel oft steinig ist, aber mit Entschlossenheit, Gemeinschaft und einem Sinn für Humor können wir eine Welt schaffen, in der jeder Mensch in seiner Identität respektiert und unterstützt wird. Lassen Sie uns also inspiriert von Saras Geschichte weiterhin für eine bessere

Zukunft kämpfen und die Hoffnung aufrecht erhalten, dass jeder Schritt in Richtung Gleichheit zählt.

Index

1980er Jahren, 171

aber auch, 26, 128
aber dass es, 105
aber dynamischen Umfeld, 47
aber es, 108
aber mit, 141, 235
aber sie, 27, 37, 53, 128, 189, 205
abgebaut, 85
Ablehnung, 29, 31, 34, 59, 135
ableiten, 179
Abschließend lässt sich, 181, 199, 233
absichtliche Aggression gegenüber, 122
abzielt, 160
adressieren, 83, 147, 156, 191, 207
afrikanischen, 175
aggressiven Kommentaren konfrontiert, 189
akademische, 53, 187
akademischem Wissen, 2
aktiv dafür, 18, 36, 104
Aktivismus, 2, 13, 14, 62, 81, 95, 102, 105, 111, 119, 120, 124, 130, 131, 133, 145, 149, 158, 168, 176–178, 209, 220, 228, 229, 234

Aktivismus einzubeziehen, 171
Aktivismus kann als, 191
Aktivismus kann auch, 11
Aktivismus sein, 213
Aktivismus spielen, 163, 235
Aktivismus von, 63
Aktivisten, 8, 12, 14, 38, 42, 99, 100, 104, 109, 111, 112, 119, 127, 130, 135, 137, 139, 152, 153, 162, 168, 199, 200, 220, 225
Aktivisten auf, 2
Aktivisten ermöglicht, 111, 128
Aktivisten müssen, 14, 59, 228
Aktivisten stehen oft, 136
Aktivisten wie, 88
Aktivistin, 26, 49
Aktivistinnen, 194
Aktivistinnen ausgeübt, 193
Aktivitäten erkannte, 187
Aktivitäten verzerrten, 103
Akzeptanz bleibt daher ein, 195
Akzeptanz sein kann, 104
akzeptieren, 1, 12, 24, 25, 27, 29, 32, 42, 45, 50, 53, 121, 174, 188
akzeptiert, 25, 27, 29, 31, 33, 34, 37, 54, 119, 169, 179, 213,

215, 216, 223
akzeptierten, 29, 31, 38
alle, 8, 16, 35, 38, 64, 71, 76, 86, 88, 106, 124, 147, 153, 162, 163, 168, 169, 173, 196, 198, 205, 208, 211, 213, 221, 231, 233, 235
allen Bereichen der, 179
allen Lebensbereichen bekämpfen, 198
allen Lebensbereichen verbieten, 180
aller, 17, 75, 176, 183, 192, 193, 203, 211, 231, 233
Allerdings, 164
allgemeine, 58, 226
allgemeinen, 167
Allianzen schaffen, 235
Allianzen zu, 65, 192
Allianzen zwischen, 232
Alliierten, 196
Alltag als, 18
alltäglich, 75
als, 1-4, 8, 10-16, 18-20, 23, 24, 26, 28-34, 36, 38, 39, 41-43, 48-51, 53, 54, 60, 64-67, 69, 71, 74, 79, 88, 93, 95-97, 99, 101, 102, 104, 106, 109-111, 113, 114, 119-122, 125, 127, 129, 136, 137, 139, 140, 145, 149, 151, 161-165, 167, 168, 171, 172, 177, 180, 183, 185, 186, 188, 191-194, 196-201, 203, 206, 209, 213, 218-222, 224, 225, 229, 233-235
Altersgenossen, 24
andere, 14, 15, 19, 24, 25, 28, 29, 32, 33, 43, 45, 51, 58, 60, 62, 66, 78, 96, 101, 104, 109, 111-113, 121, 122, 129-133, 144, 152, 156, 158, 161, 164, 168, 171, 178, 185, 187-189, 196, 206, 215, 216, 223-225, 229
anderen Aktivisten eine, 149
anderen beeinflusst, 232
anderen beleidigend sein, 228
anderen Faktoren wie, 115
anderen gezeigt, 115
anderen herzustellen, 119
anderen Identitäten wie, 179
anderen lernen, 75, 97
anderen marginalisierten, 105, 169
anderen Mut gemacht, 114, 234
anderen notwendigen, 143
anderen sozialen, 51, 171, 196, 204
anderen Studierenden, 53
anderen verspottet, 24
anderen zu, 42, 119, 222
anderer, 11, 18, 28, 30, 37-39, 106, 113, 115, 135, 164, 185, 187, 209, 229
Andererseits kann sie, 127
anders zu, 25, 26
Andersartigkeit hänselten, 29
Andersartigkeit zurückzuführen, 24, 31
Anekdoten, 10, 41, 110, 119
anerkannt, 41, 92, 95, 96, 146, 225
anerkennen, 119, 150, 163, 179, 206, 207, 227, 232
anerkennt, 74, 172, 204, 235
Anerkennung innerhalb der, 54
Anerkennungen, 149
Anerkennungen erhalten, 147
Anerkennungen nicht, 149

Index

angefangen bei, 131
angegriffen, 124, 175
Angehörige von, 121
angereichert, 168
angesehen, 192, 222
angewiesen, 11, 172, 192
anhaltende, 205, 220
Anlehnung, 231
anpassen, 14
anregt, 10, 177, 205
ansprach, 64, 110
ansprechen, 189
ansprechend, 8
ansprechende, 10, 147, 227
anspricht, 95, 114, 203
anstatt als, 30
Anstatt sich, 189, 200
anstreben, 104
Anzahl von, 170
Anzeichen von, 23
anzubieten, 75
anzugehen, 19, 41, 86, 92, 164, 235
anzuregen, 119
anzustoßen, 55
Arbeit diskreditierten, 200
Arbeit fortzusetzen und, 235
Arbeit zeigt sie, 106
arbeiten, 11, 87, 129, 170, 183, 205, 223
arbeitet, 41
artikulieren, 35
Aspekten, 27
Atmosphäre, 64, 75
auch, 1–4, 7–15, 17–21, 23, 25–39, 41–43, 45, 48–57, 59–67, 69, 71–76, 78–81, 83, 85, 86, 88–90, 92, 93, 95–106, 108–115, 119–133, 135–137, 139–141, 143–145, 147–149, 151–154, 156, 158, 160–165, 167–171, 173, 174, 176–181, 183, 185–210, 215, 216, 218, 219, 221–225, 227–229, 232–235
auf, 1–4, 7–11, 15–18, 23–29, 31, 32, 35–39, 41–43, 47, 49–51, 53–55, 57, 58, 61, 65–67, 69–71, 76, 80, 81, 87–90, 97–99, 101–104, 106–108, 112, 113, 115, 117–122, 125, 128, 131, 133, 137, 141, 144, 145, 147, 151, 152, 158, 160, 161, 163, 164, 167–172, 174–178, 186, 188–194, 196–201, 207–209, 215–220, 224–227, 231, 233–235
Aufbau, 130
Aufforderung, 199
Aufgewachsen, 30
aufgrund, 29, 31, 51, 59, 81, 118, 120, 131, 144, 175, 180, 196, 218
Aufklärungskampagnen spielen, 81
aufrechtzuerhalten, 137, 153
aufstrebenden, 111, 149
Auftritte, 97, 218
Auftritte bei, 8
Auftritte unvermeidlich sind, 108
Auftritten, 115
aufzubauen, 115, 151, 180, 198
aufzuklären, 75, 170, 180, 200
aufzutreten, 60
Auge, 229
aus, 1–3, 10, 12, 15, 21, 23, 25, 27,

32–34, 36, 38, 39, 42, 47,
49, 67, 85, 97, 102, 106,
117, 141, 151, 152, 160,
169, 170, 172, 179, 181,
183, 188, 190, 191, 193,
196, 199, 207, 223, 231,
234, 235
auseinandersetzen, 14, 48, 60, 178
Auseinandersetzung mit, 4, 30, 32,
115, 137, 185, 193, 234
auseinanderzusetzen, 10, 26, 31, 33,
38, 41, 48, 53, 120
ausgelöst, 55
ausgerichtet, 197
ausgeschlossen, 3
ausgesetzt, 56, 196, 233
ausgesprochen, 40, 170
ausgeübt, 4, 106, 108, 145, 193, 216,
219
ausreichend, 167
austauschen, 61
Ausweg aus, 33, 34
Ausweisen, 88
Auszeichnung, 148
auszudrücken, 23, 24, 26, 28, 29, 31,
33, 35, 179
auszutauschen, 64, 101, 111, 132,
185
auszuweiten, 81
auszuwählen, 209
auszuüben, 89, 107
ausüben, 141, 178
authentische, 41
Authentizität, 40, 101
Autobiografie von, 209
Außenseiter, 24
außerhalb der, 48, 204
außerhalb des Klassenzimmers, 53

Barrieren, 14, 60, 71, 73, 83, 189,
200, 213, 222, 227, 229
Barrieren abbaut, 2
Barrieren gekämpft, 12
Barrieren konfrontiert, 86
Barrieren zu, 13
basiert, 112, 113, 176, 178, 191, 200
basierte, 80, 151, 232
bauen, 65, 86, 112, 210, 222, 235
Bedarf, 55
Bedenken ernst, 102
bedeutende, 16, 17, 93, 195–197,
201
bedeutender Aspekt von, 200
bedeutendsten, 158, 175
bedeutet, 59, 95, 141, 152, 177, 179,
222, 225, 229, 235
bedrohen, 196
bedrohlichen Rahmen zu, 222
Bedürfnisse, 1, 4, 11, 24, 35, 55, 61,
65, 66, 69, 74–76, 78–80,
83, 85, 88, 90, 92, 108,
114, 119, 131, 136, 144,
145, 147, 149, 156, 163,
167, 177, 179, 191–193,
197, 200, 216, 217, 219
Bedürfnissen der, 145
beeinflusst, 19, 25, 49, 87, 113, 115,
172, 180, 187, 191, 193,
201, 232
beeinflussten, 27, 28, 66, 75, 120
beeinträchtigen, 5, 58–60, 118, 124,
153, 202
beeinträchtigt, 220
befassen, 79, 173, 179, 204, 235
befähigt, 231
begann, 17, 23, 24, 26, 28, 29,
31–33, 35, 36, 38, 47, 48,
75, 96, 187, 215

Index

begannen, 38
Begegnungen mit, 26, 29, 39
Begegnungen von, 37
beginnt, 215
behalten, 229
behandeln, 195
behandelt, 75, 85, 88, 148, 167, 177, 179
behandelten, 25, 32, 42
Behandlung komplexer, 10
Behandlung von, 61, 81
Behandlungen, 71
Behandlungen abhängt, 74
Behandlungen garantieren, 206
Behandlungen sowie, 87
behindern, 12, 58, 59, 86, 133, 159, 209
bei, 7, 8, 10, 17, 26, 30, 32, 36, 37, 39, 54, 56–59, 65, 67, 75, 82–84, 90, 98, 99, 102, 105, 111, 119, 124, 131, 144, 158, 160, 161, 182, 189, 208, 224
Bei der, 8
Bei einer, 61
beide Akademiker, 26
beide Lehrer, 23
beim, 152
beinhalten, 69, 80, 107
beinhaltet, 108, 198, 221
Beispiel dafür, 66, 81, 145, 174, 183
Beispiele, 6, 8, 97, 117, 131, 152, 176, 181, 208, 226
beispielsweise, 3, 36, 114, 169, 232
beitragen kann, 9
beitragen können, 92
beitragen sollte„ 177
beiträgt, 179
bekanntesten, 61

bekämpfen, 4, 126, 132, 180, 198, 232
Bekämpfung von, 81, 124, 208
Belastung, 130, 215
beleuchten, 8, 66, 81, 161, 174, 176, 195, 203, 219
beleuchtet, 8, 11, 93
Belästigung wurde, 123
bemerkenswerte Fähigkeit, 13
bemerkenswerten Aktivistin, 7
bemerkenswerter, 98, 233
bemerkenswertesten, 85
bemüht, 26, 160
Bemühungen konnte, 75
benötigen, 104, 183, 201
benötigte, 42, 75
Beobachterin ihres eigenen, 24
beobachtet, 39, 169
beobachtete, 23, 36
Bereich, 8, 60, 119, 125, 179, 181
Bereich der, 4, 15, 21, 30, 49, 53, 56, 60, 74, 76, 78, 79, 93, 113, 129, 143, 145, 147, 149, 160, 161, 163, 187, 201, 216, 219
Bereich Fortschritte, 81
Bereich von, 69
Bereich wie, 110
bereit, 10, 12, 98, 108, 110, 176, 194, 225, 235
bereiten, 137
bereits konkrete Erfolge, 85
bereitstellen, 1, 181, 218
bereitzustellen, 85, 108, 180
berichten, 33, 118, 150, 194, 220
Berichten konfrontiert, 103
berichtet, 123, 175
berücksichtigt, 1, 7, 10, 51, 108, 173, 175, 233, 235

berührend, 10
besagt, 31, 179, 196, 232
beschloss, 25
beschreibt, 31, 124, 140, 171, 188, 209, 221
Besonders beeindruckt, 38
Besonders Frauen, 207
besorgniserregende, 207
besser verstehen, 161
bessere, 88, 89, 106, 121, 133, 203, 213, 231, 233, 235
besseren, 141, 175, 200, 205
Bestandteil ihres Lebens geworden ist, 137
bestehen, 3, 8, 41, 65, 75, 90, 146, 194, 203, 206, 232, 235
bestehenden, 90, 92, 145, 193, 208
besten, 58, 61
bestimmten, 76, 232
Besuchs bei, 75
besuchte, 25
betonen, 135, 159
betont, 7, 11, 12, 14, 18, 40, 59, 60, 76, 78, 83, 103, 105, 112, 114, 115, 127, 132, 135, 149, 158, 165, 167, 168, 170, 173, 176–180, 185, 189, 200, 201, 203, 204, 209, 213, 221–225, 231, 233, 234
betonte, 27, 75, 121
Betracht, 88
betrachten, 6–8, 17, 30, 49, 69, 105, 106, 117, 124, 133, 181, 185, 191, 234
betrachtet, 3, 15, 18, 50, 51, 66, 127, 163, 171–173, 188, 191, 199
betrieben wird, 169

betrifft, 211
Betroffene, 123
betroffenen Personen, 207
betroffenen Personen weiter, 14
bevorstehende, 151
bewahren, 110
Bewegung sind, 111
Bewegung zu, 60
Bewegungen beeinträchtigen, 59
Bewegungen der, 49
Bewegungen haben, 49
Bewegungen können, 232
Bewegungen könnte potenziell zu, 171
Bewegungen manifestiert, 195
Bewegungen wird auch, 51
Beweis, 147, 149, 160
bewerten, 137
bewiesen, 195
bewirken, 37, 48, 58, 63, 64, 67, 111, 119, 152, 163, 171, 197
bewirken kann, 195
bewunderte, 42
bewusst, 35, 87, 113, 165, 180, 225
bewusste, 25, 114, 136, 185
bewährter, 2
bewältigen, 12, 27, 53, 76, 91, 109, 121, 153, 159, 210
Bezug auf, 177
bieten, 1, 29, 33, 37, 40, 42, 54, 56–59, 62–64, 67, 76, 80, 97, 100, 109, 112, 114, 145, 149, 152, 153, 156, 159, 169, 180, 181, 183, 192, 194, 202, 217, 218, 224, 232
bietet, 4, 8, 14, 34, 45, 104, 111, 130–133, 153, 171, 190, 203

bilden, 12, 62, 65, 101, 160, 176, 192
bildet, 210
bildete, 26
Bildung, 48, 156, 174, 176–179, 197, 208, 233, 235
Bildungsinitiativen zeigt, 187
Bindung zwischen, 121
Biografie von, 8, 10
Biografie zieht, 234
Biografien, 9
birgt, 101
bleiben, 28, 90, 115, 188, 206
bleibt der, 17, 19
bleibt die, 41, 110, 145, 208, 210, 231
bleibt es, 60
bleibt ihr, 219
bleibt ihre, 58, 63
bleibt lebendig, 235
bleibt noch viel zu, 108
bleibt optimistisch, 171
bleibt optimistisch und, 205
bleibt Sara bescheiden, 149
bleibt Saras Botschaft, 122
bleibt Saras Einfluss von, 19
bleibt sie, 99
blieb, 24
bot, 26, 28, 30, 32, 34, 48, 55, 66, 121
Botschaften auf, 227
Botschaften aus, 102
Botschaften effektiver zu, 51
brachte Sara die, 27
brachte sie, 30
breite, 79, 89, 95, 152, 168, 218
breiten, 8, 60, 65, 96, 100, 170, 177, 195
brennenden Wunsch, 47

britischen Gesetze, 15
Brücken, 65, 86, 112
Brückenbauerin zeigen, 2
Brückenbauerin zwischen, 1, 62, 167
Butler argumentiert, 29, 95
Bücher, 38
bündeln, 57, 64

Carters Ansatz, 53
Charakteren darstellten, 37
Charles Tilly, 159
chirurgischen Optionen, 79
cisgender, 58

da, 1, 2, 33, 39, 41, 47, 58, 99, 101, 102, 106, 122, 130, 131, 133, 143, 171, 172, 177, 180, 218, 225, 227, 234
dabei auftreten können, 154
dabei gelernt, 188
dabei gleichzeitig, 164
dafür, 2, 14, 18, 19, 36, 55, 62, 63, 66, 67, 81, 88, 97, 99, 102, 104, 110, 115, 127, 133, 135, 137, 139, 145, 151, 174, 175, 179, 183, 193, 204, 206, 217, 219, 220, 231, 235
Daher ist, 81
damit, 8, 14, 16, 191, 216
daran, 2, 73, 103, 113, 179, 201, 205, 223, 225
darauf abzielen, 18, 78, 79, 126, 149, 177, 179, 180, 198, 200, 218
darauf abzielten, 144
darauf hingewiesen, 40, 173
dargestellt, 209

darstellt, 3, 11, 100, 130, 193, 195, 206
darstellten, 37
darunter, 58, 70, 106, 176, 196, 200, 227
darüber, 2, 7, 19, 36, 45, 55, 101, 115, 128, 149, 164, 165, 177, 178, 180, 216
Darüber hinaus, 61, 83, 88, 194, 218, 225
Darüber hinaus können, 162
Darüber hinaus müssen, 57
Darüber hinaus wurde, 147
das allen Mitgliedern zugutekommt, 133
das Bewusstsein, 1, 2, 14, 18, 48, 58, 61, 62, 65, 66, 81, 85, 96, 105, 108, 119, 126, 132, 161, 167, 173, 174, 176, 177, 179, 187, 216, 220, 222
das Bewusstsein zu, 213, 230
das Bild von, 105
das es, 111
Das Gefühl der, 31
das Gefühl der, 132
das Sara, 110
das Sichtbarmachen von, 201
das Wissen, 177
das Wohlbefinden, 187, 211
Das Ziel, 198
das Ziel, 9
dass auch, 81
dass Aufklärung der, 179
dass Aufklärung und, 126
dass Bildung, 178
dass das Teilen von, 205
dass der, 51, 193, 229
dass Geschichten eine, 10

dass gesellschaftliche Normen, 191
dass ihre, 30, 75
dass jede, 65, 160, 216
dass persönliche, 114, 122
dass sich, 56, 58, 59, 162, 226
dass sie, 24, 35, 38, 98, 128
dass solche Gesetze nicht, 180
davon abgehalten, 200
davon abhängen, 92
dazu, 2, 4, 7, 9, 10, 14, 15, 18, 24, 28, 30, 33, 36, 39, 41, 50, 55–59, 62, 67, 75, 78, 82, 83, 86, 88, 90, 92, 95, 96, 105, 108, 109, 112, 114, 115, 118–120, 123, 132, 136, 141, 144, 151, 159, 161, 162, 164, 169, 177, 179, 187, 191, 194, 195, 202, 205, 206, 209, 210, 213, 216, 218, 220, 222–227, 229, 231, 235
Dazu gehören, 43, 109, 126, 128, 152, 160, 184
Dazu gehört, 112, 114, 137
definieren, 67
definiert als, 186
dem, 3, 8, 9, 15, 19, 29–31, 35, 37, 43, 47, 49, 50, 52–54, 56, 61, 65, 66, 74–76, 87, 90, 98, 102, 108, 110, 113, 114, 121, 124, 128, 130, 133, 136, 140, 143, 151–153, 161, 169, 173, 175, 178, 179, 188, 189, 191, 199, 202, 203, 215
demonstriert, 139, 229
den, 1, 2, 4, 5, 7–10, 12, 14–19, 21, 23, 25–31, 36–40, 42–45, 47–49, 51–56, 58–60,

Index

62–67, 69, 73, 75, 76,
78–80, 82, 83, 85–88, 90,
92, 95–99, 101–103, 106,
108, 112–115, 119–121,
124, 125, 128–131,
133–135, 137, 141, 144,
145, 147, 148, 151–154,
156, 162, 167, 169–173,
177, 178, 180, 181, 183,
185, 189–192, 194, 195,
198, 200–202, 206–209,
212, 215, 217, 218, 221,
223–225, 228, 229, 232,
233, 235
denen, 1, 5, 7, 11, 18, 25, 27, 28, 30,
32, 36, 37, 39, 43, 48, 49,
51, 54, 56, 60, 61, 66, 71,
74, 78, 80, 82, 83, 88, 96,
97, 102, 105, 108, 109,
111, 112, 114, 115, 117,
120, 124, 132, 136, 144,
149, 156, 161, 164, 165,
172, 174–178, 189, 192,
195, 198, 202, 203, 205,
216, 217, 221, 222, 224,
225, 230
Denkern wie, 176
Dennoch müssen, 97
der, 1–4, 6–19, 21, 23–45, 47–67,
69–76, 78–93, 95–106,
108–115, 117–124,
126–133, 135–137, 139,
140, 143–154, 156,
158–163, 165, 167–183,
185–209, 211, 213,
215–229, 231–235
Der Aktivismus, 4, 192, 223, 227
Der Arzt, 75
Der Aufbau, 152, 154

Der Aufstieg, 171
Der Blick, 235
Der Druck, 112, 114, 127, 129, 164
Der Druck des Aktivismus, 187
Der Einfluss dieser, 195
Der Einfluss von, 12, 39, 41, 49, 51,
108, 164
Der Einsatz von, 85
Der Kampf, 122, 124, 126, 145, 195
Der Prozess der, 26
Der Tod, 120
Der Vater, 27
Der Weg, 43, 45
Der Weg nach, 193
Der Weg zur, 197
Der Zugang zu, 48
Der Zusammenhalt innerhalb der,
203
deren Bedeutung, 95
deren familiäre, 26
deren Geschichten, 96
deren Geschichten sie, 189
deren Wirkung, 8
deren Zugang, 87
derer, 231
derjenigen, 19, 36, 99, 149, 162,
165, 225, 227, 231
des Aktivismus, 56
des Termins mit, 75
destruktiven Angriffe ignoriert, 12
Determinanten von, 69
deutlicher, 183
die, 1–19, 21, 23–45, 48–67, 69,
71–76, 78–93, 95–115,
117–133, 135–137,
139–141, 143–154, 156,
158–165, 167–181,
183–213, 215–236
Die Geschichten von, 42

Die Herausforderung, 136, 163
Die Medienpräsenz von, 8
Die Schwierigkeiten, 32
Die Theorie der, 31, 95, 232, 233
diejenigen dienen, 201
Dienstleistungen oft, 143
diente, 36, 64
Dies kann zu, 11, 177
Diese aktive Beteiligung ist, 105
Diese Anfeindungen reichten, 96
Diese Aspekte, 169
Diese Authentizität, 114
Diese Barrieren können, 59
Diese Bedrohungen reichen, 175
Diese Begegnung inspirierte sie, 38
Diese Belastungen können, 59
Diese Berichte, 108
Diese Bewegungen haben, 51
Diese Bewegungen legten, 49
Diese Beziehungen halfen ihr, 186
Diese Bildungsinitiativen, 132, 183, 194
Diese Biografie wird, 8
Diese Dankbarkeit, 225
Diese Darstellungen halfen ihr, 42
Diese Dimensionen beinhalten, 69
Diese Diversität, 196
Diese Elemente werden, 49
Diese Entscheidung, 130
Diese Entscheidung sollte den, 25
Diese Entscheidungen, 136
Diese Entwicklungen, 51, 207
Diese Ereignisse, 4
Diese Erfahrung, 67, 120, 215
Diese Erfahrung ließ, 75
Diese Erfahrungen, 28, 29, 38, 118
diese Erfolge zu, 145
Diese Erkenntnis, 26, 115, 187, 221
Diese Errungenschaft wurde, 16

Diese Errungenschaften, 195
Diese Erzählung, 8
Diese Falschinformationen können, 103
Diese Fehlinformationen können, 60
Diese Formen der, 122
Diese Fragen, 186
Diese Freundschaften, 24, 33
Diese frühen, 23, 28, 30, 37
Diese frühen Begegnungen mit, 27
Diese Fähigkeit, 110, 136
Diese Gemeinschaften, 76
Diese Gemeinschaftsbildung, 114
Diese Gemeinschaftsveranstaltungen, 36
Diese Geschichten, 24, 61, 161
Diese Gesetzesänderungen haben, 50
Diese Gesetzesänderungen sind, 218
Diese Gesetzgebung, 163
Diese Gesundheitsfragen, 69
Diese Herangehensweise, 119, 204
Diese Herausforderung, 36
Diese Hürden, 74
Diese Initiativen, 78, 103, 158
Diese Initiativen beinhalten, 80
Diese Institutionen, 156
Diese Interaktion, 75
Diese Interaktionen, 99
Diese intersektionalen, 207
Diese Kampagne, 66
Diese Kampagnen, 79
Diese Kampagnen zielen darauf ab, 85
Diese Kenntnisse ermöglichen es, 187
Diese Koalitionen ermöglichen es, 64

Index

Diese kollektiven, 232
Diese Konferenzen bieten, 145
Diese Konflikte, 27
Diese Kooperationen sind, 83
Diese kreativen Ausdrucksformen, 35
Diese Kunstwerke, 38
Diese künstlerischen Neigungen sollten sich, 1
Diese Lektionen sollten sie, 32
Diese Menschen, 223
Diese negativen, 202
Diese Netzwerke, 75, 114, 131
Diese Partnerschaften, 181
Diese Personen, 31
Diese persönlichen Erfahrungen motivierten sie, 1
Diese positiven Darstellungen von, 25
Diese Prinzipien, 200, 231
Diese Reduktion ignorierte, 102
Diese Reflexion hilft, 115
Diese Reise, 32, 53
Diese Repräsentationen, 39
Diese Resilienz ist, 67
Diese Risiken, 96
Diese Selbstfürsorge ermöglicht es, 137
Diese Sichtbarkeit, 96, 227
Diese Skepsis führte, 54
Diese Techniken können, 10
Diese Theorie, 196
Diese Theorie hebt hervor, 172
Diese Theorie postuliert, 191
Diese Treffen, 111
Diese Unsichtbarkeit kann sich, 226
Diese unterschiedlichen, 29, 58
Diese Unterstützung manifestiert sich, 131

Diese Veranstaltungen bieten, 112
Diese Veranstaltungen fördern, 153
diese Verluste, 121
Diese Vernetzung ist, 106
Diese verschiedenen, 224
Diese Werte, 26
Diese Zeit, 30
Diese Ziele, 197
Diese Zusammenarbeit, 89, 225
Diese Zusammenarbeit kann, 64
Diese Zusammenkünfte, 56
diesem Zusammenhang ist, 234
diesen, 32, 38, 39, 41, 42, 55, 59, 60, 75, 89, 102, 105, 111–113, 124, 133, 137, 144, 145, 147, 160, 164, 167, 174, 175, 184, 186, 192, 203, 213, 224, 234
dieser, 4, 7, 8, 10, 12, 13, 16, 17, 23, 28, 31, 32, 36–39, 43, 45, 47, 53, 55, 60, 66, 67, 81, 87, 95, 124, 128, 133, 136, 139, 140, 158, 161, 165, 174, 181, 183, 188, 191–193, 195, 208, 225, 233, 234
Dieser Lehrer, 42
Dieser Weg zur, 30
digitale Kompetenz innerhalb der, 60
digitalen, 59, 99, 103, 122, 130, 153, 180
direkt, 151, 153, 170
direkte, 104, 207
direkter, 128
diskriminieren, 205
diskriminierende, 107, 179
diskriminierenden Gesetzen, 87
diskriminierender, 65

Diskriminierung innerhalb der, 133
Diskriminierungen betrachtet, 191
diskutieren, 8, 119, 130, 222
Doch anstatt aufzugeben, 140
Doch anstatt sich, 186
Doch jeder, 30
Doch Saras unerschütterlicher Glaube, 216
Doch trotz, 23, 234
dokumentierten Fälle von, 15
dominieren, 98
Dort, 25
Dort sprach, 37
Dort wurde sie, 175
drastisch verändert, 169
Dringlichkeit, 168, 229
Druck, 53, 98, 109, 130, 136, 153, 183, 215
Druck begleitet wird, 221
Druck der, 128
dulden konnten, 175
durch, 4, 7, 8, 10, 11, 14, 19, 23, 24, 26, 33–35, 37, 38, 40, 51, 54, 55, 59, 62, 64, 65, 78, 81, 90, 92, 96, 99, 101, 105, 108, 113, 115, 121, 123, 127, 129, 131–133, 136, 145, 149, 151, 152, 171, 172, 174, 176, 178, 185, 186, 189, 191, 200–202, 205, 208, 211, 213, 215, 216, 218, 219, 222, 224–226, 229–231, 233, 234
Durch ihre, 126
Durch Selbstfürsorge, 141
Durchführung von, 85, 131
durchgemacht, 17

Durchhaltevermögen kann jeder, 141
durchlaufen, 188
durchlebten, 32, 42, 215
durchzuhalten, 105, 140

Ebene ein, 194
ebnen, 19, 224, 229
ebnete, 15
effektiv erwiesen, 167
effektive, 64, 187
effektiven Netzwerks von, 152
effektiver mit, 67
effektives Netzwerk, 154
ehemaligen Mentoren, 194
eigene, 11, 25, 26, 30, 39, 42, 50, 64, 65, 75, 99, 101, 105, 106, 108, 110, 126, 131, 136, 154, 185, 187, 188, 190, 199–201, 216, 223, 225, 234, 235
eigenen, 12, 24, 25, 32, 36–38, 40–45, 47, 53, 98, 102, 104, 105, 109–112, 114, 115, 118, 123, 131–133, 136, 141, 144, 161, 163, 168, 173, 178, 185–188, 190, 194, 201, 205, 221, 223, 225, 229, 233
Eigenschaften, 104
ein, 1–4, 7–12, 14–19, 23–32, 35–37, 39, 42, 43, 45, 49, 51, 54–56, 58, 59, 61–64, 66, 67, 69, 71–73, 76, 80–83, 85, 88, 95–97, 99–104, 106, 110, 111, 113–115, 119, 120, 122, 124, 126–131, 133, 135, 137, 139, 144, 145, 147,

Index

149, 151–154, 156, 158, 160–163, 169–172, 174, 176, 178, 179, 181, 183–190, 193–197, 199–203, 208, 210, 211, 215–221, 224, 225, 227–229, 231–233, 235
Ein Beispiel, 175
Ein herausragendes Beispiel, 4, 64, 100, 217
Ein Lehrer, 31
Ein Vermächtnis kann als, 199
Ein wichtiger, 187
Ein zentrales, 234
Ein zentrales Element des LGBTQ-Aktivismus, 195
Ein zentrales Element von, 186
einbeziehen, 81, 233
einbrachten, 65
eine, 1, 2, 4, 7–19, 21, 23–37, 39–43, 45, 48, 49, 51, 53, 55–67, 75, 76, 78, 81, 83, 86–90, 92, 93, 95–97, 99–102, 104–106, 108–115, 118–122, 124, 127, 129–131, 133, 135, 136, 140, 141, 144, 145, 147–149, 151–154, 156, 158–165, 167–174, 176, 178–183, 185–192, 194–203, 205–209, 211, 213, 215, 216, 218–225, 227, 229–235
Eine Professorin, 53
einem, 1, 2, 8, 9, 11, 16, 17, 21, 24, 26, 29–31, 36–38, 47, 67, 74, 75, 90, 95, 96, 98, 99, 110, 118, 119, 122, 123, 127, 135–137, 140, 141, 146, 162, 170, 175, 177, 178, 185, 187, 190, 200, 208, 216, 221, 222, 235
einen, 1, 3, 4, 8, 12, 15–17, 28, 29, 33–35, 37, 38, 42, 45, 48, 49, 53–56, 59, 61, 65, 67, 79, 81, 83, 87, 90, 105, 106, 108, 113, 121, 131, 135, 141, 145, 153, 158, 163, 174–176, 178, 181, 193, 198, 202, 205, 210, 211, 216, 219, 224, 228, 231, 233–235
einer, 1, 2, 5, 7–10, 14, 17, 19, 23–26, 30, 32, 34, 36–38, 41, 47–49, 51–53, 60, 61, 64–67, 70, 71, 73, 79, 84, 87, 95–100, 103, 105, 106, 108–111, 114, 115, 120–122, 125, 127, 130, 135, 137, 140, 141, 147, 148, 159, 167, 169, 173, 175, 177, 180, 183, 185–189, 191, 193, 196, 200, 203, 205, 207, 209–211, 215–219, 223, 227, 229, 231–235
Einfluss auf, 4, 87, 108, 178, 193, 216, 219
Einfluss von, 51
Einfluss zeigt sie, 129
einflussreiche, 32, 88
einflussreichsten, 60
Einflüsse Kanadas, 28
eingehen, 7, 8
eingesetzt, 14, 15, 18, 19, 78, 80, 104, 199, 204, 205, 217, 220, 223, 229
einhergehen, 1, 97, 114, 115, 133,

163, 164
einige, 6, 8, 24, 25, 29, 31, 33, 60, 65, 66, 69, 75, 88, 93, 97, 131, 158, 196, 206, 208, 212, 217, 224, 226
Einige davon sind, 140
Einige ihrer, 29, 38
Einige Kliniken, 75
Einige Zuhörer, 67
einigen, 31, 51, 118, 207
Einklang, 215
Einklang mit, 115
einprägsam, 99
Einsatz, 108, 147
Einsatz als, 8
Einsatz bewiesen, 55
Einsatz von, 222, 229
einschlagen, 191
einschließlich feministischer Gruppen, 65
einschließlich physischer Gewalt, 122
einschließlich Sara, 35
einschließlich seiner, 13
einsetzen, 4, 104, 115, 131, 149, 152, 158, 160, 162, 179, 201, 211, 213, 224, 225, 228, 231
einsetzten, 28, 37
eintreten, 96, 185, 231
eintritt, 227
einzige Identität definiert werden, 172
einzusetzen, 1, 7, 25, 28, 34, 38, 39, 42, 55, 96, 97, 104, 105, 112, 115, 133, 153, 161, 164, 168, 176, 181, 187, 188, 196, 199, 202, 205, 210, 215, 218, 229, 235

einzutreten, 27, 41, 45, 97, 104, 200, 201, 221, 235
Elisabeth Kübler-Ross, 120
Emily Carter, 53
emotionale, 33, 76, 114, 130, 133, 136, 189, 215, 224
Emotionale Unterstützung ist, 131
emotionalen, 11, 120, 129, 134, 164, 183
emotionaler, 130, 131, 201
Emotionen verarbeiten, 129
empfinden, 54, 132
Engagement konkrete, 81
Engagement sind, 49
Engagement zeigt, 97
engagieren, 2, 19, 28, 42, 57, 61, 66, 128, 168, 178, 200, 215
engagierte, 151
enge, 24, 33, 34
engen Freundes, 120
enorm ist, 51
entdeckt, 119
entdeckte Bücher von, 24
Entmutigung führte, 119
entscheiden, 96
entscheidend, 2, 8, 9, 19, 26, 28, 30, 37, 39–41, 44, 47, 48, 51, 57, 65, 67, 71, 74, 76, 78, 80, 86, 88, 89, 92, 95, 99, 101, 104–106, 126, 131, 132, 137, 145, 147, 153, 158–160, 164, 168–170, 173, 178, 180, 185, 189, 191, 193, 194, 196, 197, 201, 203, 213, 218, 221, 223, 232, 233, 235
entscheidender, 4, 15, 19, 36, 54, 74, 81, 83, 88, 89, 95, 97,

Index

110–112, 135, 152, 172, 181, 210, 224, 225, 227
Entscheidung, 114
Entscheidungsprozess einbezogen werden, 92
Entschlossenheit, 37, 104, 235
entstanden, 24
entweder, 86, 87
entwickeln, 14, 27, 42, 60, 61, 64, 72, 89, 96, 104, 111, 135, 140, 183, 186, 187, 192, 194, 197, 209, 224, 235
entwickelnder, 23
entwickelt wurde, 232
entwickelte, 44, 67, 121, 186, 187
Entwicklung auswirken kann, 118
Er kann als, 229
ereignete sich, 75
erfahren, 1, 8, 18, 32, 37, 56, 59, 82, 84, 118, 131, 159, 189, 217, 222
Erfahrungen, 28
Erfahrungen hinausgeht, 55
Erfahrungen sprechen konnten, 37
Erfahrungen teilen konnten, 36, 111
Erfolge feiern, 119
Erfolge hinaus, 164
Erfolge verwandeln kann, 135
Erfolge zeigt Sara, 45
Erfolge zurückzublicken, 235
Erfolgen, 66
Erfolgen besteht, 234
erfolgreiche, 64, 65, 83, 131, 160
Erfolgreiche Kampagnen, 158, 159
erfolgreichen, 4, 203
Erfolgsgeschichten können, 162
Erfolgsgeschichten spielen, 161
erfordert, 4, 7, 14, 45, 110, 115, 124, 168, 190, 193, 223, 233

erforderte viel Mut, 32
ergeben, 169, 183
erhalten, 8, 73, 147–149, 196, 205, 225, 236
erheben, 2, 25, 28, 31, 32, 38, 42, 61, 62, 99, 104, 110, 121, 124, 149, 152, 159, 161, 186, 194, 200, 205, 223, 224, 231, 233, 235
erheblich verändert, 191
erhebliche, 35, 87, 96, 100, 122, 159, 196, 205, 206, 226, 232
erheblichen Einfluss auf, 106
Erhebung von, 78
erhielt, 67, 225
erhält, 7, 148
erhöhen, 2, 18, 33, 50, 71, 78, 85, 145, 173, 179
erhöhte, 64, 226
erhöhten, 96, 170, 175, 200
erinnert, 113, 188, 189, 225
erinnerte, 39
erkannt, 64, 105, 111, 130
erkannten, 31
erkennt, 45, 115, 171, 179, 190, 205
Erkenntnissen aus, 151
erklärt, 190
erlaubten, 35
erleben, 18, 37, 45, 61, 76, 96, 123, 162, 177, 207
erlebte, 7, 24, 25, 27, 29, 31–33, 37, 39, 53, 65, 67, 118, 120, 123, 136, 215
erleichtern, 80, 83
erleichtert, 88
ermutigen, 161
ermutigt fühlen, 112
ermutigt jeden, 181

ermöglichen, 56, 99, 153, 168, 180, 209, 224
ernste, 167, 220
ernsten, 14, 110, 227
ernsthafte Themen anzusprechen und, 119
erregen, 227
erregten, 66
erreichen, 2, 10, 14, 19, 48, 51, 55, 61, 67, 83, 86, 100, 128, 193, 204, 218, 233, 234
Erreichen von, 159
Errungenschaften beigetragen, 143
Errungenschaften müssen, 145
erscheinen, 64, 130
erschwert, 59, 136, 146
erst, 3
erste, 17, 25, 38, 39, 49, 55, 67, 152, 188, 221, 227
Erstellung von, 61
ersten, 7, 15, 23, 28–30, 37, 47, 48, 55, 66, 215, 216
erstreckt, 2, 164, 195
erwarb sie, 187
erweitern, 153
erzielt, 14, 17, 51, 65, 78, 81, 88, 92, 113, 162, 175, 195–197, 201, 206, 219, 221, 226, 232
erzählen, 19, 40, 41, 62, 96, 97, 105, 112, 160, 162, 170, 178, 209, 222, 225, 234
Erzähler selbst, 205
erzählerischen, 9
erzählt, 8, 10, 110
erzählte, 38, 210
Erzählung, 9, 17, 190, 216, 234
Erzählung von, 15
Erzählweise gibt, 9

es, 2, 8, 9, 12, 14, 15, 17–19, 21, 25–28, 32, 33, 35, 37, 38, 40, 41, 43–45, 48, 49, 51, 53, 56, 57, 59–61, 64, 65, 67, 69, 73, 74, 80, 81, 83, 84, 86, 87, 89–92, 96, 99–101, 105, 106, 108, 110, 111, 114, 115, 121, 126–131, 133, 136, 137, 139, 149–151, 153, 156, 159, 160, 162, 165, 168–171, 175, 177, 178, 180, 185, 187–192, 194, 196, 198, 200, 201, 204–211, 213, 218–220, 222–235
Es gibt, 79, 212
etabliert, 19, 41, 60, 88, 145, 164, 167, 197
etwa, 87

Fachpersonal richten, 177
Faktor, 198
Faktoren, 49, 58, 60, 73, 136, 160, 163, 193
Faktoren beeinflusst, 19
Faktoren wie, 187
Faktoren zurückzuführen sein, 71
Falschinformationen konfrontiert, 200
Familie führte, 27
Familienmitglieder, 223
Familienmitglieds kann paradoxerweise, 120
familiäre, 26
familiären, 27, 28
fand, 24–26, 31–34, 36, 38, 42, 44, 49, 53, 75, 123, 186, 187
fanden, 37

Index

faszinierende, 7
fehlender, 194
Fehlinformationen, 169
Fehlinformationen über, 170
Feier der, 202
feindlichen, 1
Feld definiert, 69
Feministische Theorien, 50
feministischen, 49–51, 232
Fernsehsendungen, 25, 32, 37, 42
fesseln, 167
festigen, 42
festzuhalten, 24
Figuren aus, 32
Finanzielle Mittel, 57
Finanzierung von, 86
finden, 2, 9, 24, 25, 28, 29, 34, 35, 37, 38, 41, 43, 45, 57, 65, 90, 106, 111, 146, 168, 184, 186, 188–190, 194, 215, 222, 224
fordernden Umfeld zu, 185
fordert, 173, 177
forderten, 49
formeller, 178
Formen annehmen kann, 151
Formen auftreten, 117, 122
Formen erfolgen, 64
formuliert von, 131
Forschungsinstituten, 79
Forschungsprojekts, 78
fortlaufender, 4, 45, 137, 188, 190
Fortschritte, 147
Freundschaften innerhalb der, 132
früh erkannt, 64
frühe, 26
frühen Begegnungen mit, 38
frühen Jahre von, 26
Fähigkeit, 154

Fähigkeit abhängt, 112
Fähigkeiten, 53, 183, 186, 187
fördern, 1–4, 18, 40, 41, 43, 44, 48, 51, 55, 56, 58, 60, 61, 63, 78, 81–83, 95, 99, 103–105, 112, 119, 130, 131, 137, 143, 144, 153, 159, 162, 167–170, 173, 177, 178, 180, 183, 189, 192–194, 197, 198, 201, 202, 209, 213, 218, 220–222, 224, 227, 230, 232, 235
fördert, 97, 178–180, 187, 221, 228
fühlt, 128, 130
führen, 2, 11, 18, 32, 45, 58, 59, 65, 66, 73, 88, 96, 97, 99, 102, 114, 120, 122, 127, 136, 153, 159, 161, 162, 170–172, 177, 183, 192, 202, 209, 226, 227, 229
führenden Stimmen, 167
führt, 12, 67, 78, 79, 84, 86, 87, 96, 114, 130, 137, 148, 169, 206–208, 217
führte, 17, 24, 26, 27, 31, 33, 36, 41, 53, 54, 65–67, 75, 89, 118–120, 124, 135, 140, 175, 187, 200, 215, 216
führten, 4, 15, 16, 23, 28–30, 38, 51, 66, 67, 118, 123, 186
für, 1, 2, 4, 7, 8, 11, 12, 14–19, 21, 23–45, 47–67, 71–76, 78, 80, 81, 83, 85–89, 92, 95–97, 99–102, 104–115, 118–122, 124, 126–133, 135–137, 139–141, 143–145, 147–149, 151–154, 156, 158–165,

167–169, 171, 173–183,
185–188, 190–206,
208–211, 213, 215–235
Für Sara Bingham, 10, 28, 30, 41,
43, 47, 62, 99, 102, 119,
129, 133
Für Sara und, 101

gab, 27, 35, 38, 189, 207, 215
gaben, 25, 32, 41, 44
ganzen Welt, 2
gearbeitet, 2, 103, 180
geben, 8, 104, 114, 131, 201
gebildet, 162
geboten, 218
Gedanken, 23, 24, 28, 35, 99, 129
Gedanken kämpfte, 140
gedeihen, 202
Gedichte, 29
geebnet, 85, 113, 189, 231
Gefahr sein kann, 96
Gefahr von, 59
gefeiert, 16, 29, 35, 169, 179, 213, 233
geformt, 41
gefragte, 2, 93, 97
gefunden, 2, 93, 106, 223
gefährden, 14, 88, 108, 133, 137
gefördert, 92, 106, 112, 173, 179, 194
Gefühl der, 24, 27, 29, 31, 38, 42, 54, 59, 75, 82, 118, 119, 123, 127, 133, 136, 162, 177, 186, 215, 232
Gefühle, 26, 28
Gefühle kann sie, 129
Gefühle kommunizieren konnte, 35
Gefühle von, 41
Gefühle zu, 25, 33

gegen bürokratische Hürden, 59
gegen Gesetze, 205
gegen Rückschläge, 140
gegenseitig ermutigen können, 202
gegenseitigen Respekts, 112
Gegenteil, 175
gegenwärtigen Rolle, 169
gegenüber, 27, 54, 81, 84, 89, 98, 113, 122, 217, 228
gegenübersieht, 226
gegenüberstand, 28, 102
gegenüberstehen, 43, 88, 105, 120, 144, 172, 178
gegründet, 222
geht, 2, 9, 64, 136, 172, 219
gehört, 2, 12, 19, 36, 65, 78, 83, 86, 90, 92, 95, 112, 114, 123, 137, 145, 153, 159, 162, 165, 169, 173, 196, 204, 225, 231
gekennzeichnet von, 30
gekämpft, 12, 145, 174
Gelegenheiten, 97, 99
Gelegenheiten zum, 133, 153
gelegentlich von, 130
gemacht, 24, 25, 29, 35, 37, 41, 42, 53, 74, 114, 121, 161, 164, 189, 234
Gemeinsam können, 233
gemeinsam Veranstaltungen zu, 64
gemeinsame Trauer, 121
Gemeinschaften, 37, 42, 58, 61–63, 95, 101, 104, 117, 159, 161, 167, 178, 196, 209, 219, 221, 235
Gemeinschaften aktiv, 212
Gemeinschaften bildet, 210
Gemeinschaften gemildert, 54
Gemeinschaften herzustellen, 120

Index

Gemeinschaften kann nicht, 224
Gemeinschaften möglich, 185
Gemeinschaftsgeist, 55
Gemeinschaftsinitiativen anführen, 131
Gemeinschaftsveranstaltungen können, 230
gemischt, 24, 29
Generationen von, 190
genommen, 97, 118, 144, 149, 151, 229
genutzt, 63, 108, 111, 153, 192, 200, 232
gepflastert, 10, 216
geprägt, 1, 7–9, 16, 23, 26, 27, 30, 32–34, 41, 47, 49–52, 66, 89, 97, 101, 104, 106, 109, 122, 125, 137, 139, 156, 171, 178, 185, 191, 196, 203, 204, 210, 211, 215, 219, 222, 227, 229, 233
gerechtere, 4, 7, 37, 86, 88, 90, 92, 99, 119, 149, 165, 174, 176, 178, 181, 199, 205, 208, 223, 225, 227, 231, 235
gerechteren Welt interessiert, 8
Gerechtigkeit, 3, 15, 17, 19, 26, 28, 55, 101, 104, 168, 169, 187, 197, 200, 201, 213, 218, 221, 235
Gerechtigkeit entdeckte, 7
Gerechtigkeitsbewegungen stehen muss, 18
Gerechtigkeitsbewegungen verbunden, 204
Gerechtigkeitstheorie, 176, 177
gerückt, 18, 169, 217
geschaffen, 2, 10, 19, 49, 51, 61, 78, 151, 154, 158, 163, 200, 201, 208
geschafft, 218
geschehen, 87
gescheut, 130
Geschichten Brücken bauen, 210
Geschichten kann nicht, 209
Geschichten konstruieren, 205
Geschichten können, 209
Geschichten selbst, 40
Geschichten teilen, 75, 163
Geschichten von, 82, 170
geschieht häufig, 81
geschlagen, 106
Geschlecht, 18, 19, 29, 171, 232
Geschlechtergerechtigkeit befassen, 204
geschlechtsaffirmierender, 74
Geschlechtsidentität, 17, 29, 31, 33, 76, 144, 213, 229
Geschlechtsidentität bekannt hatte, 124
Geschlechtsidentität beteiligt, 163
Geschlechtsidentität einhergehen, 1
Geschlechtsidentität rechtlich anerkennen, 206
Geschlechtsidentität sind, 28, 30
Geschlechtsidentität verbieten, 218
Geschlechtsidentität verbunden, 23
Geschlechtsidentität von, 118
Geschlechtsidentität weit verbreitet, 170
Geschlechtsidentität übereinstimmen, 72
geschlechtsspezifischer Gesundheitsversorgung und, 83
geschultem medizinischen, 144

geschärft, 8, 19, 51, 60, 88, 126, 144, 148, 151, 158, 163, 164, 176, 192, 200, 216, 218, 219, 231
gesellschaftliche Akzeptanz, 234
gesellschaftliche Akzeptanz gelegt, 216
gesellschaftliche Akzeptanz von, 90, 170
gesellschaftliche Barrieren, 59
gesellschaftliche Bedingungen anzupassen, 192
gesellschaftliche Dimensionen, 71
gesellschaftliche Druck können, 73
gesellschaftliche Klima, 50, 216
gesellschaftliche Norm schaffen, 180
gesellschaftliche Normen, 23
gesellschaftliche Stigmatisierung, 17
gesellschaftliche Veränderungen, 163
gesellschaftliche Wahrnehmung von, 218
gesellschaftliche Wandel, 15
gesellschaftlichen, 4, 7, 16–18, 27, 29, 48–50, 71, 73, 74, 81, 93, 95, 139, 164, 170, 185, 193, 205, 206, 221, 231
Gesetze, 144, 196
Gesetze erlassen, 107, 207
Gesetze weiter, 145
Gesetze zu, 198
Gesetzen bis hin zu, 59
Gesetzesänderungen zu, 64, 180
Gesetzgeber, 12
gesetzlichen Rahmenbedingungen, 18
gesetzt, 145, 176, 227
gespielt, 34, 62, 99, 101, 144, 168, 224

gesprochen, 11, 112, 119, 123, 128, 164
Gespräche, 25, 37, 111, 189
Gespür dafür, 14
gestaltet, 39, 71, 217
gestärkt, 85, 112, 114, 141, 234
Gesundheit, 4, 55
Gesundheit befassen, 79
Gesundheit innerhalb der, 109
gesundheitlichen, 69, 71, 79, 84, 124–126, 177
Gesundheitsbereich, 119
Gesundheitsdienste inklusiver, 217
Gesundheitsdienstleister, 179
Gesundheitskassen, 86
Gesundheitsorganisationen, 8, 61, 65, 66, 78, 85, 144, 153, 197
Gesundheitsorganisationen sieht, 85
Gesundheitsproblemen führen, 73
Gesundheitsprogramme reichen, 59
Gesundheitssystem, 61, 74, 80
Gesundheitssystem gefordert, 199
Gesundheitssystem konnte, 161
Gesundheitssystem sind, 76, 217
Gesundheitssystem stattfinden, 86
Gesundheitssystem verbunden, 76
Gesundheitswesen, 4, 18, 76, 78, 81, 88, 119, 151, 208, 220
Gesundheitswesen aufmerksam, 121
Gesundheitswesen bis hin zu, 73
Gesundheitswesen erfahren, 1, 217
Gesundheitswesen hervorheben, 197
Gesundheitswesen vor, 70
geteilt, 122
getroffen werden, 57
Gewalt, 121, 175, 194, 202, 232
Gewalt erfahren, 18
Gewalt kann dazu, 59

Index

Gewalt sind, 196, 205, 234
gewesen, 135
gewinnen, 26, 90, 96, 122, 129, 168
gewonnenen, 38
gewährleisten, 83, 88, 89, 96
gezielte Forschung, 78
gibt, 9, 14, 15, 18, 51, 59, 65, 72, 73, 79, 80, 84, 86, 87, 91, 96, 100, 104, 115, 130, 133, 153, 159, 162, 170, 171, 175, 177, 192, 196, 205, 206, 210, 212, 219, 226–228
gilt, 4, 153, 159, 177, 206, 210, 227
glaubt, 2, 169, 171, 176, 179, 180, 200, 204, 235
gleichberechtigt, 85, 144
gleichen Erfolge, 162
gleichen Möglichkeiten haben, 149
gleichen Rechte, 208
gleichgeschlechtlichen, 18, 191, 195, 227
Gleichgesinnte, 189
Gleichgesinnte kennen, 42
Gleichgesinnte spielen, 114
Gleichgesinnten, 133
Gleichgesinnten unerlässlich ist, 76
Gleichheit, 15, 26, 105, 179, 203
Gleichheit fördern, 143
Gleichheit geschaffen, 51
Gleichheit lang, 205
Gleichheit nicht, 42
Gleichheit spricht, 213
Gleichheit und, 8, 15, 17, 19, 42, 49, 62, 104, 121, 145, 152, 169, 177, 194, 196, 203, 218, 233, 235
Gleichstellung von, 163
Gleichung, 163

gleichzeitig, 10, 12, 19, 36, 38, 65, 81, 85, 104, 109, 110, 119, 131, 164, 167, 171, 189, 217, 220, 224, 233
Gleichzeitig brachte sie, 101
Gleichzeitig müssen, 229
globale, 174–176, 198
globaler, 106, 108, 145
glätten, 209
Grenze könnte sein, 136
Grenzen, 137
Grenzen hinausgeht, 176
Grenzen Kanadas hinausreichen, 106
Grenzen von, 99, 232
große Anhängerschaft gewonnen und, 61
großer Bedeutung, 29
Grundlagen der, 8, 225
grundlegende, 69, 143, 172, 183
grundlegenden Initiativen, 79
größere, 14, 75, 194, 233
größten, 9, 11, 14, 58, 84, 98, 109, 114, 153, 159, 177, 209
größter, 31, 228
gründete, 28, 55, 64, 118
Gründung von, 216
gut, 92, 154, 210

haben, 1, 2, 4, 11, 18, 37, 40, 42, 49–51, 55, 58, 59, 61, 62, 64, 76, 81, 87, 88, 92, 93, 96, 99, 101, 105, 106, 113, 114, 117, 122, 125, 128, 143–145, 148, 149, 151–154, 160, 162, 163, 172, 173, 175, 189, 190, 192, 194–196, 200, 206,

207, 209, 216, 218, 223, 224, 233
half, 24–27, 29, 31, 34, 39, 42, 53, 66, 185
halfen auch, 36, 111
halfen ihr, 24, 25, 27, 29, 34, 38, 39, 43, 50, 76, 120
handelt, 115
Handlungen geschehen, 231
Handlungen zwischen, 15
hat, 1, 2, 4, 7–9, 11–15, 17–19, 27, 34, 36, 39–41, 43, 45, 51, 55, 59–62, 64, 65, 74, 78–80, 83, 85, 87–90, 96, 101, 103–115, 118, 119, 121–123, 125–130, 132–137, 139, 140, 143–145, 147–149, 151–153, 158, 160, 161, 163–165, 167–170, 173–180, 182, 184, 188, 190–205, 209, 211, 213, 216–225, 227, 229–232, 234, 235
hatte, 24, 25, 28, 38, 41, 42, 53, 100, 119, 123, 124, 136, 185, 215
hatten, 24–26, 29, 37, 42, 44, 49, 53, 54, 75, 121, 175, 189
Hauptforderungen ist, 180
hektischen Welt, 183
helfen auch, 224
helfen dabei, 224
helfen kann, 222
Henri Tajfel, 232
herausfordernd, 28, 74, 216, 234, 235
herausfordernden Zukunft steht, 193

Herausforderung, 17, 19, 34, 41, 67, 108, 120, 129, 145, 146, 170
Herausforderung dar, 24
Herausforderungen, 10, 37, 39, 95, 133, 190, 194, 202
Herausforderungen dabei eine, 106
Herausforderungen sind, 59
Herausforderungen zu, 221
herausragende, 145
hervor, 172, 189, 204
hervorgebracht, 85, 194
hervorgehoben, 170, 222
hervorheben, 95, 131, 197
hervorzuheben, 1
Herzen, 7
Herzen liegen, 115
herzustellen, 9, 10, 36, 110, 119, 120
Heute, 45
heutigen, 7, 8, 39, 59, 76, 99, 103, 122, 130, 151, 153, 167–169, 183, 195, 203, 231
hielt, 39, 66
Hier entdeckte sie, 216
Hier lernte Sara, 37
Hier sind, 212
hierfür, 1, 54, 58, 60, 104, 109, 110, 144, 151, 164, 170, 224, 233
hilfreiche, 114
hilft, 33, 104, 115, 132
Hinblick auf, 18, 168
Hindernis sein, 12
Hindernisse, 54
hingegen bezieht sich, 122
hinter, 115
Hintergrund gedrängt, 114
Hintergründen, 196

Index   259

Hintergründen zusammenarbeiten, 231
hinterlässt, 199
hinweist, 18, 41, 90
hinzuweisen, 98, 189
historische, 49
historischen, 27
hochwertiger Gesundheitsversorgung hat, 200
Hoffnung, 17, 201–203, 236
Hoffnung schwindet, 202
hohen Stressniveau, 123
Humor kann als, 220, 222, 234
Humor kann eine, 119
Humor konnte, 189
Humor können, 235
humorvolle, 9, 14, 41, 110, 119, 167, 220, 229
Händen der, 233
häufig, 5, 12, 32, 58, 81, 84, 97, 100, 107, 149, 159, 183, 204, 217
häufige, 54, 132, 162
hörbar, 187
Hürde, 12
Hürden, 9, 206, 224
Hürden abhängt, 87
Hürden ist, 84
Hürden verbunden, 74
Hürden wirken sich, 170
Hürden zu, 198

Idee, 54
identifizieren, 25, 31, 32, 105, 110, 152, 218, 229
Identität sprechen konnten, 42
Identitäten gleichzeitig, 233
Identitäten sich, 233

ignorieren, 121, 136, 209
ignoriert, 12, 128, 133, 159, 161, 170, 207
ignorierte, 102
ihnen, 104, 141, 183, 188, 200, 209
ihr, 2, 5, 8, 19, 24–29, 31–36, 38–44, 47–51, 53, 61, 64, 67, 74–76, 90, 97–101, 104, 106, 110–115, 118, 120, 121, 126, 129, 136, 137, 147, 151, 164, 168, 169, 179, 185–189, 199, 200, 211, 215, 216, 218–220, 225, 229, 234
Ihr Aktivismus, 106
Ihr Ansatz, 113
Ihr Aufruf zum, 181
Ihr Einfluss, 2
Ihr Einsatz, 176
Ihr Engagement, 1, 88, 111, 165, 174, 193, 235
Ihr Engagement zeigt, 90
Ihr unermüdlicher Einsatz, 147
Ihr Vermächtnis ist, 201
Ihr Vermächtnis wird, 201
Ihr Vermächtnis wird durch, 8, 201
Ihr Ziel, 169
ihre, 2, 4, 5, 7, 8, 11, 12, 14, 15, 19, 23–26, 28–45, 48, 50–55, 57, 58, 60, 61, 63–67, 71, 74–76, 78, 81, 86, 87, 89, 90, 92, 93, 95–106, 108–115, 118, 120–127, 129–133, 135–137, 140, 141, 144, 145, 147, 149, 151–154, 158, 160, 161, 163–165, 168–170, 173, 175, 177–180, 185–190, 192–194, 200–202,

205–207, 209, 211,
215–226, 230, 234, 235
Ihre Arbeiten, 151
Ihre Aufklärungsarbeit, 144
Ihre Auftritte, 97
Ihre frühen Jahre, 23
Ihre Fähigkeit, 2, 19, 60, 62, 95, 99,
101, 104, 108, 135, 147,
164, 169, 188, 218, 234
Ihre Geschichte, 216, 218, 219, 223,
234
Ihre Geschichten, 76, 106
Ihre Initiativen, 4, 194
Ihre Initiativen zeigen, 231
Ihre langfristigen Ziele, 197
Ihre Mutter vermittelte, 26
Ihre Reise, 2, 45, 104, 185, 215
Ihre Reise lehrt uns, 221
Ihre Reise von, 161
Ihre Resilienz ist, 105
ihrem Aktivismus, 35, 78, 101, 231
ihrem Buch, 209, 221
ihrem Engagement, 35
ihrem Konzept der, 29
ihrem Körper, 23
ihrem Leben, 25, 42, 53, 114, 120,
222
ihrem Leben mehrere, 125
ihrem Leben wirklich akzeptiert, 215
ihrem persönlichen Leben, 200
ihrem persönlichen Umfeld, 105
ihrem Privatleben, 114
ihrem Selbstverständnis, 32
ihrem Tod oder, 199
ihrem Weg, 25, 38
ihrem Weg getroffen, 209
ihrem Weg zum, 32
ihren, 2, 14, 18, 25, 26, 28, 30, 33,
34, 36, 37, 39–43, 45, 49,
53, 55, 59, 67, 80, 90, 95,
98, 99, 102, 104, 105, 107,
108, 115, 119–121, 123,
129, 130, 132, 140,
147–149, 151, 160, 163,
167, 170, 173, 175, 176,
185, 186, 188, 189, 198,
200, 204, 215, 216, 225,
233, 235
ihrer, 1, 7, 10–12, 14, 17, 23–29,
31–35, 37–39, 41, 42, 47,
49, 52, 53, 55, 57, 58,
60–62, 64, 66, 67, 72, 74,
76, 78, 83, 88, 89, 93,
96–100, 103–105, 110,
113–115, 118, 121, 123,
124, 127, 129–133, 136,
137, 140, 143, 144, 147,
149, 156, 158, 160,
162–165, 168–170, 173,
175, 177, 180, 184–190,
193–197, 200, 201, 203,
208, 213, 215–217, 221,
223, 224, 229, 234
immer, 7, 12, 18, 32, 37, 40, 42, 43,
48, 53, 83, 98, 109, 119,
127, 146, 170, 183, 191,
195, 201, 203, 215
in, 1–4, 7–12, 14–19, 21, 23–45,
47–51, 53–56, 58–67, 69,
71, 75, 76, 78, 80, 81, 83,
85–88, 90–93, 95–115,
117–133, 135, 136, 139,
140, 143–149, 151–154,
156, 158–161, 163–165,
167–177, 179, 180,
183–203, 205–208, 213,
215–219, 221–236
indem, 12, 49, 102, 103, 114, 167,

Index

187, 192, 195, 197, 210, 229, 231, 232
Indem Menschen lernen, 178
Indem Schulen, 179
Indem sie, 90
individuelle, 2, 4, 55, 71, 110, 112, 121, 124, 131, 161, 224, 231, 234
Individuen, 31, 95, 172
Individuen betreffen, 69
Individuen sich, 31, 96, 178
Individuen weniger, 56
Individuum gewachsen ist, 185
Informationsveranstaltungen sind, 132
informieren, 20, 21, 79, 178
informiert, 194
Inhalte geteilt, 14
Initiativen gezeigt, 160
Initiativen verankert, 201
inklusiv, 27, 180, 191, 204, 209
inklusiven, 153, 169, 196, 235
inklusiveren, 41, 147, 167, 183, 231
innehalten, 115
inneren Auseinandersetzung, 186
innerhalb der, 36, 105, 112, 150, 165, 192, 207, 218, 232
Innerhalb weniger, 100
innerlich anders, 24
insbesondere, 9, 11, 13, 16, 18, 37, 39–41, 56–60, 62, 76, 88, 98, 104, 111, 117, 119, 127, 129, 131, 135, 136, 139, 145, 149, 152, 156, 161, 168, 169, 171, 176, 177, 193, 196, 199, 201, 208, 211, 216, 219
Insgesamt, 223
Insgesamt bietet, 8
Insgesamt spielten, 28
Insgesamt zeigen, 67, 95
Insgesamt zeigt, 112, 115, 135, 158
inspirieren, 2, 10, 19–21, 33, 97, 144, 151, 161, 163, 164, 169, 176, 178, 180, 187, 194, 210, 218
inspirierende, 28, 99, 178, 216
inspiriert, 2, 8, 44, 45, 55, 61, 97, 133, 135, 158, 176, 194, 201–203, 212, 223, 224, 235
integraler Bestandteil ihres Aktivismus, 131
integrieren, 2, 32, 36, 101, 115, 171, 185, 194, 208
integriert, 9, 10, 88, 185
intensiv, 48
intensiven Auseinandersetzung mit, 52
internationale, 2, 106, 107, 147, 174, 176, 198
internationalen, 97, 144–147, 175, 176
internationaler, 144, 175
interne, 133
internen, 102, 168
intersektionale, 51, 65, 108, 169, 171, 187, 191, 192, 196, 197, 204, 207, 233
intersektionalem, 175, 178, 181
intersektionalen, 8, 101, 112, 115, 168, 171–174, 179, 204, 207, 233, 235
intersektionaler Ansätze, 92
isoliert betrachtet, 18, 51, 163, 171–173
isoliert fühlen, 56
ist, 1–4, 7–12, 14, 15, 17–21,

25–32, 34–37, 39–41,
43–45, 47–51, 53–56,
58–62, 64, 65, 67, 69,
71–76, 78–90, 92, 93,
95–101, 103–115,
119–124, 126–131, 133,
135–137, 139, 141,
143–145, 147, 149–154,
156, 158–165, 167–181,
183, 185–192, 194–211,
213, 215–225, 227–235

Jahre, 49
Jahre markierten, 15
Jahren, 25
Jahren bis zu, 195
Jahrhundert, 15
jede, 28, 65, 160, 216
jedem öffentlichen, 136
jeden Aktivismus, 131
jeden Jugendlichen, 30
jeden Menschen, 41
jeder, 7, 17, 30, 42, 43, 105, 110,
112, 119, 136, 141, 176,
200, 202, 211, 213, 223,
231, 233, 235, 236
Jeder Einzelne kann einen, 205, 233,
235
Jeder kann einen, 181
Jeder Mensch, 201
Jeder Mensch verdient es, 45
Jeder von, 213, 231
Jedes Mal, 148
Jedoch bieten, 232
jedoch bleibt die, 3
jedoch durch, 185
jedoch gezeigt, 229
jedoch noch lange, 145
jedoch oft, 7

jemanden, 135, 152, 199
Jerome Bruner, 10
John Turner, 232
Judith Butler, 29, 50, 95
Jugendgruppen entdeckte sie, 29
Jugendlichen, 25
Jugendlichen ihre, 111
Jugendzeit, 41
junge, 19, 104, 105, 111, 112, 164,
168, 171, 179, 182, 190,
194, 200, 218, 235
jungen Aktivisten, 104
jungen Menschen ermöglicht, 200
junger, 41
Juristin Kimberlé Crenshaw, 171
Justin Trudeau, 227
jüngere, 151, 180, 183, 228
jüngeren, 2

Kampagne, 114, 160, 200
Kampagne führte, 65, 175
Kampagnen zeigt, 160
Kampf, 2, 15, 99, 101, 104, 169
Kampf gegen Diskriminierung, 180
Kampf verbunden, 50
Kanada, 2–4, 7, 8, 15–19, 23, 27,
30, 38, 43, 45, 49, 55, 59,
64, 78, 85, 86, 90–92, 101,
106, 144, 145, 154, 156,
161, 163, 164, 170, 171,
174, 180, 191–193, 195,
205, 215, 216, 218, 227,
235
Kanadas etabliert, 88
kanadischen Geschichte, 15
kanadischen Gesellschaft, 17, 19,
216
kanadischen Kultur geprägt, 27

Index

kanadischen
   Menschenrechtsgesetzgebung
   als, 16
kanadischen Vorort, 26
kann, 12, 14, 87, 228
kann dazu, 114
kann den, 12, 225
kann er, 15
kann helfen, 213
kann Humor, 213
kann Humor helfen, 227
kann Saras Geschichte, 10
kann schwierig sein, 57
kann sie, 131
kann sowohl, 109
kann überwältigend sein, 112
Kapiteln weiter, 49
Karriere, 12
Kategorien stehen, 171
Kategorien wie, 171
keine, 28, 115, 206
Kimberlé Crenshaw, 196, 204, 233
Kinderschuhen steckte, 23
klar, 10, 45, 103, 122, 181, 201–203, 205, 225, 233, 235
klare Grenzen zu, 137
klaren gesetzlichen Bestimmungen, 206
klaren Zielorientierung, 223
Klassenkameraden akzeptierten, 29
Klassismus, 229
Kleid, 24
Kliniken, 80
Koalitionen, 64
Kollegen oder, 223
kollektive, 4, 96, 111, 112, 121, 124, 131, 135, 159, 188, 224, 231
kollektiven Kämpfe, 234

kollektiven Wandel, 2
kollektiven Wandel herbeiführen kann, 219
kollektiven Zielen, 131
kollektiver Aktivismus, 145
kollektiver Aufruf zum, 211
kommen müssen, 43
kommenden Generationen, 233
Kommentare, 100
kommt auch, 113
kommt jedoch auch, 113
kompetent behandelt, 88, 177
kompetenter, 76
komplexe, 9, 13, 15, 32, 36, 58, 62, 95, 147, 164, 218
komplexen Realitäten der, 19
komplexer Prozess, 120
komplexes Thema, 129
komplexes Zusammenspiel von, 49
Komplexität, 28, 35
Komplexität der, 39, 172, 173, 204
Komplexität des Aktivismus, 67
Konferenzen, 8
Konferenzen beteiligt, 144
Konferenzen bieten, 97
Konferenzen entscheidend, 147
Konferenzen hinaus zu, 99
Konferenzen mehrfach ausgezeichnet, 147
Konferenzen nicht, 147
Konferenzen teilgenommen, 80
Konferenzen und, 153
Konflikte können, 133
Konflikten, 11, 47, 65, 172, 221
konfrontiert, 1, 5, 7, 11, 18, 23, 29, 30, 32, 36–38, 48, 51, 54, 60, 66, 71, 74, 78, 80, 83, 86, 96, 98, 100, 103–106, 108, 109, 111, 115, 117,

125, 130, 149, 156, 161,
165, 167–170, 174–177,
184, 186, 188, 189, 195,
198, 200, 203, 205,
215–217, 221, 222, 225,
231
konkrete Aktionen zu, 57
konkrete Beispiele, 81
konkreten Beispielen, 13
konnte, 17, 24, 25, 35, 37, 38, 42, 53, 64, 75, 100, 144, 161, 189
konnten, 24
konservativen Gesellschaften oder, 96
konservativen Umfeld auf, 37
konstruiert, 29, 95
konstruktive Kritik als, 12
Konstruktivismus, 191
Kontakt, 2, 31, 99, 153
Kontexten weitertragen, 233
Kontexten zusammenfassen, 61
konzentrieren, 97, 104, 112, 115, 131, 137, 171, 196, 197, 217
konzentriert, 174
Konzept der, 69
Konzept zu, 30
kraftvoll
    Gemeinschaftsunterstützung sein kann, 133
kraftvolle, 14, 127, 149, 190, 195, 203, 213
kreative, 29, 33, 38, 114, 186, 187
kreativen Umfeldern, 24
Kritik, 12
Kritik konfrontiert, 104
Kritiken, 102, 128
Kritiken können, 102
kritischen, 225

Kräfte von, 65
kulturelle, 26, 27, 73, 146, 195, 197
Kulturelle Produktionen, 195
Kulturen innerhalb der, 1
Kunst kann als, 33
Kunst wurde, 31
Kunstlehrer, 26
Kunstprojekte, 35
Kunstprojekte einzubeziehen, 36
kurzfristige Erfolge, 160
kurzfristige Erfolge ausgerichtet, 197
Kämpfe durchleben, 26
Kämpfe durchlebt, 37
Kämpfe durchlebten, 32, 215
Kämpfen, 38, 229
können, 2, 7, 9–12, 14, 35, 55–61, 65–67, 71, 73, 81, 83, 84, 86, 88, 92, 96, 97, 102, 103, 105, 112–114, 119, 122, 124, 125, 127, 133, 141, 145, 154, 159–163, 169–172, 174, 178, 179, 181, 183, 185, 191, 192, 194, 202, 205, 209, 210, 212, 213, 223, 224, 226, 227, 229–233, 235
könnte zudem, 85
Köpfen der, 201
Körper, 215
kümmern, 11, 185
Künstler, 38
künstlerischen Ambitionen mit, 35
künstlerischen Fähigkeiten weiterzuentwickeln, 26

Lachen, 110
landesweiten, 66, 85
lange, 135, 145, 195
langfristig erfolgreich, 153

Index 265

langfristigen Auswirkungen von, 194, 218
langfristigen Effektivität, 129
Lassen Sie, 213
Lassen Sie uns, 231, 235
Laufe der, 17
Laufe ihrer, 67, 74, 88, 129, 137, 140, 143, 147, 175, 197, 203, 223
Laut dem, 9
Laut der, 131, 159
Laut Pierre Bourdieu, 152
lauter, 191
Leben, 1, 7, 8, 30, 32, 41, 45, 66, 78, 80, 106, 119, 124, 126, 135, 144, 168, 177, 185, 199–202, 217, 221, 224
Leben bereichert, 36
Leben von, 64, 139, 145
Lebensbedingungen, 216
Lebensbedingungen von, 12, 90
legalisiert, 3
Legalisierung der, 191, 195, 227
legen, 25, 58
legitimieren, 196
legt nahe, 205
legte, 30, 47
legten großen Wert, 23
Lehrer, 24, 28, 42
lehrten, 28, 32, 43, 65, 189
lehrten Sara wichtige, 27
leisten, 64, 113, 233
leistete, 12
Leistungen wurde sie, 118
Leitfaden, 106
Leitfäden mitgewirkt, 61
Lektion, 43
Lernbereitschaft, 190
Lernen, 133

lernen, 27, 67, 75, 97, 101, 102, 106, 141, 178, 188, 190, 223
Lernprozess der, 10
Lesben fokussiert, 167
Leser dazu, 10
Leser oder, 10
Leser zum, 10
letzten, 17, 62, 78, 87, 90, 99, 167, 195, 206, 207, 232
Letztendlich wird eine, 10
Leuchtturm der, 219
LGBTQ-Aktivismus, 3, 58, 210
LGBTQ-Bereich, 13
Literaturwissenschaftler Mikhail Bakhtin, 9
Lobbyarbeit, 12, 64, 80
lokale, 2, 25, 28, 29, 174, 176
lokalen Theaterstück, 38
lustig, 228
Lösungen, 92, 161

machen sie, 216
macht, 2, 19, 21, 80, 89, 95, 97, 99, 108, 115, 152, 160
machte, 16, 30, 187
machten, 35
machtlos fühlen, 205
man, 42, 76, 108, 110, 115, 147, 152, 223
manchen, 229
manchmal während, 98
manchmal zu, 114
mangelnder, 120
manifestieren, 117
marginalisieren, 14
marginalisiert, 3, 162
marginalisierte Stimmen, 36
marginalisierten, 19, 31, 83, 104, 105, 165, 168, 169, 171,

173, 233
marginalisierter, 90, 115, 187, 209, 219
markierten, 15
Marsha P. Johnson, 105
massiven Anfeindungen konfrontiert, 96
Max Horkheimer entwickelt wurde, 176
Maßnahmen ergreifen müssen, 179
Maßnahmen gelegt, 164
Maßnahmen innerhalb der, 124
Medienauftritte Einfluss auf, 151
Medienformaten präsentiert, 105
Medienlandschaft, 41
Medienpräsenz sind, 95
Medienrepräsentationen, 43
Medienvertreter verantwortungsbewusst, 150
medizinische, 4, 61, 74, 78, 80, 89, 170, 205, 206
medizinischen, 4, 7, 61, 64, 66, 71–74, 76, 79, 83, 85, 86, 90, 102, 127, 143, 144, 151, 200, 217
medizinischer, 18, 58, 61, 74, 76, 119, 143, 170, 220
mehr, 37, 56, 82, 102, 148, 192, 196, 218
mehrere, 53, 66, 91, 120, 125, 134, 160, 227, 233
mehreren Phasen, 120
mehrfach diskriminiert, 207
Meinung, 87
meistern, 34, 51, 108, 135, 141
Menschen aus, 231
Menschen motiviert, 201
Menschen zusammenkommen, 36

Menschen zusammenzubringen, 153, 222, 230
Menschenrechtsaktivisten, 64
Menschenrechtsbewegungen, 3
menschliche Verbindung zu, 221
menschlichen, 208
menschlicher, 8, 194, 197
mentale, 109, 130, 131
Mentoring dazu, 164
Mentorship spielt, 111
mindern, 229
Mischung aus, 23, 32, 39, 47, 67, 97
Misserfolg, 225
Missstände hinweisen, 161
Missverständnis geprägt, 229
Missverständnissen geprägt, 109, 210
mit, 1, 2, 4, 5, 7, 8, 10–15, 17, 18, 23, 25–42, 47, 48, 50–54, 56, 58–61, 63–67, 69, 71, 72, 74–76, 78–80, 83–86, 89, 90, 95–106, 108–115, 117, 119–125, 128, 130, 132–135, 137, 140, 141, 144, 149, 152, 153, 156, 160–165, 167–170, 173–179, 181, 183–186, 188–190, 193, 195–200, 203–205, 208, 215–218, 221–225, 229, 230, 232, 234, 235
Mit dem, 31, 113, 151, 169
Mit großem Einfluss kommt auch, 165
Mit Ruhm, 113
mitgestaltet, 167
mitgewirkt, 61, 79, 194
Mitglieder der, 25
Mitstreiter, 225

Index 267

Mitstreiter gefunden, 223
Mitstreiter haben, 160
Mitstreitern, 224
Mittel aufbringen müssen, 87
Mittelpunkt der, 92
Mobbing wird allgemein als, 122
mobile, 80
mobilisieren Gemeinschaften, 163
mobilisieren Unterstützer, 58
mobilisiert, 100, 221
mobilisierte, 49
Mobilisierung, 58, 59, 159
Mobilisierung der, 51
motiviert haben, 189
Mut, 37, 104
Mythen, 2
möchte, 21, 169
möchten, 104, 205
Möglichkeit sein, 119
Möglichkeiten, 85, 208
müssen, 12, 14, 43, 57, 59, 87, 97, 110, 145, 179, 206, 208, 224, 228, 229, 231

nach, 7, 15, 16, 23, 30–32, 41–43, 47, 51, 59, 67, 71, 75, 99, 102, 119, 121, 186, 193–196, 199, 203, 205, 206, 219, 220, 226, 232, 234
Nach der, 38, 135
Nachdenken anregt, 10
nachhaltige, 2, 67, 111, 113, 154, 158, 197, 213
nachhaltigen, 183
nachzudenken, 205
Natur sein, 71
Natürlich ist, 8
Neben, 73, 178

Neben persönlichen Mentoren, 42
negativ, 38, 41, 169, 177, 226
negative, 12, 88, 135
negativen Auswirkungen von, 124
negativen Kommentaren, 128
Netzwerkaufbau, 153
Netzwerke, 64, 101, 106, 108
Netzwerken unerlässlich, 64
Netzwerks, 141
Netzwerks unbestritten, 154
Netzwerks von, 154
neu, 38, 67, 111, 137
neue Partnerschaften, 176
neuen Generationen, 181, 183
neuer, 169, 193
New York City, 4
nicht, 1, 2, 4, 7–12, 14, 15, 17–19, 21, 23–39, 41–43, 45, 48–56, 58–67, 69, 74–76, 78, 81, 83, 85–90, 92, 93, 95–97, 99, 101–106, 109–115, 117–124, 126–133, 135–137, 139–141, 143–149, 151–154, 156, 158–165, 167, 169–181, 183, 185–191, 193–197, 199–211, 213, 215, 216, 218, 219, 221–229, 231, 233–235
Nicht jeder, 42
nie wirklich endet, 201
nimmt, 113
Normen geprägt, 7
notwendig, 42, 45, 83, 90, 111, 131
notwendige, 73, 80, 88, 205
notwendigen, 12, 75, 86, 87, 143, 208
Notwendigkeit, 129, 183

Notwendigkeit hingewiesen, 107
Notwendigkeit von, 76, 78, 83, 90, 112, 124, 144, 151, 159
Nuancen der, 209
Nuancen verloren gehen, 9
Nur, 7, 163
nur, 1, 2, 4, 7–11, 15, 17, 19, 21, 25–29, 31–37, 39, 41–43, 45, 49–56, 59–67, 74–76, 78, 81, 83, 85, 86, 88–90, 92, 93, 95–97, 99, 101–104, 106, 110–115, 119–124, 126, 127, 129–133, 135–137, 139–141, 143–145, 147–149, 151–154, 156, 158, 160, 161, 163–165, 167, 169, 172–181, 183, 185–190, 193–197, 199–203, 205–211, 213, 215–219, 221–225, 227–229, 231, 233–235
Nur durch, 78, 92, 174, 208
nutzen, 220
nutzt, 2, 40, 61, 82, 89, 99, 104, 105, 110, 114, 119, 168, 170, 180, 205, 218
nutzte, 40, 48, 98, 101, 120, 135, 140, 189, 200
Nutzung von, 107, 110, 119
nächsten, 2, 105, 176, 194

ob sie, 38
Obwohl bereits viel erreicht wurde, 145
Obwohl einige, 206
oder, 7, 10–12, 14, 17, 42, 43, 57–59, 64, 67, 86–88, 96, 102, 105, 107, 111, 119–122, 136, 143, 149, 159, 161, 170, 172, 196, 199, 200, 204, 207, 209, 213, 223–226, 228, 231, 233, 234
offen, 15, 36, 109, 112, 114, 119, 126, 205, 226, 227
oft, 1, 7, 9–12, 14, 15, 18, 19, 23–27, 30–37, 39–43, 47, 51, 53, 54, 57–61, 64, 65, 67, 71, 74–76, 79, 81, 83, 87, 89, 96, 97, 99, 102, 104–106, 109–113, 115, 119–123, 125, 127, 128, 130–133, 135–137, 139, 141, 143, 146, 149, 158–162, 164, 165, 167–170, 173, 174, 176, 179, 183–186, 188, 192, 196, 203, 206–208, 210, 211, 213, 215–217, 219, 221–225, 227, 229, 231, 234, 235
ohne, 8, 14, 35, 38, 42, 54, 67, 102, 108, 110, 114, 129, 135, 137, 144, 162, 175, 186, 195, 198, 200, 209
Ontario, 1, 151
optimistischen, 141
organisieren, 64, 75, 192, 197
organisiert, 25, 82, 103, 153, 174, 183, 200
organisierte, 37, 66, 100, 101, 111, 135, 187
Orientierung, 223, 231
Orientierung hautnah miterleben, 17
Orientierung oder, 17, 196
Orientierung prägt, 39

Index

paradoxerweise, 120
Partnerschaften mit, 152
passte, 31
Paul Ricoeur, 205
perfekten, 115
performativ betrachtet, 50
Personen häufig, 58
Personen innerhalb der, 58
Personen konzentrierte, 55
persönliche, 2, 7, 8, 23, 27, 35, 40, 43, 45, 49, 53, 61, 62, 66, 74, 81, 95, 98, 103, 104, 108–111, 114, 115, 118, 120, 122, 127, 129, 130, 132, 135–137, 139, 147, 151, 163–165, 178, 183, 185, 188, 200, 211, 216, 224, 234
persönlichen Anekdoten, 10
persönlichen Angriffen bis hin zu, 96
persönlichen Erlebnissen und, 10
persönlichen Geschichte, 215
persönlichen Geschichten, 168
persönlichen Reise geprägt, 49
persönlichen Unterstützern, 224
Phasen, 188
Pierre Bourdieu, 131
plant, 81, 176, 188, 197, 198
polarisierten, 170
Politiker, 88
politische, 12, 50, 51, 55, 57–60, 64, 80, 87–90, 96, 108, 109, 146, 159, 164, 169, 175, 179, 180, 191, 192, 196, 198, 207, 218, 227
politischen, 8, 12, 49, 51, 78, 83, 86–90, 97, 102, 144, 151, 165, 169, 170, 180, 195, 206, 218, 229
politischer, 49, 51, 80, 92, 122, 171, 181
Popkultur, 40, 192
Popkultur beeinflusst, 25
Popkultur spielten, 32
positionieren, 114
positive, 12, 21, 55, 57, 58, 63, 75, 87, 88, 92, 106, 113, 119, 163, 170, 171, 176, 193, 196, 220, 226, 229
positiven Absichten stehen Aufklärungskampagnen vor, 82
positiven als, 30
positiven Aspekte, 35, 104, 189
positiven Aspekte der, 96, 133
positiven Aspekte des Humors, 228
positiven Aspekte gibt, 162
positiven Beispiele, 227
positiven Botschaften, 205
positiven Einfluss auf, 145, 175
positiven Veränderungen, 78, 195
positiven Wandel, 122
postuliert, 191
potenzielle Unterstützer von, 59
Praktiken gehören, 184
praktischen, 53, 134
Praxis umzusetzen, 53
Prioritäten, 65, 137
Prioritäten sowie, 133
Privatleben, 108, 110
profitiert, 65, 224
Projekte, 64
prominente, 1, 10, 39, 93, 98, 104, 113, 201, 227
Prozess, 4, 45, 108
Prozesse durchlaufen, 206
prägend, 28, 30, 37, 74
prägende, 30

prägender, 42
prägte, 53
prägten, 26, 34, 120, 186
präsentieren, 10, 15, 36, 127, 147, 163, 220
Präsenz ist, 181
psychische, 4, 11, 18, 69, 73, 81, 122, 125, 169, 202, 226
psychischen Gesundheitsversorgung für, 81
psychologische, 58–60
psychologischen, 59, 76, 120, 164
psychologischer Unterstützung erkannt, 130
Publikum ermöglichten, 110

qualitativ, 200
Quellen, 149
Quellen zurückzugreifen, 170

Rahmenbedingungen, 163
Rahmenbedingungen bestehen, 146
Rahmenbedingungen kontinuierlich aktualisiert werden, 145
Rahmenbedingungen spielen, 59
Rahmens, 180
Rampenlicht, 149
Rand gedrängt, 31
Rasse, 171
Rassismus als, 233
Ratschläge gaben, 41
Ratschläge geben, 114
reagieren, 88
Reaktionen, 29
Reaktionen schufen, 29
Rechte, 56
Rechten wie, 3
rechtlich bedeutsam, 218
rechtlichen Rahmen, 51

rechtlichen Rahmenbedingungen, 18
reduzieren, 75, 179
reflektiert, 19, 45, 158, 160, 188, 189
regelmäßig, 115, 137, 188
regelmäßige, 111, 164
reichen, 59, 73, 175
reichten, 96
Reise, 7, 43, 74, 98, 133, 135, 141, 147, 165, 189, 190, 201, 211, 216, 225, 233
Reise betrachtet, 188
Reise geprägt, 101
Reise von, 188, 216, 223, 235
Reise zeigt, 223
Rekrutierung von, 54
relevanter, 191
repräsentieren, 165
Resilienz ist, 186
Resilienz nicht, 141
Resilienz sind, 106
Resilienz und, 190
Resonanz gefunden, 2, 106
Respekt leben kann, 231
respektiert, 74, 88, 119, 198, 213, 223, 233, 235
respektvoll, 61, 85, 88, 177
Ressourcen, 133
Ressourcen auszutauschen, 111
Ressourcen bereitgestellt, 224
Ressourcen bereitzustellen, 108
Ressourcen ergeben, 183
Ressourcen innerhalb der, 12
Ressourcen können, 114
Ressourcen zu, 64
resultiert, 123, 188
richten, 170, 177
richtete, 114
richtigen, 9, 209
Richtlinien, 59, 89, 144

Index 271

Richtung Gleichheit, 16
Richtung Gleichstellung, 3
Risiken birgt, 101
Robert Provine, 9
Rolle, 99
Rolle als, 26, 32
Rolle bei, 59, 99, 144, 182, 208
Rolle dabei, 230
Rolle spielen, 106, 110, 127, 233
Rolle spielt, 10
Rolle spielten, 43
Ruf gefestigt, 148
Rückkehr, 67
Rückschläge zu, 141
Rückschlägen führen, 171
Rückschlägen gepflastert, 216
rückt, 88

sagt, 189
sah sie, 96
sammeln, 224
Sara, 24, 26, 28, 29, 38, 53, 167, 187, 197, 205, 215
Sara aktiv, 194
Sara als, 23, 164
Sara arbeitete eng mit, 51
Sara arbeitete mit, 64
Sara argumentiert, 179
Sara auch, 27, 38, 42, 53, 80, 89, 105, 108, 112, 119, 130, 168, 180, 190, 224
Sara begegnen, 102
Sara bei, 98
Sara beleuchtet, 93
Sara beobachtete, 36
Sara berichtet, 123
Sara betont, 76, 179
Sara Bingham, 1, 2, 4, 7, 8, 10–12, 14, 15, 17–19, 26, 30, 32, 34, 39, 41, 49, 51, 52, 54, 55, 58, 60, 62, 64, 65, 74, 78, 80, 83, 85, 88, 90, 93, 95–97, 99, 104, 106, 108, 110, 111, 113, 115, 117–120, 122–125, 127, 129, 131–133, 135, 137, 139, 143–145, 147–149, 151, 152, 156, 158–161, 163, 164, 167, 169, 173, 174, 177, 178, 183–185, 188, 193, 197, 199–203, 206, 211, 215–217, 220, 221, 223, 225, 227, 229–231, 233, 235
Sara Bingham aktiv, 86
Sara Bingham als, 106, 218
Sara Bingham auf, 108
Sara Bingham ein, 235
Sara Bingham einen, 219
Sara Bingham hören, 96
Sara Bingham mit, 37, 76
Sara Bingham sehen, 184
Sara Bingham selbst, 59, 96, 209
Sara Bingham spielen, 63
Sara Bingham ständig, 110
Sara Bingham vor, 171
Sara Bingham wurde, 7, 23, 49
Sara Bingham zeigt, 141
Sara Bingham zurückzuführen, 87
Sara Bingham's, 66
Sara Binghams, 233
Sara blickt optimistisch, 169
Sara das Gefühl, 38
Sara das Geschichtenerzählen, 105
Sara das Glück, 25, 28
Sara das Potenzial, 234
Sara den, 37, 55
Sara durch, 65, 185, 225

Sara ebenfalls eine, 42
Sara ein, 185
Sara einige, 24, 75
Sara entdeckte, 38
Sara entdeckte früh, 35
Sara entscheidend, 37
Sara entwickelte, 44, 67
Sara erinnert, 188, 189
Sara erkannte, 50, 126
Sara erkannte früh, 54
Sara erkannte schnell, 35, 75
Sara erkennt, 115
Sara erklärt, 190
Sara erlebte, 24, 31, 33, 65
Sara ermutigt, 105
Sara ermutigt andere, 45
Sara ermöglicht, 51, 224
Sara fand, 33, 34, 44
Sara forderte ihre, 121
Sara fühlte sich, 24
Sara glaubt, 2, 176, 179, 180
Sara hat, 12, 18, 19, 40, 60, 61, 64,
    79, 80, 89, 103–105, 107,
    110–112, 114, 115,
    128–130, 134, 135, 137,
    140, 144, 151, 153, 164,
    167–170, 173, 175, 179,
    180, 182, 198, 200, 201,
    204, 205, 217, 221–223,
    225, 232, 234, 235
Sara hebt auch, 204
Sara hebt hervor, 189
Sara hielt, 66
Sara ihr, 199
Sara ihre, 25, 164
Sara Initiativen, 144
Sara ist, 1, 2, 108, 114, 135, 165,
    176, 180
Sara jedoch eine, 43

Sara konfrontiert, 30, 74
Sara lernte, 26, 67
Sara maßgeblich aktiv, 143
Sara mit, 113, 133, 188
Sara musste diplomatisch vorgehen,
    65
Sara musste einen, 35
Sara musste lernen, 102
Sara musste oft, 51
Sara musste sich, 48
Sara neue Generationen von, 8
Sara nicht, 2, 28, 31, 42, 75, 113,
    140, 141, 158, 186
Sara nutzt, 61, 99, 168, 205, 218
Sara nutzte, 40, 48, 101, 120
Sara oft, 115, 121, 186
Sara organisierte, 100, 111
Sara Ratschläge, 25
Sara reagierte mit, 98
Sara reflektiert, 189
Sara sah sich, 54, 100, 103
Sara schließt ihre, 190
Sara selbst, 8, 132
Sara sich, 24, 75, 136, 224
Sara sieht, 171, 198
Sara sind, 97
Sara sowohl, 29, 32
Sara sprach, 114
Sara spricht, 205
Sara steht, 146
Sara stellte, 38, 121
Sara trat einer, 37
Sara Trost, 24
Sara und, 51
Sara unterstützt, 79
Sara verbreitet, 205
Sara verkörpert, 104
Sara verschiedene, 109, 121, 128,
    136

Index

Sara versteht, 2
Sara von, 7, 29, 37
Sara vor, 102, 170
Sara war, 25, 35, 37, 55
Sara Wege, 187
Sara wuchs, 23, 37, 47
Sara wurde mit, 200
Sara während, 224
Sara über, 45
Saras, 8, 25, 161
Saras Aktivismus, 18, 49, 51, 66, 126, 139, 156, 221, 222
Saras aktuelle Projekte, 8
Saras Ansatz, 114
Saras Arbeit, 2, 85, 161, 167, 169, 194, 212, 233
Saras Arbeit wird, 149
Saras Auftritte bei, 99
Saras Ausdrücke von, 29
Saras Beispiel, 213
Saras Botschaft, 106, 201, 225, 235
Saras Einfluss, 61, 89, 105, 106, 163, 165, 217, 218
Saras Einfluss auf, 90, 194
Saras Einfluss wird weiterhin, 165
Saras Eltern, 29
Saras Engagement, 19, 38, 51, 63, 65, 76, 78, 86, 95, 112, 113, 119, 121, 145, 149, 154, 174–176, 179, 181, 183, 185, 187, 216, 218, 224
Saras Engagement auf, 145
Saras Engagement sollten wir, 231
Saras Entwicklung, 26, 28, 39
Saras Erfahrungen, 29, 31, 75, 106, 124, 223
Saras Erfahrungen mit, 67
Saras Erfolge, 163

Saras Erfolge haben, 162
Saras erste, 39, 49, 67
Saras Fall, 136, 199
Saras Familie war, 27
Saras frühe, 26
Saras Fähigkeit, 36
Saras Gefühl, 24
Saras Geschichte, 67, 119, 235
Saras Geschichte zum, 10
Saras Geschichten, 194
Saras Geschichten sehen, 105
Saras Geschlechtsidentität, 23, 75
Saras Identität, 2, 27, 29, 34, 37
Saras Initiativen, 81
Saras Jugend, 34
Saras Jugendzeit, 43
Saras Kampagne, 102
Saras Karriere, 135
Saras Kindheit, 23
Saras Kunst, 36
Saras künstlerische Talente, 23
Saras langfristige Ziele, 199
Saras langfristigen Zielen, 198
Saras Leben, 9, 28, 33, 35, 36, 100, 101, 117, 215, 221, 223, 224, 235
Saras Lebensgeschichte, 45
Saras Mutter, 26
Saras persönliche, 8, 49, 164, 188
Saras persönlichem, 186, 187
Saras persönlicher Entwicklung ist, 186
Saras Prinzipien, 200
Saras Reise, 189, 190, 216
Saras Resilienz, 101
Saras Rolle, 17, 147
Saras Ruf, 103
Saras Schulzeit, 32
Saras Selbstfürsorge ist, 130

Saras sich, 23
Saras Suche, 41
Saras Teilnahme, 66
Saras Umgang mit, 115, 135
Saras Universitätszeit, 53
Saras Vermächtnis, 158
Saras Vermächtnis ist, 200
Saras Vermächtnis wird zweifellos als, 194
Saras Verständnis, 27
Saras Vision, 108, 181
Saras Weg, 49, 67, 186
Saras Worte, 205
schaffen, 4, 7, 21, 26, 33, 36, 57, 59, 60, 64, 65, 75, 82, 90, 92, 95, 97, 101, 105, 106, 108, 119, 124, 127, 133, 144, 151–153, 156, 158, 162, 163, 169, 171, 172, 174, 178–181, 195, 198, 205, 209, 210, 213, 223, 227, 230–233, 235
schafft, 110, 154, 178, 197, 221
schafften es, 38
schließen, 24
schließlich, 26, 135
Schließlich lehrt uns, 223
Schließlich wird, 8
Schlüsselakteure innerhalb der, 152
Schlüsselakteuren, 154
Schmerz, 39, 123
schmerzhaft, 26, 27, 102, 189
schmerzhafte, 31, 32, 119
Schon früh erkannte, 215
Schreiben, 23, 129, 186
Schreiben ihre, 24, 35
Schriften, 107
Schriftsteller, 38

Schritt, 3, 16, 30, 54, 55, 80, 88, 130, 152, 188, 203, 221, 227, 236
Schritten, 48
schuf, 25, 36, 42, 121
Schule sah sie, 215
Schulter, 113
Schulung müssen, 208
Schulungen, 71
Schulungen durchgeführt, 167
Schulungen geleitet, 173
schwarzen, 233
schwierige, 2, 19, 41, 110, 189, 213, 222, 234
schwierigen, 24, 186, 203, 223, 224
Schwierigkeiten möglich ist, 60
Schwierigkeiten untersuchen, 58
Schwierigkeiten zu, 35
schädlich sein, 109
schärfen, 1, 2, 12, 14, 18, 40, 48, 56, 58, 61, 62, 65, 66, 81, 96, 105, 107, 108, 119, 126, 132, 149, 159–161, 167, 168, 170, 173, 174, 176, 177, 179, 187, 213, 216, 220–222, 225, 230
Schülern, 104
schützen, 57, 109, 110, 114, 131, 136, 171, 180, 198
sechsten, 24
sehen, 5, 7, 71, 88, 105, 125, 184
sei es, 64
seien, 223
sein, 53, 98, 109, 187
sein kann, 179, 204
sein mag, 216
seine, 13, 37, 38, 208, 219
seiner, 13, 43, 209, 213, 233, 235
Seiten, 8

selbst, 1, 2, 8, 12, 24–29, 32, 37, 38, 40, 42, 43, 45, 58, 59, 96, 104, 105, 108, 110, 112, 128–132, 137, 149, 158, 160, 164, 178, 188, 192, 194, 201, 205, 209, 223, 224
Selbstakzeptanz, 98
Selbstakzeptanz der, 188
Selbstakzeptanz kann als, 221
Selbstbewusstsein, 41, 104
Selbstbildung, 178
Selbstentdeckung, 53
Selbstentdeckung als, 23
Selbstfürsorge, 110, 124, 131
Selbstfürsorge entwickelt, 129
Selbstfürsorge gesprochen, 112
Selbstfürsorge nicht, 131
Selbstfürsorge sind, 131
Selbstfürsorge und, 153
Selbstfürsorge, da, 130
Selbstpflege, 183–185
Selbstpflege entwickelt, 184
Selbstpflege ist, 183
Selbstvertrauen zu, 26
Selbstwertgefühl, 31, 118, 179
Selbstzweifel, 140
senden, 207, 218
sensibilisiert wird, 217
Sensibilität gegenüber, 228
sensibler, 88
setzen, 16, 76, 88, 136, 137, 176, 194
Setzen von, 110, 153
setzte, 36
Sexualität beeinflusst, 187
Sexualität von, 228
sich, 1, 2, 4, 5, 7, 10–12, 14, 16–19, 23–29, 31–43, 45, 48, 49, 51, 53–61, 63, 65, 66, 69–71, 75, 78, 79, 81, 83, 86–90, 96–106, 108, 110–115, 117–120, 122–125, 127–133, 135–137, 141, 145, 147, 149, 152, 153, 158, 160–165, 167–171, 173, 174, 176–181, 183–190, 192–197, 199–205, 208, 210, 215–219, 221, 223–227, 229, 231, 233–235
sichtbar, 35, 36, 96, 98, 112, 127, 129, 130, 136, 153, 170, 215
Sichtbarkeit, 95–97, 101, 156, 164, 202, 218, 221–223, 225, 227, 234
Sichtbarkeit bedeutet, 95
Sichtbarkeit kann als, 127
Sidney Tarrow entwickelt, 159
sie, 1, 2, 7–10, 12, 14, 17, 23–43, 45, 47, 49–51, 53, 55, 59–61, 64, 65, 67, 75, 78, 83, 89, 90, 95–106, 108, 110–115, 118–124, 126–133, 135–137, 140, 143–145, 147–149, 154, 156, 158, 160–165, 167, 169–180, 183, 185–190, 192, 194, 195, 197, 199–201, 203–205, 209, 210, 215–219, 221, 222, 224, 225, 228, 229, 232, 235
sieht, 85, 89, 98, 168, 169, 171, 180, 198, 217
sind, 1–3, 5, 7, 8, 10–16, 18, 19, 26,

28, 30, 32, 33, 36, 37, 39,
43, 44, 47–49, 51, 54–61,
63–66, 69, 71, 73–76, 78,
80, 81, 83, 86, 90–92,
95–99, 101, 102,
105–115, 117–119,
122–126, 128–133,
135–137, 139, 140, 143,
145, 147, 149, 151, 153,
154, 158–161, 163–165,
167–172, 174–181, 187,
189, 191, 193–200, 202,
203, 205–207, 209, 212,
213, 215–218, 220–227,
231–235
sogar Gewalt, 96
solchen, 8, 28, 42, 55, 59, 176, 224
solcher, 58, 180, 224
solidarischen, 196
Solidarität angewiesen, 172
Solidarität innerhalb der, 36, 162
sollen, 197
sollten, 9, 28
sonst, 62
sorgfältig, 9, 228
sorgfältigen Auswahl der, 114
sorgt, 137
sowie, 2, 8, 87, 112, 125, 133, 152, 179, 196, 203, 221
sowohl, 1, 3, 4, 8, 10–14, 18, 20, 23, 26, 28–30, 32, 33, 39, 41, 48, 53, 54, 66, 67, 69, 71, 74, 79, 93, 95–97, 99, 101, 102, 104, 109, 110, 113, 114, 121, 122, 125, 127, 129, 136, 137, 165, 171, 183, 191, 193, 196, 197, 206, 209, 233, 235
sozial konstruiert, 29

soziale, 2, 4, 7, 16, 18, 26, 28, 31, 33,
40, 48, 51, 55, 58, 59, 61,
63, 73, 82, 90, 96, 99, 100,
104–106, 108, 109, 122,
127, 131, 135, 145, 153,
162, 168, 171, 175–178,
180, 187, 191, 195, 202,
206, 213, 218, 220, 221,
231, 232
sozialen, 3, 14, 17, 18, 24, 31, 35, 40,
43, 51, 60, 63, 69, 90,
99–103, 105, 107, 111,
114, 119, 128, 130, 131,
135, 151, 152, 159,
169–171, 179, 180, 191,
196, 197, 204, 212, 228,
232
sozialer, 18, 62, 63, 81, 122, 131, 152, 154, 169, 207
sozioökonomischen Faktoren, 87
spannenden, 193
Spannung zwischen, 130
Spannungen abzubauen und, 13, 110
Spannungen führen, 58, 153, 192
Spannungen innerhalb der, 27, 133
Spenden angewiesen, 11
speziell, 217
spezifische, 58, 117, 159, 161, 174, 207
spezifischen, 1, 65, 66, 69, 74, 76, 79, 81, 108, 119, 125, 163, 167, 174, 177, 184, 191, 197, 200
spiegelt, 31, 45, 111, 160, 200, 204
spiegelten, 25
spielen, 10, 12, 15, 16, 41, 56, 58, 59, 63, 81, 99, 102, 104, 106, 110, 114, 127, 161, 163, 168, 192, 233, 235

Index

spielt, 2, 10, 13, 29, 64, 76, 86, 88, 100, 111, 131, 133, 176, 178, 182, 195, 197, 208, 219, 220, 230, 232
spielten, 26, 28, 32, 34, 43
sprach, 37, 38, 61, 67, 110, 114, 121
spricht, 2, 28, 98, 104, 109, 115, 149, 205, 213
späten, 23, 171
später, 1
Stadt Toronto, 215
starkmachten, 215
starten, 104, 119, 201, 232
Statistiken zeigen, 177
statt, 37
Stattdessen sind, 172
stattfand, 37
steht, 90, 112, 128, 146, 168, 171, 191, 193, 202
stellt sich, 108
stellte, 16, 24, 25, 35, 38, 42, 49, 75, 98, 121
stellten, 101
stieß sie, 67
Stigmatisierung gegenüber, 81
Stigmatisierung von, 114, 177, 220
Stimme, 192
Stimmen ab, 176
Stimmen der, 2, 12, 83, 86, 90, 145, 152, 191
Stimmen derjenigen, 19, 36, 149, 162, 227
Stimmen gehört, 92, 95, 153, 162, 169, 196, 225
Stimmen gestärkt, 112
Stimmen innerhalb der, 35, 102, 173
Stimmen von, 19, 78, 80, 160, 165, 168, 204, 218, 233
Stimmen zuzuhören, 111

strafbar, 175
Streben nach, 15, 30, 203
Stressbewältigung, 185
stressigen Zeiten, 129
strukturelle Veränderungen, 156
ständig, 17, 19, 59, 98, 110, 112, 114, 127, 129, 130, 136, 153, 164, 169, 201, 231
ständige, 11, 31, 34, 35, 45, 51, 73, 108, 115, 128, 129, 168, 170, 186, 190, 200, 201, 215
ständigen, 11, 29, 88, 114, 127, 128, 130, 185, 234
ständiger Angst vor, 15
ständiger Begleiter, 24
ständiger Kampf, 129
ständiger Kampf gegen, 11
Stärke Rückschläge, 135
stärken, 36, 37, 56, 103, 104, 114, 147, 153, 160, 163, 165, 179, 183, 192, 202, 218, 221, 224, 231, 233
stärker, 37, 58, 113, 135, 192
stärkere, 64, 108, 232
stärkeren Gemeinschaft, 122
stärkeren Mobilisierung der, 135
stärkt, 131, 227
suchen, 32, 130
Sylvia Rivera, 105
symbolisierte, 25

tabuisiert, 15, 37
tatsächlich umgesetzt, 145
Tausende von, 100
Techniken, 185
teilgenommen, 2, 18, 80, 179, 180, 204, 215, 222
Teilnehmer verändert, 55

teilt, 61, 105, 164
teilte, 144, 186
teilweise, 87
Termin absagte, 75
Theaterklassen, 24
Thema, 7, 234
Themas mindern, 229
Thematik wie, 14
Theodor Adorno, 176
theoretische, 3, 70, 231
theoretischem, 193
theoretischen Ansätzen, 176
theoretischer Rahmen ist, 191
Theorien sowie, 203
Theorien wie, 191
tief, 4, 18, 43, 71, 119, 170, 197, 206, 234
Tiefe der, 9
Tiefen, 67, 135
tiefgehende, 163
tiefgreifenden Einfluss auf, 53, 216
toleriert wird, 218
Toronto, 61
traf, 25, 53, 186
tragen, 56–58, 82, 83, 158, 161, 224
transformiert, 62
transidente, 83
transidenten, 81–83
traten, 23
Trauer, 121
Trauer zuzulassen, 122
treten, 2, 31, 96, 99, 153
Triumphe der, 188
Triumphe dokumentierten, 24
Triumphen, 17, 104
Trolle, 128
trotz, 23, 60, 67, 115, 203, 234
Trotz der, 9, 14, 17, 18, 24, 27, 31, 35, 38, 42, 51, 58, 63, 65, 75, 82–84, 91, 96, 99, 100, 133, 153, 154, 171, 177, 178, 183, 189, 196, 205, 206, 219, 226, 228, 232
Trotz dieser, 16, 55, 67, 87, 192
Trotz Fortschritten, 170
Trotz ihrer, 67
Trotz seiner, 209
trugen, 30, 32, 36
tätig, 200

umfassen, 3, 69, 74, 79, 125
umfassende, 78, 83, 90, 205
umfassenden, 59, 173
umfasst, 4, 71, 165, 167, 179, 180, 196, 224
umfassten, 156
Umfeld, 26, 30, 49, 74, 124, 133, 169, 170, 179, 199
Umfeld zu, 26
Umgang, 63, 75, 103, 114, 115, 120, 135
umgeben, 26
Umgebung, 30, 42, 179, 198, 215
Umgebungen leben, 111
umgesetzt, 145, 231
umgewandelt, 127
umsetzte, 65
umzugehen, 38, 40, 89, 102–104, 114, 121, 128, 134, 222, 224
umzusetzen, 53, 223
unbestreitbar, 55, 63, 108, 154
und, 1–5, 7–21, 23–45, 47–67, 69, 71, 73–76, 78–93, 95–115, 117–124, 126–137, 139–141, 143–154, 156, 158–165, 167–213, 215–236

Index

uneinig, 65
unerlässlich seien, 136
unermüdlich daran, 2
unfähig, 24
Ungerechtigkeiten, 220
Universitätszeit, 52
Universitätszeit gründete, 64
unnötige, 198
uns, 113, 141, 173, 201, 203, 205, 211, 213, 216, 221, 223, 231, 233, 235
unschätzbarem, 25, 188, 224
unsere, 173, 223, 231, 233, 235
unsicheren Jugendlichen zu, 7
Unsicherheit, 35
unter, 12, 56, 130, 136, 153, 183
unterbrochen, 98
untergraben, 12, 60, 103
unterhaltsame, 9, 10
untermauern, 48
unternommen, 173
Unterschiede innerhalb der, 14
unterschiedliche, 133, 153, 171, 172, 192
unterschiedlichen, 12, 29, 58, 172, 175, 180, 183, 233, 235
unterschätzen, 36, 59, 133, 203, 223
unterstützen, 12, 27, 48, 57, 61, 101, 104, 149, 165, 174, 180, 200, 201, 203
unterstützenden, 59, 74, 83, 85, 88, 111, 141
unterstützender, 185
unterstützten, 25, 38, 40, 186
Unterstützungsnetzwerk kann nicht, 152
untersuchen, 5, 8, 13, 56, 58, 81, 95, 97, 100, 102, 113, 117, 131, 139, 152, 159, 178, 199, 208, 225
unverzichtbarer Bestandteil der, 58
unverzichtbarer Bestandteil des Aktivismus, 83
unwohl, 23, 75
unzufrieden, 67
unzureichend, 208
unzureichender, 18, 61, 220
USA, 17, 49

Veranstaltungen, 82, 144, 145, 174
Veranstaltungen kann ein, 154
Veranstaltungen klar, 103
Veranstaltungen sind, 99, 153
Veranstaltungen über, 100
verantwortungsbewusst, 150
verarbeiten, 29, 33, 35, 119, 129
verarbeitete, 186
verbaler Angriffe, 122
verbessern, 4, 18, 74, 78, 85–90, 144, 145, 158, 177, 178, 200
verbessert, 9, 18, 50, 85, 87, 126, 143, 145, 163, 194, 216, 218
verbinden, 14, 32, 34–36, 53, 90, 114, 213, 224
Verbindung zwischen, 9, 10
Verbindungen, 152, 154
Verbot von, 87
verbreiten, 2, 14, 48, 51, 57, 61, 62, 90, 97, 99, 109, 111, 122, 127, 151, 153, 168, 170, 180, 192, 200, 201, 213, 218, 224, 225
Verbreitung von, 59, 60, 63, 83, 99, 103, 169

verdeutlichen, 6, 8, 67, 76, 81, 93, 96, 119, 124, 131, 149, 205, 208
verdeutlicht, 10, 19, 74, 87, 99, 127, 150, 164, 165, 193, 221–223
vereinen, 209
Vereinfachung komplexer, 209
Verfechterin der, 11, 28, 201, 203, 233
Verfolgung konfrontiert, 195
verfügen, 87
Vergangenheit, 27, 190
Vergangenheit beobachtet, 169
Vergessenheit geraten, 121
Verhaftung, 15
verharmlosen können, 162
verinnerlichen, 10
verkörpert, 104, 201, 203, 234, 235
verkörperten, 39
verletzend, 14, 75, 124, 228
verletzlich zugleich sein kann, 110
Verletzlichkeit, 39, 95, 115
Verluste, 119–122, 200
verläuft, 120
vermitteln, 13, 38, 57, 95, 162, 183, 227
vermittelt, 9, 10
vermittelte, 26
Vermächtnis eng mit, 199
vernetzen, 25, 27, 99, 111
Vernetzung von, 97, 99
verpflichtet, 165, 235
verringern, 36, 71
verschiedene, 14, 44, 58, 70, 71, 78, 91, 101, 103, 108, 109, 121, 124, 128, 129, 136, 140, 146, 153, 171, 184–187, 195, 196

Verschiedene Gruppen, 172
verschiedenen, 1, 3, 7, 11, 13, 16, 51, 56, 57, 61, 62, 64–67, 79–83, 89, 95, 100, 102, 105, 106, 112, 115, 117, 122, 124, 131, 139, 144, 152, 161, 163, 167, 176, 179, 181, 182, 187, 188, 191, 195, 196, 215, 219, 224, 231, 232
verschiedener, 191
verschärft, 232
Versorgung konfrontiert, 18
Versorgung zu, 78, 80
verstecken, 15, 115
verstehen, 17, 25, 27, 29, 31, 32, 49, 50, 69, 161, 164, 173, 187, 197, 205
Verständnis von, 51
verstärkt, 65, 175, 207, 215, 232
verstärkten ihren, 42
vertieft, 49
vertreten, 2, 80, 168, 193, 219
verwendete, 36
verwirrend, 39
verwurzelt, 43, 71, 197, 206
verwurzelte, 18, 119, 170
verzerren, 12
verändern, 95, 105, 145, 205
verändert, 19, 55, 163, 169, 191
veränderte, 192
Veränderung bewirken, 213
Veränderung möglich ist, 83, 158, 160, 161, 197
Veränderung von, 50, 143, 221
Veränderungen, 1, 10, 33, 55, 58, 59, 63, 78, 80, 86, 89, 90, 96, 97, 112, 145, 149, 158, 160, 193, 202, 205, 209,

217, 219, 222, 226, 227, 232, 233
Veränderungen abzielen sollten, 50
Veränderungen aktiv, 167
Veränderungen bewirken, 42, 75, 81
Veränderungen bewirkt, 176, 219
Veränderungen führen, 66
Veränderungen geprägt, 191
Veränderungen herbeizuführen, 17, 47, 53, 106, 108, 159, 170
Veränderungen kämpfen, 59
Veränderungen möglich, 235
Veränderungen sind, 75, 143, 196
Veränderungen unterliegt, 88
Veröffentlichung, 108
Veröffentlichungen basierte, 151
Viele, 194
viele, 15–17, 19, 28, 29, 32, 33, 35, 37, 38, 43, 48, 54, 55, 62, 66, 71, 72, 74–76, 85, 90, 100, 101, 104–106, 111, 112, 114, 115, 118, 121, 128–133, 144, 158, 161, 164, 169, 176, 188, 189, 196, 200, 205–207, 212, 215, 218, 220, 224, 226, 232, 234
Viele Aktivisten, 11, 153
Viele der, 194
Viele Lehrpläne, 208
Viele LGBTQ-Personen, 96
Viele Mitglieder der, 59
vielen Familien ist, 26
vielen Fällen sind, 86
vielen Ländern, 3, 59, 170, 195
vielen Ländern gibt, 175
vieler, 37, 45, 81, 113, 124, 143, 145, 159
vielfältige, 41, 151

Vielmehr, 200
vielmehr, 67, 135
vielschichtig, 20, 30, 229
Vielzahl, 66
Vielzahl neuer, 169
Vielzahl von, 18, 60, 70, 71, 73, 86, 113, 120, 125, 149, 153, 162, 191
virtuelle, 101
Visionen, 199
Visionärin der, 197
vom, 127
von, 1–5, 7–12, 14–19, 23–45, 47–52, 54–67, 69–71, 73–76, 78–83, 85–90, 92, 95–100, 102–115, 117–131, 133–135, 137, 139, 143–145, 147, 149, 151–154, 156, 158–165, 167–181, 183, 185–205, 207–213, 215–229, 231–235
Von der, 49
vor, 3, 15, 16, 29, 42, 51, 57, 59, 70, 82, 87, 102, 112, 114, 146, 168, 170, 171, 191, 193–196, 202, 205, 206, 219, 220, 226, 232, 234
Vor Saras Engagement, 143
vorangebracht, 154
vorantreibt, 147
voranzutreiben, 62, 95
Vordergrund, 169
Vordergrund stehen, 11
vorderster, 145
Vorfall, 124, 189
vorgegebenen, 24, 31
Vorliebe, 23
vorne, 193

Vorschulalter auf, 23
Vorträge, 104
Vorträgen verwendet, 2
Vorurteil gegenüber, 84
Vorurteile gegenüber, 27
Vorurteilen geprägt, 9, 34, 219
Vorurteilen konfrontiert, 215
vorzubereiten, 208
vorübergehenden, 67

wachsende Anerkennung der, 85
wachsende intersektionale, 171
Wachstum, 186, 187
wahre Identität, 24
wahren, 110, 114, 136
wahrgenommen wird, 14
Wahrheit, 200
Wahrnehmung, 81, 127
war, 1, 7, 11, 15, 17, 18, 23–32,
    34–39, 41–43, 47, 48,
    51–55, 64–67, 74, 75, 85,
    99, 100, 102, 118, 120,
    121, 124, 135, 140, 143,
    144, 156, 163, 175, 185,
    186, 188, 189, 191, 200,
    215
waren, 7, 15–17, 23–27, 29–34, 37,
    39, 41, 42, 47, 49, 54, 65,
    67, 74, 75, 119, 122, 124,
    132, 156, 167, 189, 225
Warten auf, 233
weckt, 210
weckten, 37, 42
Weg von, 54
wehren, 124
Weise, 8–10, 15, 36, 95, 99, 114,
    147, 169, 220, 227
weiter, 14, 25, 37, 49, 51, 61, 104,
    145, 224, 225

weitere, 12, 19
weiteren Marginalisierung, 209
weiterentwickelt, 17, 167, 183, 201
weiterer, 2, 7, 10, 18, 38, 48, 51, 66,
    73, 75, 96, 100, 105, 115,
    130, 143, 177, 179, 186,
    189, 191, 196, 198, 221
weiterhin, 164, 165, 196, 208
weiterhin als, 149, 201
weiterhin bestehen, 65, 203
weiterhin Bildungsinitiativen, 178
weiterhin dafür, 88
weiterhin Engagement, 108
weiterhin geschrieben wird, 17
weiterhin mit, 176
weiterhin verteidigt, 145
weiterhin vor, 16, 193
weiterhin zusammenarbeitet, 133
weiterzumachen, 224
weitreichend, 194
welche gesellschaftlichen, 193
welche Werte sie, 199
Welle von, 194
Wellen, 17
Wellen geschlagen, 106
Welt, 149, 176
Welt zu, 29
weltweit, 106, 108, 147, 163, 171,
    174, 176, 198, 235
weniger, 24, 56, 100, 111, 222, 224
wenn, 109, 114
wenn die, 130
wenn es, 64, 130, 229
Wenn Leser sich, 10
Wenn LGBTQ-Personen, 96
Wenn Menschen, 202
wenn Menschen, 158, 235
Wenn Menschen sich, 203

Index

wenn Menschen zusammenarbeiten, 160
wenn sie, 148
werden, 1–4, 7–14, 18, 19, 25, 28, 31–33, 35, 36, 39, 41, 42, 49, 51, 54, 56–58, 62, 63, 66, 67, 69, 71, 78, 80, 81, 83, 85, 86, 88, 90, 92, 93, 95–97, 99, 100, 102, 105, 108, 109, 111, 113–115, 117, 118, 122, 125, 127, 128, 131–133, 139, 145, 146, 152–154, 158, 159, 161–165, 167, 169–174, 176–181, 183, 185–187, 189, 191–196, 198, 199, 201–204, 207–210, 212, 213, 217–222, 224, 225, 227–229, 231, 233, 234
Werk, 25
Werkzeug, 1, 189, 210
Wert, 25, 188, 224
Werten von, 200
Wertschätzung, 147
wertvolle, 67, 104
wesentliche Aspekte, 153
wesentliche Komponente der, 221
wesentlichen Beitrag, 90
wesentlicher Bestandteil der, 72
wesentlicher Bestandteil des Aktivismus, 160, 225
wesentlicher Bestandteil ihrer, 62
wesentlicher Bestandteil ihres Aktivismus, 99
wesentlicher Bestandteil von, 85, 104, 114, 158
wichtig, 2, 8, 9, 12, 14, 17–19, 27, 28, 32, 40, 49, 53, 56, 59–61, 64, 65, 67, 69, 76, 78, 83, 90, 97, 99, 105, 114, 115, 126, 130–133, 136, 137, 145, 149, 150, 158, 162, 165, 168, 170, 178, 180, 187–190, 194–196, 198, 201, 223, 225, 229–232, 234, 235
wichtige, 2, 9, 11, 14, 17, 27, 33, 41–43, 55, 57, 97, 105, 110, 127, 136, 145, 159, 168, 220, 221, 224, 227, 229, 232
wichtigen, 24, 38, 45, 53, 75, 87, 93, 108, 135, 144, 200, 228
wichtiger, 2, 7, 18, 38, 48, 51, 75, 80, 96, 100, 105, 115, 130, 143, 149, 177, 186, 187, 189, 196, 198, 221, 227
widerspiegeln konnte, 37
widerspiegelt, 147, 188
widerspiegelte, 1
Widerspruch zu, 185
Widerstands, 17
Widerstandsfähigkeit, 38, 129
Widerstände, 59
widriger, 67
Widrigkeiten, 11
Wie, 215
wie, 2–4, 7–10, 12, 14, 16–19, 23, 24, 27, 29, 31, 33, 38, 40–42, 45, 50, 51, 53, 55, 57–67, 76, 79, 81, 83, 85, 87, 88, 90, 92, 95–97, 99, 102, 105–108, 110, 113–115, 117, 118, 120, 122–124, 126–128, 131–133, 135–137, 139–141, 144, 145, 149–153, 158, 159, 164,

168–172, 174, 176,
178–180, 183–189, 191,
193–196, 199, 201,
204–206, 212, 219–229,
231, 232, 234, 235
Wie Sara Bingham, 213
wieder, 12, 18, 40, 83, 127, 195, 201, 203
wiederfand, 39
wiederholte, 122
wir, 4, 6–8, 13, 49, 56, 58, 66, 81, 83, 86, 92, 95, 97, 100, 102, 106, 113, 117, 119, 124, 131, 133, 139, 152, 158, 161, 163, 174, 176, 178, 181, 185, 195, 199, 203, 205, 206, 208, 211, 213, 219, 223, 225, 227, 231–233, 235
wird oft, 11
wird weiterhin eine, 235
Wirken, 49
wirksam, 172
Wirksamkeit illustrieren, 13
Wirkung von, 208–210
Wissen können, 86
Wissen Macht, 223
Wissen nutzen kann, 223
Wissen zu, 178, 187
wissenschaftlichen, 78
wodurch, 11
Wohlbefinden, 5, 71, 74, 108, 185, 202, 220, 226
Wort, 229
wuchs, 1, 17, 23, 26, 37, 41, 47
wurde, 65
wurde sexuelle Orientierung, 16
wurden, 3, 15, 17, 36, 38–41, 51, 75, 111, 133, 151, 159, 195,
197, 206, 207, 215, 219, 226, 232, 235
Während, 52, 53, 58, 186
während, 7, 10–12, 24, 29, 33, 49, 55, 61, 65, 67, 75, 98, 99, 104, 110, 111, 118, 164, 165, 189, 200, 224
Während Erfolge oft, 67
Während Fortschritte, 41
Während Sara, 109
Würde, 88, 231

zahlreiche, 1, 61, 74, 78, 84, 96, 100, 126, 132, 144, 147, 149, 153, 162, 167, 171, 174, 175, 177, 179, 192, 202, 206, 219, 222
zahlreichen Herausforderungen, 49
zahlreichen Kampagnen, 18
Zeichen, 76
zeigen, 2, 15, 18, 41, 60, 67, 78, 81, 83, 84, 95, 104, 107, 110, 131, 145, 161, 170, 177, 196, 197, 217, 218, 221, 227, 231, 234
zeigt sich, 113
zeigte Sara eine, 1
Zeit spielt, 76
Zeiten, 24, 130, 223, 224
zentrale, 2, 19, 26, 34, 58, 88, 101, 117, 165, 169, 178, 235
zentraler, 7, 9, 33, 37, 45, 64, 106, 111, 126, 129–131, 152, 156, 163, 167, 174, 179, 183, 189, 199, 215, 218, 232, 235
Zerrissenheit führte, 24
Zerrissenheit verstärkte, 24
Ziel, 233

Index

Ziele, 20, 102, 115, 129, 152, 153, 172, 192, 193, 204
Ziele verteilt, 58
zielen darauf ab, 61, 177, 197
Zielen innerhalb einer, 159
Zielgruppe, 65
Zielscheibe von, 123
zielt darauf ab, 3, 20
zielte darauf ab, 66
zitiert, 151, 179
zu, 1–4, 6–21, 23–45, 48–51, 53–67, 69, 71–76, 78–93, 95–115, 118–124, 126–133, 135–137, 140, 141, 143–149, 151–154, 156, 158–165, 167–180, 183–195, 197, 198, 200–211, 213, 215–227, 229–235
Zu Beginn ihrer, 188
Zu diesen, 184
Zudem, 53, 103
Zugang zu, 71
Zugehörigkeit wird es, 59
zugeschnitten, 76
zugrunde, 203
zugänglicher, 2, 13, 213, 234
Zuhörer, 98, 167
Zuhörer auf, 121
Zukunft, 81
zukünftige Generationen, 27
zukünftige Generationen besser auf, 208
zukünftiges Engagement legte, 47
zum, 8, 10, 32, 66, 119, 128, 133, 153, 158, 176, 181, 188, 200, 211, 215, 235
Zum Beispiel kann, 224
zunehmende, 96, 192

zur, 1, 4, 8–10, 15, 16, 24, 29–33, 43, 45, 49, 53–55, 58, 59, 62–67, 78, 80, 81, 83, 85, 87–90, 95, 98, 100, 102, 110, 111, 114, 115, 123, 129, 131, 133, 135, 140, 143, 144, 151, 158, 161, 163, 164, 169, 175–179, 184–186, 193, 194, 197, 200, 205, 208, 216, 219–221, 223, 224, 227, 229, 235
zurückzuziehen, 123, 131, 135, 189, 200
Zusammenarbeit, 51, 64–66, 78, 83, 85, 86, 108, 112, 113, 172, 181–183, 196, 222, 232
Zusammenarbeit betrachten, 181
Zusammenarbeit innerhalb der, 196
Zusammenarbeit wird unerlässlich sein, 147
zusammenfassen, 61
Zusammenfassend lässt sich, 2, 4, 10, 14, 19, 32, 34, 39, 43, 49, 51, 58, 60, 63, 71, 81, 86, 88, 90, 97, 101, 104, 106, 108, 122, 133, 141, 147, 149, 160, 163, 165, 169, 171, 178, 188, 190, 193, 194, 197, 201, 210, 216, 219, 221, 227, 235
zusammengearbeitet, 89
Zusammenhalt brüchig wird, 202
Zusammenhalt innerhalb der, 200, 202
Zusammenhalt sind, 203
Zusammenhang mit, 162
Zusammenhang zu, 225
Zusammenkunft zeigte, 55

Zusammenspiel dieser, 193
Zusammenspiels von, 163
zusammenwirken können, 55
zusammenzuarbeiten, 83, 106, 170, 176
zusammenzubringen, 153, 222, 230
Zusätzlich gibt, 196
zutiefst persönlicher, 122
zwanzig, 55
zwar liebevoll, 7
Zweck, 63
zwischen, 1, 9, 10, 15, 25, 29, 58, 62, 82, 85, 106, 108, 110, 112, 114, 121, 129–131, 167, 182–184, 192, 196, 209, 225, 232
zählt, 28, 128, 236

Ängste, 39
Ängste teilen können, 112
Öffentlichkeit zugänglich machen konnte, 100
Überleben, 137
Überschneidungen von, 51
Überzeugung spiegelt, 200
ähnlichen, 32, 33, 56, 106, 118, 129, 161

ältere, 183
älterer, 37
öffentliche, 23, 61, 67, 87, 96, 108, 109, 127, 194, 222
öffentlichem Shaming bis hin zu, 175
öffentlichen, 18, 40, 59, 85, 89, 98, 103, 113–115, 119, 121, 136, 170, 189, 218
über, 2, 4, 11, 15, 16, 18, 21, 24, 25, 27, 36–38, 40, 42, 45, 53, 55, 56, 58, 60, 61, 65, 67, 71, 75, 78, 79, 82, 83, 85, 87, 93, 95, 98–100, 102, 106, 109–112, 114, 115, 119, 121, 122, 129, 132, 133, 135–137, 144, 146, 151, 158, 160, 161, 163–165, 168, 170, 173, 176–180, 187–190, 194, 195, 198–201, 205, 208, 216, 217, 221, 223, 225, 229, 231, 232, 234, 235
überdenken musste, 67
übernahm, 48
übersehen Mitglieder der, 39
überstehen, 24